Ce que
les maux de ventre
disent de notre passé

Ghislain Devroede

Ce que
les maux de ventre
disent de notre passé

Petite Bibliothèque Payot

À ma femme, Ève Beauséjour, qui se préoccupe pendant que je m'occupe, qui s'occupe pendant que je me préoccupe, et qui m'a confronté à l'irréductible différence d'une Autre.

À mes fils, Laurent, Thierry et Matthieu, qui m'amènent tous les jours, moi qui suis de sexe mâle et qui suis un homme, à devenir un père.

À tous les êtres qui ont croisé mon chemin et nourri ma quête d'altérité, avec qui j'ai appris à partager. À commencer par mes parents, à qui je dois la vie et dont je suis issu.

INTRODUCTION

« J'ai l'impression que ma vie n'est pas la mienne, que ce que je vis appartient à d'autres. »

Il a quarante-quatre ans. Nous échangeons depuis plusieurs heures, attablés dans un bistrot parisien. Il n'est pas vraiment malade. En tout cas, il n'est pas malade dans son corps, lui. Comme Fritz Zorn, qui écrivit qu'il avait été éduqué à mort et mourut d'une maladie de Hodgkin. Zorn disait que son cancer, c'étaient ses larmes rentrées. La maladie l'avait poussé à écrire et il est mort quand son éditeur a accepté de publier son récit. « Je suis tombé malade, docteur », entendons-nous dire trop souvent, comme s'il s'agissait de trébucher dans je ne sais quel trou. À l'opposé, les Orientaux, pour nous dire le mérite du lâcher prise, nous apprennent qu'on peut atteindre l'illumination en trébuchant sur un caillou.

« Cette vie n'est pas la mienne », répète-t-il, les larmes aux yeux. C'est un grand énarque. Il est manifestement brillant. Il pourrait facilement me faire tomber dans le piège de l'intelligence. Il n'a pas encore compris que comprendre, c'est un des pièges les plus pervers qui soient, parce qu'on évite alors de ressentir. Il m'entraîne dans une réflexion profonde sur le sens de l'existence, sur son attachement à sa mère, sur la conscience qu'il a d'un manque de père

– dont il dit pourtant qu'il avait des liens affectueux avec lui.

Il a tellement réfléchi sur la vie !

Je pense à ce petit garçon que j'ai vu hier. J'étais de passage à Liège. Sacha est malade dans son corps, lui. Il est encore trop petit pour mettre des mots sur sa souffrance. Sa mère ne trouve pas normal qu'il ait une maladie de Crohn, comme elle, bien que personne n'ait jamais démontré que c'est une maladie héréditaire. De plus, elle a développé la maladie alors qu'elle était enceinte de lui. Elle devine la nature fusionnelle de leur relation.

Il est vraiment brillant. Il fait partie du groupe des énarques. Il a donc eu une vie d'énarque. Reconnu comme tel, il a été promu à de hauts postes de direction dans le public et dans le privé. Combien d'autres s'en seraient contentés ! Mais lui, il s'est arrangé pour se faire congédier, souffrant de ne pas se sentir à sa place, de ne pas aimer ce qu'il faisait, d'être la marionnette de l'histoire de sa famille.

Il me touche. Il m'émeut.

Un brillant chômeur volontaire, qui se déclare en congé sabbatique pour découvrir ce que, lui, veut vraiment faire de sa vie. Pour faire alliance avec lui et tenter de l'identifier sans trop m'identifier à lui, je lui dis que les grandes ouvertures de ma vie, tôt dans ma trajectoire, furent un cancer de la thyroïde qui m'avait terrifié, la mort subite de mon père qui m'avait terrassé, et la consécration de mes pairs lors d'un congrès dans un grand hôtel de Miami. « Victime » du succès, plutôt qu'épuisé par l'échec... Il me fait réfléchir aux pièges de la réalisation et du succès...

Mais j'ai aussi une conscience aiguë du transfert. Je sais que l'analyse du transfert, toute extraordinairement utile qu'elle soit pour transformer, est aussi une expérience horrible de réveil de vieilles blessures. Je lui dis ce que je dis aux étudiants. À savoir que dans toute relation humaine, qu'elle soit en ville ou sur le divan, on n'est pas deux mais six, chacun prenant l'autre pour ses deux parents. Je lui dis que « on », ce n'est pas encore « nous ». Un jour, je demande à la femme d'un malade que je vais opérer d'un cancer du côlon si elle a des questions. « On n'a pas le choix », me répond-elle. En disant « on », plutôt que « je » ou « nous », elle signifie qu'elle n'est qu'une demi-femme, mariée avec cette « douce moitié » qu'est son demi-homme. Il en est mort, d'ailleurs. Sans jamais avoir pu découvrir l'autre moitié de lui-même.

Il ne pleure plus comme tout à l'heure. Il est très fâché contre moi. Je le félicite de sa colère. Il en est tout interloqué. Il me dit qu'il sort peu sa colère. Je lui réponds que seules les émotions font la jointure entre le corps et la psyché. Que le Bouddha dit que la colère est un cadeau… On s'en débarrasse s'il est accepté et non retourné. Il a beaucoup pleuré tout à l'heure, quand il m'a parlé du suicide de son frère cadet. Un suicide solitaire, par intoxication médicamenteuse. Un suicide de femme. Il ne s'est pas tiré une balle dans la tête, ne s'est pas fait un « trou de balle » cérébral. Il ne s'est pas non plus castré de son phallus cérébral, en se pendant. Son frère, en face de moi, pleure encore ce qui éveille sa propre souffrance.

Cela fait des heures qu'il parle… Autour de nous, la faune du repas du midi commence à remplacer celle du petit déjeuner. Plusieurs fois, il m'a demandé la permission de dire quelque chose, comme si moi aussi je tirais les ficelles de la marionnette qu'il est encore. Je le lui fais remarquer. Il est énarque. Il est brillant. Il ne faut pas lui dire les choses deux fois. À chaque fois qu'il me demande la permission, il se reprend tout de suite. Je lui dis que tout à l'heure, il m'a un peu agacé avec sa colère, alors que je ne l'avais pas été de son attachement à sa « maman » et de sa conscience d'un grand manque de père. Je rajoute que cet agacement m'appartient, que c'est un bel exemple de contre-transfert, qu'il indique qu'il y a encore là une blessure à guérir chez moi. Il sourit de contentement. Il m'amuse de ne pas voir dans son sourire une tentative de prendre le pouvoir sur moi. La mainmise sur l'autre pour ne pas se voir. Je lui dis que ce qui nous dérange chez l'autre nous habite aussi. C'est l'histoire de la paille et de la poutre. C'est mon collègue Marcel qui me dit que c'est tellement dommage qu'on ait les yeux devant le cerveau, parce qu'on voit tellement bien derrière les yeux des autres… D'un coup, il me dit qu'il ne s'est pas assez détaché de sa mère, qu'il a toujours cru que son problème, c'était surtout son manque de père.

J'ai annulé le rendez-vous que j'avais dans l'après-midi. Ce qu'il me dit est bien plus important qu'un texte scientifique à peaufiner avec un collègue. Il m'a parlé de sa solitude totale, j'ai envie de le laisser s'épancher, pour une fois, tout son saoul. Il m'invite à déjeuner et propose de quitter l'hôtel.

Je lui parle de Sacha, le petit garçon qui a « hérité » de la maladie de Crohn de sa maman et qui saigne du derrière faute de pouvoir le faire du devant comme sa maman. Je lui parle d'identité. Du masculin et du féminin. La maman de Sacha ne saigne plus de son derrière à elle, depuis qu'il est là pour prendre la relève. J'ai dit à Sacha qu'il avait de la chance d'avoir de si bons parents. Des parents capables de bien s'occuper de lui et de l'amener voir un pédiatre qui connaît bien la maladie de Crohn et le traitera comme il le faut. Mais aussi qui font partie de cette frange minoritaire et croissante de parents qui se demandent quel mandat ils ont donné au corps de leur enfant pour dire leur histoire à eux. Ils sont tous les deux en thérapie. Elle m'a dit d'emblée qu'elle était attendue comme garçon. Même si elle porte des pantalons, elle a plutôt l'air d'une femme. La tristesse habite le fond de ses yeux, une tristesse mal cachée par son sourire. Le papa, lui, a l'air doux. Il dit que sa mère a été terriblement en colère lorsque sa compagne est devenue enceinte de Sacha. Celui-ci nous interrompt. Il raconte le cauchemar qu'il a fait à propos d'une vieille sorcière qui le poursuivait. Je suis assis à droite de Sacha, face à ses parents. Sa mère est en face de lui, à droite de son conjoint. En termes d'identité sexuelle, je suis à ma place, à droite de l'enfant, côté masculin. Depuis les Romains, la gauche, aussi « sinistre » que chez les Grecs, a été attribuée aux femmes dans les églises catholiques. Mais la maman de Sacha s'est, elle aussi, mise à droite de son papa. « Elle me poursuivait dans la maison de mamie », dit Sacha, parlant du lieu de son drame nocturne, chez sa grand-mère paternelle. J'ai beau savoir que l'inconscient d'un enfant est comme un livre ouvert, que parler à un enfant en étant son porte-parole adulte fait merveille, je suis époustouflé. Sacha est pris d'une brusque envie et part aux toilettes. À son retour, je lui demande s'il a fait pipi ou caca. Il me dit « caca, avec de l'eau et un peu de sang ». Les parents disent tous les deux à quel point ils ont somatisé leurs problèmes d'identité. Sacha écoute avec attention. Je lui demande s'il veut bien me faire un dessin de lui avec sa maladie, un second de lui sans sa maladie et un troisième, bien portant, avec sa famille.

« Vous savez, me dit l'énarque en chuchotant, je ne suis nulle part dans ma sexualité. Je suis bloqué à mon adolescence. » C'est le printemps, une belle journée. Nous arpentons les rues de Paris qui respirent la douceur et la fraîcheur. « Il a fait si froid depuis quelques semaines, ajoute-t-il, et la chaleur devient si vite tellement lourde. » Il fait lourd dans son cœur. À voix basse, il me dit que son seul plaisir est de voir un homme se masturber. Il m'a parlé tout à l'heure d'une femme qui avait refusé de l'épouser. Elle lui avait dit que s'il ne réussissait pas à lui faire un enfant, il faudrait qu'elle le tue, car elle ne serait bientôt plus capable d'en faire à cause de son âge. C'est un grand énarque et un petit garçon. Il est au cœur du lien entre identité et sexualité, entre la vie et la mort, entre l'existence et l'inexistence.

– Vous ne les touchez pas ?

– Non, me répond-il.

Je pense de nouveau à Fritz Zorn qui disait qu'il n'était même pas capable d'aimer un homme. Je lui explique qu'un tiers des mâles américains ont au moins un orgasme homosexuel durant leur vie, mais que seulement 8 % ne virent pas leur cuti et restent homosexuels toute leur vie. Je lui parle de cet homosexuel qui a le sida, qu'on m'a envoyé parce qu'il a une fissure anale depuis qu'il a été sodomisé, et qui panique parce que, sans argumenter sur son « orientation sexuelle », je lui pose des questions sur ses pratiques et leur évolution au cours de sa vie. Il s'est enfui, non sans m'avoir dit qu'il lui avait fallu plusieurs années avant de sodomiser plutôt que de l'être. Il m'a appris que la majorité des pratiques homosexuelles sont manuelles ou orogénitales. Je lui parle de cet autre homosexuel perclus de douleurs au « fondement » périnéal. Il avait mal depuis que son amant, qu'il adorait et avec qui il vivait, était mort d'un cancer du rectum quatre ans plus tôt. Il le pleurait encore de larmes rentrées. De les laisser sortir l'avait guéri de ses douleurs, sauf au pénis quand il voulait approcher un homme. Je lui avais fait en riant une interprétation sauvage en lui disant qu'il voulait être homosexuel, mais que, peut-être, son pénis, lui, ne voulait plus. Aux dernières nouvelles, il avait retrouvé la fille de son ancien amant et sortait chastement avec elle, dans un rappel de la première relation sexuée de sa vie.

« Nous sommes cinq enfants, me dit-il. Les quatre aînés sont des garçons. Je suis le plus vieux. Le second porte un prénom qui ressemble au vôtre ; je pense qu'il est homosexuel. Je crois que le troisième l'est aussi. Le quatrième s'est suicidé. Notre sœur semble bien. » La boucle de la misère d'être un mâle dans sa famille vient de se boucler, tout comme, dans mon esprit, viennent de se rejoindre ses carences existentielles et celles du petit garçon que j'ai vu la veille et qui, lui, n'est pas homosexuel, mais saigne du derrière comme le ferait une femme, dans une folle symbolique, *via* une proctite de Crohn.

Je suis chirurgien colorectal. J'ai été formé pour devenir un spécialiste du « fondement », pour reprendre le terme ancien français décrivant le périnée, qui nous fonde et nous supporte. Mais j'ai aussi été très tôt confronté à des questions existentielles à partir d'histoires de derrière... Claude Lévi-Strauss nous raconte la légende de Puito, qui circule chez les Indiens de Guyane. À l'origine du monde, ni les animaux ni les hommes n'avaient d'anus. L'anus vivait à part. Il s'appelait Puito. Les autres êtres vivants semblaient donc ne pas avoir d'orifice inférieur au tube digestif. Tout comme ces Africains qui, dans leur rite de passage vers l'âge adulte, se font mettre un bouchon dans leur derrière pour que, dorénavant, les choses se passent par devant. Ils ne défèquent plus et, pour le faire, ils doivent se cacher dans la brousse. Si d'aventure ils s'échappent et pètent en public, leur femme est censée s'excuser en gloussant de rire... Puito faisait beaucoup de farces et empestait les vivants. Ceux-ci, fâchés, se liguèrent contre lui pour le tuer et le couper en mille morceaux, chacun recevant un tronçon dont la grandeur était fonction de sa taille. Derrière cette légende se cache l'idée que l'anus appartient à quelqu'un d'autre. L'inconscient est plein de ce genre de fantasmes. Le corps imaginaire n'est pas anatomique. L'image inconsciente du corps reflète sa souffrance d'avoir été exposé à de multiples miroirs déformants. Ce corps inconscient est omniprésent, il est à l'œuvre partout.

Je crois donc en l'existence de l'inconscient. Formé

à travailler sur la matière du corps d'une manière scientifique, plus ou moins objective, je n'ai pu échapper à l'évidence que, au-delà ou en deçà, ou au travers de tout, il fallait poser la question de l'esprit, de la psyché, de la conscience. Ce serait pourtant encore une autre forme d'erreur que de croire qu'il existe des maladies psycho-somatiques, voire psycho-somatiques, sans le trait d'union. Tel ne sera donc pas ici mon propos.

Le silence honteux qui recouvre le derrière et tout ce qui touche aux fonctions digestives basses cache un trouble et une bien plus grande souffrance encore. Les histoires de cul, en général, ne sont pas scatologiques, même si l'anus y tient lieu d'orifice. Les interactions entre les fonctions urinaires, sexuelles, reproductives et digestives sont innombrables et sous-estimées. L'approche du périnée, du fondement, s'est faite jusqu'à tout récemment en pièces détachées, les urologues s'occupant de la miction et de l'érection, les gynécologues et les obstétriciens des voies sexuelles et génitales de la femme et de la naissance, les gastro-entérologues et les chirurgiens du côlon, du rectum et de l'anus de la sphère anorectale. Ce livre propose au contraire une vision *intégrée* du ventre, du fondement et de leurs interactions avec la psyché et le passé.

Leïla est arabe et musulmane. Elle vit en Europe et en Afrique. Il y a très longtemps, quand je l'ai rencontrée pour la première fois, elle croyait aux djinns. Elle croyait que ces êtres maléfiques étaient capables d'interférer entre les humains. Elle me disait qu'un djinn s'était mis entre elle et son mari, et les empêchait de faire l'amour. Un peu comme ces catholiques qui croient encore au diable et à ses maléfices. À travers nos échanges, Leïla avait pris conscience de la nature des relations humaines. Elle avait surtout découvert l'omniprésence du transfert dans la vie quotidienne. Elle avait fini par baptiser ce méchant djinn du nom de « papa » avant de poursuivre la route de l'histoire de sa famille. Aujourd'hui, Leïla m'écrit que ce qu'elle désire, c'est trouver la vérité. Elle veut devenir capable d'aider. Devenir passeur. Pourtant, rien au début n'indiquait qu'elle s'intéresserait un jour à la relation soignante, même si elle avait beaucoup de chaleur et de capacité de communication. Aujourd'hui, elle veut ouvrir son cœur, lâcher prise, être sans attente. Accéder à la compassion véritable, dit-elle, c'est tomber tous les masques et accepter le non-pouvoir. Nous voilà loin des djinns ! Bien au-delà des nationalités, des professions, des techniques, des cultures, des langues et des religions. C'est de l'humain qu'il s'agit.

Cette quête passionnée de vérité, de réalité, d'altérité, de compassion, je ne peux pas l'enseigner, mais je voudrais la faire partager.

Je commencerai donc ce livre en tentant de décrire ce qui se passe, se dit, se trame, se montre, se hume quand un être humain souffrant vient voir un autre être humain qui, lui, a d'autres souffrances, et qu'il lui demande de l'aider. Les malades utilisent des mots pour décrire leurs maux. En fait, tous leurs sens envoient une myriade de messages à décoder. Messages non verbaux, souvent contradictoires et reflétant leur morcellement, leur manque d'intégrité. Le capteur qu'est le médecin n'est pas plus intégré, ou si peu ! Ce n'est certes pas sa compétence technique et professionnelle qui pourra l'aider dans la démarche de la communication. Au mieux, elle ne peut servir qu'à réparer l'objet malade. Au pire, elle l'empêchera de communiquer avec le sujet qui souffre. Et ce sujet, justement ? Quand il envoie des messages contradictoires et incompatibles, à quoi faut-il se fier pour lui répondre ? Aux mots qui parlent de la pluie ou du beau temps ? Aux mots qui décrivent les maux ? Au sourire figé qui fait contre mauvaise fortune bon cœur ? Au corps qui tremble ou tape du pied de colère contenue ? Au regard profondément triste, ou désespéré, ou, pire encore, vide et absent ? Quels sont les jeux de rôle assumés par les protagonistes de la relation soignante ?

Nous nous inscrivons dans la continuité de la vie. « Vos enfants ne sont pas vos enfants ; ils ne font que passer à travers vous », écrivait Khalil Ghibran. La plupart du temps, néanmoins, ce n'est pas le cas. De parents en enfants, la conscience croit, la reconnaissance de l'autre grandit, l'amour commence à s'incarner. Nous léguons à nos enfants une partie non seulement de nos chromosomes, mais aussi de nos deuils non résolus, et même les restes de ceux de nos ancêtres. Ce sera l'objet du chapitre II. Il y a une ligne de vie, une continuité dans les familles qui fait que chaque être humain doit à la fois se détacher de ses deux parents pour devenir soi-même et intégrer la partie bénéfique de son héritage. Difficile tâche, rarement résolue, si elle l'est jamais, qui éveille plein de vieilles souffrances et de vieilles rancœurs, et qui ne s'accomplit que dans un travail de respect, de soutien et d'amour. Quand la peine est trop forte pour être élaborée en mots, il ne reste que les maux du corps pour la porter.

La vie commence à la conception. Au Viêtnam, lorsque l'enfant naît, il a déjà un an. On n'y fête jamais l'anniversaire de naissance. On fêtera plutôt... la mort des parents. À chacun ses symboles. Plus pointues sont les découvertes scientifiques des pédiatres et des néonatalistes, plus nous apprenons que le fœtus a de la mémoire. Nous savons aujourd'hui que le nouveau-né n'est pas que cette petite chose fripée et informe qui boit, pisse et fait caca dans ses couches, qui hurle quand ses besoins ne sont pas comblés et qui gazouille et rit quand il est heureux et satisfait. De mémoire de fœtus, pourrait-on dire – et ce sera le titre du chapitre III. Comme lorsqu'il entend chanter sa mère et s'en souvient après sa naissance... Comme lorsqu'il préfère renifler l'odeur du liquide amniotique plutôt qu'une autre odeur...

La fascination de beaucoup d'hommes et de plus en plus de femmes pour la sodomie a été bridée par la peur du sida, mais, en soi, elle parle d'une sexualité qu'on pourrait qualifier de digestive. Ce « digestif », appliqué à la sexualité, est encore plus explicite quand on parle de consommer un mariage ou une relation sexuelle. Dans ce cas, les orifices du bas sont confondus avec la bouche. Le passage de l'analité à la génitalité exigeait une certaine liberté pour la femme, au moins dans sa sphère de reproductivité. La contraception orale, toute récente, de l'ordre d'une poussière de temps dans l'histoire de l'humanité, a donné à la femme et à l'homme la possibilité de devenir des partenaires égaux. Elle leur a ouvert une porte qui leur permet d'apprendre à séparer sexualité et reproduction, le long du fil conducteur du désir. Dans les faits, elle a permis une explosion de la génitalité, fortement bridée par la civilisation des mœurs. Collectivement, nous sommes en train de passer du derrière au devant, et d'évoluer de l'analité à la sexualité, *via* la génitalité.

La médecine ne se situe pas en dehors de cette évolution. Ce livre part résolument du postulat que l'être humain est une seule et même personne, indivisible de haut en bas et du devant au derrière. Comme je le montrerai au chapitre IV, beaucoup de malades ont été abusés sexuellement durant leur enfance. Qu'on y songe ! Une femme sur deux qui souffre de colopathie fonctionnelle a subi cette sorte de meurtre psychique. Ce n'est pas un fantasme. Cela laisse des traces corporelles mesurables en laboratoire. Et cela conduit, hélas, à de nombreuses opérations chirurgicales inutiles. Par exemple, beaucoup de femmes subissent une hystérectomie pour des douleurs pelviennes causées par ce qui s'avère à long terme être une colopathie fonctionnelle. Leur utérus est normal quand il est examiné et les symptômes, bien sûr, persistent après l'opération. On retrouve la même confusion entre le devant et le derrière dans certaines pathologies de la vessie. Ce livre ne traitera donc pas seulement des pathologies du tube digestif, mais aussi de celles des autres organes qui habitent le ventre.

La guérison s'opère plus dans le silence du respect de l'autre que dans le brouhaha des mots. Mais l'amour de l'autre est impossible sans un travail de deuil et de détachement. Ce processus de guérison à l'œuvre dans la rencontre malade-médecin se trame bien au-delà des simples actes techniques, comme on le verra au chapitre V. Parler en silence est une manière pour le corps de dire ce qui est à dire. Nommer les choses qui ont accédé à la conscience, c'est s'intégrer et devenir un.

Profiter de la maladie comme mémoire du passé ? Et si un mal pouvait se transformer en bien ? Ce livre s'achèvera sur ce que la profession médicale a baptisé du terme de « biologie de l'espoir ». Comment considérer de façon bénéfique la plainte, la souffrance, la maladie, organique, ou tout simplement fonctionnelle et symptomatique ? Non pas comme quelque chose de désagréable, à subir, mais comme si la maladie pouvait devenir l'école de la vie. Comme si les mots chuchotés par le corps souffrant pouvaient être amplifiés jusqu'à être entendus, d'abord, partagés ensuite. Si la vie, après la maladie, devient clairement meilleure qu'avant la maladie, alors nous pourrions dire qu'il est possible d'en profiter pour être plus heureux.

CHAPITRE PREMIER

Les mots du ventre

Ceux et celles qui ont mal au ventre, tous les malades d'ailleurs, demandent de l'aide pour ne plus souffrir. C'est la douleur physique qui les conduit chez le médecin. Mais toute maladie s'inscrit dans une trajectoire de vie jalonnée de manques et de peines. Souffrances psychiques et souffrances physiques sont intimement liées, même si les souffrances psychiques sont souvent refoulées grâce à la dissociation, au déni.

La communication non verbale se révèle dans ce cas d'une richesse et d'une finesse inouïes. Souvent, il existe une profonde incohérence entre ce qui est dit et ce qui est caché. Un malade peut parler de la pluie et du beau temps, consulter pour des symptômes graves ou anodins, vagues ou difficiles, et parallèlement transmettre énormément de détresse dans son regard, taper le sol du pied avec colère, ou arborer avec naïveté un sourire accrocheur. Seul le dialogue établi à partir de la détresse dans le regard ou de la colère dans le pied a une chance d'être fructueux, de dépasser le verbiage cérébral construit à partir des cris du corps. Faute de pouvoir mettre ces cris en mots, de nombreuses interventions chirurgicales s'avèrent, rétrospectivement, parfaitement inutiles. Les troubles digestifs fonctionnels sans lésion évidente font l'objet d'une approche organique médicamenteuse ou

21

chirurgicale totalement inefficace. Seule la psychothérapie conduit à une réduction de la douleur, du ballonnement abdominal et de la diarrhée.

Le modèle biopsychosocial

La maladie psychosomatique n'existe pas, mais toutes les maladies relèvent d'un modèle bio-psychosocial.

Ainsi, nous naissons avec un bagage chromosomique de plus ou moins bonne qualité. Par exemple, les êtres qui naissent dans une famille marquée du syndrome de polypose familiale ont, au départ, une chance sur deux de développer un cancer du côlon. Cela, c'est la composante physique de la maladie.

La composante psychologique de la maladie suit deux courants différents. La filière aiguë implique des voies psychophysiologiques. Ainsi, la colère provoque des contractions du côlon et, au contraire, détend l'estomac. Or, la colère n'est pas une maladie – tout comme le côlon ne se situe pas dans la tête, mais dans le ventre... La filière chronique, elle, suit, des voies psycho-neuro-immunologiques. Par exemple, le deuil d'une conjointe décédée d'un cancer du sein déprime de façon mesurable et temporaire le système immunitaire. L'idée que des éléments psychologiques puissent jouer un rôle dans la genèse de la maladie soulève les passions. Sans prendre parti, ni pour celles ou ceux qui pensent que tout a une base psychologique – ce qui est faux –, ni pour ceux ou celles qui, au contraire, refusent carrément l'idée que la psyché influence le soma – ce qui est tout aussi faux –, il faut soulever deux points importants.

Tout d'abord, on doit s'interroger sur la philosophie et les motivations profondes – inconscientes, subjectives et éminemment émotionnelles – des tenants des deux camps. C'est un leurre de la part des scientifiques « purs et durs » que de croire que leur approche est totalement dénuée d'un substrat personnel et partial. Ils confondent allègrement « contenu » et « méthode » scientifiques. Cette dernière est une façon d'apprendre à penser ce qu'on voit plutôt que de voir ce qu'on pense. Malgré certaines limites, parce qu'elle ne tient pas compte de tous les éléments qui composent la vie, cette méthode est infaillible parce qu'elle force au changement, remet en cause les hypothèses de travail qui ne sont pas validées par le test de réalité et progresse sans cesse vers une structure de plus en plus complexe. À l'inverse, le « contenu » scientifique est à la « méthode » ce que l'image fixe est au cinéma, c'est-à-dire une tranche de connaissance figée dans le temps et dans l'espace. Le piège dans lequel il est facile de tomber est celui qui consiste à confondre connaissance actuelle et réalité et, ce faisant, à transformer une attitude scientifique en attitude dogmatique.

S'accrocher à des certitudes est une puissante béquille qui permet à beaucoup de « scientifiques » – les mauvais élèves de la méthode – de fermer les yeux, les oreilles et les autres sens quand une anecdote, un cas d'espèce ne cadrent pas avec les connaissances communément établies. Lorsque je me retrouve à discuter avec un scientifique « croyant » et que nous débouchons sur un dialogue de sourds, où la « foi » en la « science » empêche toute ouverture scientifique sur l'inconnu, souvent, si je suis encore un peu agacé, je demande à mon collègue s'il croit qu'on peut tout prouver. La réponse qui me revient, bien entendu, est qu'un jour on pourra tout prouver. C'est alors que je demande – et cela clôt la discussion – s'il peut me prouver que sa mère l'aimait…

Mais il y a plus grande illusion encore. Comprendre, comprendre « juste », est une façon extrêmement économique de se protéger de nombreuses émotions. Nous souffrons moins si nous comprenons les

23

motivations de la personne qui nous fait souffrir et les raisons profondes de ce qui nous rend vulnérables à leur agression. Toute science étant faite de mesures, on peut même dire qu'une approche scientifique parfaite du malade implique une absence totale de communication avec lui. Dans le cas de la relation scientifique, nous avons affaire à une relation de sujet à objet. L'objet de nos mesures scientifiques. Dans le second cas, nous devrions être dans une relation égalitaire entre deux sujets. Il faut aussi tenir compte du fait que non seulement l'humanisation des soins est chère au cœur du malade, mais qu'il est hautement probable que la qualité de la relation thérapeutique exercera une influence majeure sur la compliance et les résultats thérapeutiques. Telle est d'ailleurs l'essence du pouvoir du médicament placebo, où tout se passe entre le sujet médecin et le sujet malade, puisque celui-ci ne reçoit aucune médication active.

Enfin, la dimension sociale de la maladie a été largement étayée par de nombreuses études épidémiologiques. Ainsi trouve-t-on beaucoup plus de sujets se plaignant de constipation dans une population pauvre et peu instruite qu'ailleurs. Un autre exemple est celui des ouvriers de certaines industries textiles qui courent un grand risque de développer un cancer du côlon.

Du bon usage de la maladie

Le symptôme et la maladie tiennent une place importante dans l'équilibre de l'individu. Si le médecin, par son approche thérapeutique, veut supprimer la pathologie, il doit donc aider le malade à littéralement métaboliser son problème de santé, faute de quoi un déplacement de symptôme peut survenir – et parfois la situation empirer. C'est ainsi qu'un de mes collègues, neurochirurgien de son état et spécialiste de la douleur, a été terriblement traumatisé. Il s'était occupé d'un malade perclus de douleurs dans tout son corps à la suite d'un accident. Le malade avait été suivi sans succès par de nombreux spécialistes. Mon collègue réussit à abolir la douleur en posant un neurostimulateur au niveau de la moelle épinière. Il en était très fier et très heureux. Le malade devint totalement asymptomatique. Et se suicida... Mon collègue, bouleversé, venait de découvrir que la logique scientifique linéaire, aussi efficace soit-elle, ne conduit pas toujours à une issue logique de la situation. Il faut donc parler d'un gain secondaire de la maladie. Certains sujets sont plus heureux quand ils sont malades. Si l'attention dont ils ont besoin ne leur est apportée que lorsqu'ils ne sont pas bien portants, il faut en tenir compte pour éviter l'échec thérapeutique absolu.

La communication non verbale

Le médecin est souvent sourd et aveugle au langage du corps. Pourtant, la communication non verbale est très riche. En parlant vite, nous pouvons émettre jusqu'à mille mots à la minute. Mais nous envoyons en même temps cinquante mille messages non verbaux ! Une littérature importante porte sur ce type de communication. Il est impossible de la décrire de façon exhaustive en seulement quelques pages. Idéalement, le médecin doit être un bon observateur qui utilise tous ses sens et agit comme un miroir neutre et bienveillant envers le patient. On pourrait aussi le comparer à une caméra vidéo restituant au patient ce qu'il a vu et entendu – mais qui a enregistré les messages avec son cœur. Par exemple, si un patient parle du temps qu'il fait avec un sourire faux, pianote sur le bureau et a les yeux tristes, on peut choisir de lui demander : « Pourquoi pianotez-vous sur le bureau ? », ou : « Pourquoi avez-vous les yeux tristes ? » au lieu de parler de la météo. Cela surprend tellement le sujet habitué à n'échanger que des mots que cela engendre des réactions vives et potentiellement très utiles. Son « agenda secret » commence alors à s'ouvrir.

Une jeune fille entre dans mon bureau avec sa mère. Les deux femmes s'asseoient côte à côte. La mère est à la droite de sa fille, moi à sa gauche. La fille est constipée. Comme je suis un expert dans ce domaine, fort de nombreuses publications internationales, et que je travaille dans un hôpital universitaire surspécialisé, je ne vois pas que des malades de première ligne, mais aussi des sujets qui ont déjà été vus par plusieurs médecins, qu'ils soient généralistes, gastro-entérologues ou chirurgiens. Alors, plus grande est la distance entre l'endroit où habite le malade et celui où je travaille, plus grande est la probabilité que le problème soit sévère. La mère et la fille arrivent du Connecticut. La jeune fille est donc très constipée. Elle a déjà vu plusieurs spécialistes de la Côte est des États-Unis, qu'elle a remontée de consultation en consultation.

– Vous comptez rester combien de temps dans la région ?

– Nous reprenons l'avion ce soir de Montréal.

D'emblée, les jeux sont faits. Je ne peux procéder à aucun test qui me permettrait de trouver une cause et un mécanisme à sa constipation. Je ne disposerai que des rapports de ce qui a été fait ailleurs. Je n'ai quasiment aucune possibilité de me comporter en « médecin ».

J'opte pour l'exploration de l'histoire de vie de la jeune fille.

Les parents sont divorcés depuis plusieurs années. Nous parlons longuement de sa vie. Tout à coup, elle éclate d'un grand rire de gorge, rauque, sexuel, excité. Elle rougit comme une tomate. Elle tape sur mon bureau du plat de la main. Elle tourne brusquement la tête vers sa mère.

Je feins l'imbécile.

– Je ne comprends pas. Ce que je vous ai dit vous a excitée : c'est le grand rire de gorge. Mais cela vous a aussi beaucoup gênée, et ça, c'est la rougeur subite de votre visage. Je vous ai fâchée et vous avez frappé sur mon bureau. Enfin, vous avez tourné la tête vers votre mère pour lui demander de l'aide.

– Fais attention !, dit la mère. Il est en train de t'hypnotiser ! Je le sais, j'ai déjà travaillé avec un hypnotiseur.

L'hypnose associe la communication non verbale au transfert. La mère sait donc que j'ai approché sa fille non par les mots, mais par ce que son corps me disait.

Dans le brouhaha de la discussion qui suit, il s'avère que le père de la jeune fille a abusé d'elle sexuellement. C'est cela qui a conduit les parents au divorce. J'explique longuement aux deux femmes les liens connus entre abus et constipation (sur lesquels je reviendrai en détail au chapitre IV).

Elles reprennent l'avion le soir même. J'ai suggéré que la jeune fille entreprenne une psychothérapie plutôt que de subir la colectomie que les deux femmes souhaitaient s'entendre conseiller.

LA POSTURE DU MALADE

La posture d'un sujet nous apporte beaucoup d'informations. Par exemple, celui qui a été éduqué rudement durant l'enfance aura tendance à avoir le cou en hyperextension : il continue de tenir tête à ses anciens adversaires. Au contraire, ceux qui sont déprimés courbent le dos et laissent tomber les épaules.

Le coup de foudre, l'amour au premier regard repose sur une base physiologique. Lorsqu'un homme rencontre une femme et qu'il est attiré sexuellement par elle, ses pupilles se dilatent instantanément ; si l'attirance est partagée, ses pupilles à elle se dilatent à leur tour. Ils n'ont pas encore prononcé un seul mot, mais ils savent déjà… Les Italiennes de la Renaissance avaient compris cela très intuitivement. Elle se mettaient des gouttes de teinture de belladone (la *bella donna*, la belle dame) dans les yeux pour attirer les hommes, remplaçant ainsi la mydriase (dilatation des pupilles) du désir par celle des gouttes ophtalmiques ! À l'occasion, une parole touchante, dite au bon moment à une malade dans un contexte relationnel, peut déclencher pareille dilatation instantanément. Desmond Morris, dans *La Clé des gestes*, joue d'ailleurs avec son lecteur mâle en lui montrant deux photos de la même jolie femme dont l'une a été retouchée pour donner l'impression que le lecteur lui plaît… *via* ses pupilles dilatées. « Quelle photo préférez-vous ? », demande-t-il. Personnellement, j'ai choisi celle aux pupilles retouchées…

Un patient anxieux face au médecin peut aussi avoir tendance à la scoptophobie. Le mouvement frénétique de ses paupières masque mal son trouble. Regarder le patient droit dans les yeux peut donc être révélateur. Certains vont y répondre en fixant le médecin du regard avec grande colère. D'autres ne pourront pas endurer ce contact en face-à-face et vont détourner le regard. D'autres encore resteront complètement en paix. Si le médecin est capable d'entrer en autohypnose, le faire tout en regardant le patient dans les yeux est un moyen sûr de provoquer des émotions. L'égo du médecin doit être exclu de cette relation afin de permettre au patient de projeter à volonté. Si la relation est bonne, le patient entrera aussi en transe pour pouvoir garder un contact étroit avec le médecin. En faisant cela, il perdra tout contrôle et révélera son « agenda secret ».

« Tu vois, dis-je à Valérie, je peux te regarder comme cela… » Mon visage est à vingt centimètres du sien. Je l'observe. Ses jolis cheveux blonds qui entourent la douceur de son visage, la joie dans ses yeux, le sourire sur ses lèvres. Elle a la pureté de l'innocence tissée d'expérience. Elle me regarde au fond des yeux, du fond des siens. Sa peau est pâle et rose. Une texture fine. Ses cheveux, au sommet de la tête, sont ramassés en boucle. Valérie est transparente et se laisse observer par mon regard de scientifique ornithologue. « Mais je peux aussi te voir sans te regarder », poursuis-je.

Il y a longtemps que j'ai appris à faire les yeux doux. C'était au fond d'une forêt québécoise, la nuit. Une bougie séparait son beau visage du mien. J'étais fou d'elle. Je croyais avoir trouvé mon rêve. Elle aussi avait des longs cheveux blonds. Elle avait les yeux bleus et une flamme de lumière en leur centre. Elle m'avait dit qu'elle trouvait mon regard très agressif. Par amour pour elle, et au prix de gros efforts, j'avais appris à mettre de la douceur dans mon regard, en me faisant corriger comme un petit enfant de l'excès de colère qu'elle continuait de percevoir.

Plus tard, beaucoup plus tard, j'avais fait un atelier de travail sur « les yeux doux ». C'était à Esalen, en Californie. Esalen est un lieu mythique de la psychologie. Dans les années 1960, y ont séjourné des maîtres à penser qui ont bâti là leur réputation, comme Frederick Perls. Perls est l'inventeur de l'approche *gestalt*. Il a insisté sur cette vérité qui transcende les siècles et que les Romains connaissaient quand ils préconisaient le *carpe diem*. Prends ce qui vient quand cela vient. *Hic et nunc*. « Ici et maintenant », disait Perls. Pas dans la nostalgie du passé. Pas dans l'espérance du futur. Ici. Maintenant. Je dormais dans la chambre de

29

Perls, désormais disponible pour les participants. Proche de l'océan Pacifique. Une merveille. L'atelier portait sur le rapport entre les yeux doux et la résistance physique. L'animateur nous avait fait faire un exercice qu'il appelait « le bras de fer ». Il s'agissait de mettre un bras à l'horizontale. Dans la première partie du travail, nous devions regarder un objet dans la pièce pendant que notre partenaire pesait de toutes ses forces sur le bras étendu. Impossible de résister. Puis, l'animateur nous demandait de ne plus faire attention à rien, de nous mettre dans un état second, de voir l'infini de l'horizon. Deux, trois personnes n'arrivaient plus à abaisser le bras devenu « de fer »...

« Mais je peux aussi te voir sans regarder. » Je ne regarde plus Valérie. Je la vois dans mon champ visuel. Je regarde au-delà d'elle. Loin derrière elle, un endroit imaginaire. Comme mon visage est proche du sien et que je n'en regarde plus les détails, mes yeux ne convergent plus sur sa face. Ils restent parallèles. Je vois apparaître le troisième œil à la base du nez. Rien de sorcier ou de magique pour qui connaît un peu la physiologie oculaire et le croisement des nerfs optiques. Chaque œil envoie un message ipsilatéral et contralatéral qui se marie avec celui de l'autre œil. En ne convergeant plus, mes yeux créent « trois » yeux, le troisième étant fait des deux moitiés perçues par la partie du nerf optique qui décusse vers l'autre côté.

Je vois Valérie. Spontanément, elle entre en profonde hypnose. Je sais que toute hypnose est une autohypnose, mais je suis quand même surpris. Et le groupe alors ! Je voulais seulement montrer que tous les sens sont bidirectionnels, qu'ils peuvent être émetteurs ou récepteurs, dominant ou dominé, actif ou passif, et que l'état mental détermine dans quel sens passe le signal. Sauf pour le toucher, où il est impossible de toucher sans être touché.

Valérie se met à parler d'elle. De vieilles histoires. Je ne fais qu'écouter, tout comme le groupe de chirurgiens et de kinésithérapeutes qui assistent à la scène. Je ne pose aucune question.

Notre contact intense a perduré au fil des ans. J'ai traversé l'Atlantique pour assister au mariage de Valérie. Il nous est resté une grande facilité à communiquer.

Je ne savais même pas que Valérie se plaignait de maux de ventre chroniques. Elle ne m'en avait pas dit un mot. Elle souffrait de colopathie fonctionnelle. Un jour, bien plus tard, elle me dit que tous ses symptômes avaient disparu après son expérience de transe, à travers les yeux doux. Elle me dit que je l'avais guérie ! En fait, je n'avais rien fait. Son inconscient avait rencontré le mien et elle s'était servie de moi, à mon insu… et avec mon accord.

AFFICHER SES COULEURS

Le type de vêtements portés par le patient, les couleurs qu'il a choisies peuvent indiquer son humeur, particulièrement s'il porte toujours la même couleur. Par exemple, des vêtements noirs suggéreront un processus de deuil.

Lyne se plaint de douleurs abdominales, de constipation et de flatulences qu'elle raccroche tout de suite à la féminité : « C'est parfait quand je suis menstruée ; j'ai deux selles diarrhéiques par jour, un ventre plat, très peu de douleurs. Après mes menstruations, j'ai les douleurs les plus aiguës de mon cycle, je ne vais pas à la selle pendant six à huit jours et j'ai l'air enceinte de six mois. » Le début de ses symptômes remonte à un épisode de menstruation prolongée qui a duré cinquante-deux jours. Elle avait alors été traitée pour avortement incomplet, par erreur, car elle n'était pas enceinte.

La communication entre Lyne et moi est facile, fluide. Sans méfiance. Sans séduction. D'emblée, elle me conte sa vie et je n'ai presque pas de questions à poser.

Lyne a trente ans. À vingt-trois ans, elle s'est mariée avec un homme qui avait un an de moins qu'elle. Elle a eu deux enfants avec lui. Elle en a divorcé il y a deux ans. Il la battait. Elle ne pouvait plus le supporter. Son premier amant, qu'elle avait rencontré à dix-huit ans, avait trois ans de plus qu'elle. Il n'était pas violent, lui. Lyne se souvient rarement de ses rêves. Elle fait parfois des cauchemars dont le thème tourne autour de la violence conjugale qu'elle a subie. Présentement, elle a un amant qu'elle décrit comme « magnifique ». Il a sept ans de moins qu'elle. Ils ont des relations sexuelles fréquentes. Pour la première fois de sa vie, elle parvient assez souvent à l'orgasme. Sur le plan social, Lyne est très autonome. Elle a fait des études après son divorce. Elle dirige des équipes d'hommes sur des chantiers de construction de grande enver-gure. En ce moment, cinquante hommes travaillent sous ses ordres.

À la fin de l'entretien, sur le pas de la porte, elle me dit : « Je me sentais mal à l'aise à l'idée de vous rencontrer. Là, je me sens bien. » Je remarque subite-ment son pantalon corsaire blanc et son chemisier de soie noire, très élégant.

– Aimez-vous le noir ?

– Oui, me répond-elle surprise. Mais c'est nouveau dans ma vie. Pourquoi cette question ?

– C'est la couleur du deuil. Le blanc aussi, mais le blanc c'est pour la mort d'un enfant.

Lyne éclate en sanglots. Elle pleure longtemps. Je l'accompagne sans l'interrompre, en respectant l'intensité de ses émotions.

« Mon premier mari m'a forcée à me faire avorter quand j'avais vingt-trois ans, dit-elle entre deux pleurs. Sinon, il ne m'aurait pas épousée. J'étais jeune, j'étais morte. Je ne voulais pas, mais j'ai cédé. C'est depuis ce temps que j'ai mal au ventre. La constipation que j'avais a empiré. »

Je suis impressionné par la rapidité avec laquelle elle relie son histoire de cas à son histoire de vie. La deuxième syllabe de mon prénom, « lain », fait écho, au masculin, à son prénom, Lyne. Je me dis que cela aide peut-être la dimension transférentielle de nos échanges, mais je sais aussi que, d'emblée, nous sommes non pas en-deçà, mais au-delà du transfert, dans une véritable communication.

Je conclus à un diagnostic de colopathie fonctionnelle avec anisme (dyssynergie abdominopérinéale), ce qui signifie qu'elle ferme l'anus pendant la défécation au lieu de le laisser s'ouvrir normalement.

Dans le cadre de l'investigation de la colopathie, et pour éliminer une lésion organique, je décide de faire une proctoscopie. Il s'agit d'introduire un tube rigide éclairé, à travers l'anus, dans le rectum, pour voir s'il y aurait là une pathologie qui pourrait causer la constipation. En entrant dans sa salle d'examen, Lyne dit trembler intérieurement. Manifestement, elle n'a pas envie de pénétration anale, même symbolique et instrumentale, et tout à fait justifiée sur le plan scientifique et médical. Elle n'a pas les mains sur les « foufounes », comme on dit au Québec et comme le font les petits enfants qui subissent cet examen, mais c'est tout comme. Elle parle de sa colère contenue. Lyne est beaucoup plus petite que moi. Je la domine de mon mètre quatre-vingt-dix. Je m'assois sur un banc pour me rendre plus petit qu'elle. Mise en position haute de thérapeute, elle se met à parler ; c'est un torrent verbal. Elle parle vite. Fait plein de coq-à-l'âne. La conversation dévie de sa réticence à subir l'examen, raison de sa visite aujourd'hui. Elle se met à hurler sa colère sur son ancien mari.

Pris d'une intuition, je lui tends la main droite, paume ouverte vers le haut.

« Frappe. »

Lyne me regarde comme si j'étais complètement fou. Elle finit par me toucher la main d'un geste mesuré.

« Tu peux faire mieux. »

Tout à coup, elle lâche le contrôle. La première claque retentit avec un grand bruit sec et aigu. Précis comme une incision chirurgicale. Le bruit déclenche la rage de Lyne. Elle se met à me frapper avec une telle violence que je dois amortir les coups. Je me sens paisible. Je la laisse exprimer sa rage tout en me protégeant. Pendant qu'elle frappe, Lyne crie sur moi toutes les violences de son ex-mari et aussi, surtout, celles de son enfance. Puis elle se met à pleurer, s'asseoit sur un banc, ce qui ramène ses yeux à la hauteur des miens. Elle me parle des souffrances qu'elle a subies au cours de sa vie. Elle prend la main de l'infirmière, s'y accroche et nous dit se sentir comme une petite fille.

Bien entendu, je ne fais pas la proctoscopie. La crise a duré trois quarts d'heure.

Lyne revient trois jours plus tard, en clinique externe. « Tu m'as guérie, dit-elle, je n'ai plus mal au ventre. Tu es un bel être humain. » J'ai les larmes aux yeux. J'éclate de rire. Après coup, je me trouve incohérent.

— Tu m'a touché, lui dis-je. J'ai eu les larmes aux yeux et j'ai éclaté de rire pour ne pas pleurer.

— Oui, oui, j'ai vu.

Elle rit. Elle me parle beaucoup de sa mère et de la maîtrise de soi qu'elle a, comme elle, développé.

Elle revient seulement six mois plus tard. Après la catharsis émotionnelle, les douleurs abdominales ont disparu pendant trois mois. Elles sont revenues ensuite, mais de façon épisodique, une fois par semaine. Lyne me dit vouloir faire un enfant. Me demande ce que j'en pense. Elle se plaint toujours de constipation.

Je demande un transit des marqueurs radio-opaques,

qui servent à évaluer radiologiquement la durée de passage des selles à travers le gros intestin. Elle ne le fera que quinze mois plus tard, après avoir accouché d'un petit garçon, Julien. Les vingt marqueurs radio-opaques sont éliminés en deux jours. Le temps de transit colorectal moyen d'un marqueur est de cinq heures. Elle est donc ce qu'on appelle une constipée à temps de transit normal. Elle fait partie de ce groupe de malades qui ont plus de psychopathologie et moins de pathophysiologie. Elle a été constipée et a eu mal au ventre durant les trois premiers mois de grossesse, puis elle a eu une selle tous les jours, sans douleurs, jusqu'à la naissance du bébé. Dès l'accouchement, elle recommence à être constipée et à avoir mal au ventre.

Ce jour-là, elle pleure beaucoup. De son amant « magnifique », elle dit : « Gérard est encore plus triste que moi et me regarde dans les yeux en me disant : "T'as mal au ventre". » C'est elle, alors, qui demande à passer la proctoscopie jamais faite. L'examen est normal. Elle n'a aucune réaction, ni avant, ni pendant, ni après.

Elle dit avoir vécu une crise au travail, où sa condition de femme a été mise en question, ce qui l'a mise en colère. « Le président de ma boîte était misogyne, c'était un combat de coqs. » Cette colère « terrible », elle l'a sortie deux jours durant, chez elle.

Pour la première fois, Lyne se plaint d'un épisode de selles diarrhéiques, avec incontinence anale. À la sixième rencontre, et sans que je le lui propose, elle me demande de faire avec elle une séance d'hypnose pour ne plus avoir mal au ventre. Lyne entre en transe très facilement et dit ressentir une grande paix au sortir de la transe. Elle dit ne pas avoir envie de revenir le mois suivant. Mais elle prend tout de même rendez-vous. Elle reprend le travail le lendemain. Elle commence un chantier, où elle dirige soixante-quinze hommes.

Lyne ne se présente pas au rendez-vous qu'elle a

pris. Mieux : elle ne prend même pas la peine de l'annuler. Je la revois trois ans plus tard. Les douleurs sont revenues et sont constantes. Lyne dit avoir tout fait pour ne pas être là ; elle a consulté différents intervenants de médecine dure et de médecine douce, sans succès. Un nouveau bilan organique de douleur abdominale est entrepris et, de nouveau, est normal. Après cette visite, la douleur, qui était invalidante, disparaît comme par enchantement et est remplacée par la constipation, comme lors du premier cycle de visites.

Lyne ne m'a encore rien dit de ce qu'elle a vécu et compris depuis trois ans. L'aventure intérieure continue… C'était il y a plus de dix ans. Je ne l'ai jamais revue.

Je voudrais maintenant souligner plusieurs points à propos de l'histoire de Lyne.

La colère fait contracter le côlon. On a démontré que les malades souffrant, comme Lyne, de colopathie fonctionnelle développent des contractions musculaires coliques beaucoup plus intenses que ne le font les sujets contrôles. L'étude a consisté à enregistrer la pression dans le gros intestin en y mettant des petits cathéters en plastique. La première façon de mettre les sujets en colère a été de les traiter d'idiots pendant qu'ils prenaient « trop » de temps à passer un test d'intelligence. La seconde a été de débuter les enregistrements tout en « attendant » le médecin censé faire l'expérience. Des commentaires péjoratifs étaient faits régulièrement, à savoir que « ce médecin » manquait singulièrement de respect pour ses malades et les faisait toujours attendre pour toutes sortes de raisons inacceptables. On sait par ailleurs que les colopathes sous-estiment l'importance des événements désagréables. On peut alors émettre deux hypothèses. La première, c'est qu'au lieu de se mettre en colère, ils contractent leur côlon, ce qui provoque des douleurs abdominales. La seconde, c'est que, tous les phénomènes de somatisation étant potentiellement réversibles, permettre l'expression maximale de la colère sans avoir rien fait pour la mériter devrait logiquement être curatif pour le malade. D'où l'impact de tendre la paume de la main à Lyne et lui dire de me frapper.

Il est essentiel de se fier à l'intuition dans le cadre de la relation malade-médecin. Le mot « intuition » provient du mot latin *intuitere*, lequel signifie « observer attentivement ». Il y a donc à l'origine de ce terme la référence à une compétence sensorielle, surtout visuelle, qui apporte un surcroît de connaissance d'autrui. On en a conclu que l'intuition peut se résumer à l'usage bien compris de nos capacités sensorielles. Mais il est loin d'être certain que ce « sixième sens » ne résulte que de la sommation des informations perçues au niveau de la communication non verbale. En effet, celle-ci s'impose à nous, contrairement à l'analyse qui procède d'une déduction consciente à partir d'éléments glanés au cours des échanges verbaux et non verbaux. Il s'agit à proprement dit d'une communication à un niveau inconscient. Ainsi, le noir est bien sûr la couleur du deuil, mais tout en sachant que dans une société catholique on enterre les enfants en blanc, j'ignorais que Lyne avait subi un avortement contre son gré. De la même manière, grâce à Lyne, j'ai appris qu'exposer la paume de ma main pour attirer un coup, ou, de façon plus douce, un oreiller que je brandis des deux mains devant moi, peut permettre à la personne qui a refoulé sa colère de l'exprimer et de « mentaliser » au lieu de « somatiser ». Entre en jeu alors toute l'importance de la créativité, qui peut être considérée comme la mise en forme et l'exploitation effective des éléments apportés par l'intuition.

J'ai tout de suite fait chez Lyne un diagnostic d'anisme comme mécanisme responsable de la constipation, l'amenant à pousser pour déféquer et à contracter en même temps le périnée pour ne pas le faire. Il s'agit de la signature corporelle fonctionnelle d'un processus de dissociation. Lorsque je lui ai tendu la main, je me suis littéralement identifié à la partie d'elle-même qui avait subi des violences. Cela lui a permis de se dissocier et de projeter. Elle a identifié une partie d'elle-même à son agresseur et projeté sur moi une autre partie d'elle-même, dans un mécanisme de projection identificatoire personnelle où « je-elle », nous étions la victime des abus physiques qu'elle avait subis. Elle s'est donc scindée en agresseur et agressée, commençant ainsi à prendre du recul face aux violences. Ma réaction de « je-elle », victime, n'a pas été de retourner sa violence, celle du « je-elle » qu'elle, elle exprimait, dans une dynamique sadomasochiste, mais de laisser monter sa violence jusqu'au paroxysme de la colère et, de là, surmonter le hiatus avec la souffrance sous-jacente. Cela a permis à Lyne de se réassocier et de s'identifier à la victime qu'elle avait été dans un mouvement curatif encouragé par moi, redevenu soignant.

Si cette hypothèse est exacte, Lyne n'est pas allée au fond des choses puisqu'elle n'a jamais analysé son transfert sur moi. Et de fait, elle viendra me revoir. Elle n'a toujours pas exploré la nature de sa féminité et ne s'est toujours pas demandé pourquoi elle prenait des amants plus jeunes qu'elle, n'atteignant l'orgasme, en lieu de violence, qu'avec un homme de beaucoup son cadet. Et elle a de nouveau « guéri » après une brève rencontre avec moi, réalisant un déplacement de symptôme comme on le connaît bien en hypnose, puisque la constipation remplace à nouveau la douleur. Cette compulsion de répétition, qui était à l'œuvre dans la dynamique de nos rencontres, n'est pas purement itérative : cette fois, la violence entre nous était absente, ouvrant ainsi peut-être une porte à la communication.

Le toucher a été l'élément libérateur. De victime,

Lyne a pu, en toute permission, frapper sans avoir à se justifier ni à rationaliser.

DOCTEUR JEKYLL ET MISTER HYDE

Certaines personnes, quand on les regarde, présentent une asymétrie remarquable de la tête et du corps. Il est alors possible de photographier leur visage, diviser l'image verticalement en deux et faire un montage composé de deux moitiés gauches et deux moitiés droites. L'expression peut différer radicalement d'un côté à l'autre. Simplement montrer ces photos au patient peut avoir un effet thérapeutique.

Georgette a cinquante ans. Elle a très mal au ventre. Tellement mal qu'elle a déjà eu trente-cinq opérations ! Tout y est passé, y compris les organes génitaux, par petits morceaux : le corps de l'utérus, un ovaire, un autre, une trompe, le col...

Georgette a une asymétrie du regard spectaculaire. Le photomontage montre un côté très triste et un autre très en colère. À sa visite suivante, je lui demande si c'est la femme triste qui vient me voir, ou la femme en colère.

« Pourquoi me demandez-vous cela ? »

Je lui montre les photos.

« Qu'est-ce que j'ai l'air bizarre ! Mais je savais cela quand j'étais toute petite. Je m'étais vue dans le miroir. J'avais vu la différence entre mes deux yeux. Je l'avais dit à ma mère. Elle m'avait dit que j'étais folle ! »

Georgette renonce à sa trente-sixième opération. Elle parle de sa petite enfance.

Il s'agit d'une technique d'hypnose ericksonienne où il n'y a pas d'induction classique. Tout repose sur la communication non verbale. Quand on essaie de créer les conditions nécessaires pour que cela se produise, différentes approches sont possibles. Mais dans tous les cas, une dissociation est nécessaire préalablement à l'atteinte d'un niveau de communication hypnotique. Montrer les deux visages du photomontage, ces deux aspects du même être humain, est une façon de révéler la dissociation chroniquement enkystée, incarnée dans le corps du malade.

PARLER AVEC SON ÂME

Beaucoup d'informations peuvent être obtenues en faisant attention à tous les éléments que porte la voix du patient. Le ton de celle-ci, une diarrhée verbale ou, au contraire, une constipation muette, des bégaiements sont tous de précieux éléments d'information.

Il existe plusieurs niveaux d'analyse de la voix.

Le premier porte sur les aspects purement techniques ; c'est celui que vont utiliser la plupart des médecins. Au minimum, ils doivent s'assurer qu'ils ont été bien compris dans leur jargon. Toutes les professions ont un jargon connu des initiés. Rien de plus pénible pour un chirurgien que d'essayer de comprendre un texte de Lacan. Mais l'inverse doit être tout aussi vrai quand il s'agit de comprendre un texte médical. Le médecin se doit donc, quand il a parlé au malade, de terminer son explication par une question : « Qu'avez-vous compris de ce que je vous ai dit ? » Immanquablement, ce qui revient n'est pas vraiment ce qui a été dit. Il faut alors répéter, en simplifiant le jargon, jusqu'à ce que ce qui a été émis concorde avec ce qui a été reçu.

D'autres niveaux d'analyse du langage peuvent être à l'œuvre.

Au niveau psychanalytique, une analyse freudienne ou lacanienne est possible. L'analyse freudienne est bien connue, avec sa symbolisation de différents éléments, ses différentes significations pour un même mot, ses lapsus qui sont autant de pistes de l'inconscient. L'analyse lacanienne a repris la linguistique saussurienne et est moins bien connue. Elle change complètement la grammaire et utilise la musique des mots contigus, suivant les considérations établies au XIXe siècle.

Je connais bien Julie. Elle m'a déjà fait des massages de type shiatsu, une sorte d'acupuncture avec les pouces. Julie a son âme au bout de ses doigts. Elle a une peau capable d'écoute. Elle a, souvent, fort bien entendu mon corps.

Cette fois, c'est elle qui me demande de l'aide. Elle est férue de médecine douce. Elle n'aime pas la médecine traditionnelle, la mienne, qu'elle trouve trop dure. Elle a une douleur anale intense et qui grandit de jour en jour. Elle fait de la fièvre. Toutes les méthodes alternatives qu'elle a essayées ont échoué. Elle a probablement un abcès péri-anal. Je lui donne rendez-vous aux urgences, où elle arrive en boitant de douleur. Elle a effectivement un abcès, que je draine sous anesthésie locale. Elle retourne chez elle, soulagée complètement, en dansant.

Mais elle a maintenant une fistule anale, qu'il faudra mettre à plat, dans un second temps, lorsque les choses se seront calmées. Faute de quoi, Julie s'expose à des abcès à répétition.

Elle revient me voir en clinique externe. Je demande les examens nécessaires pour la préparer à la chirurgie et je remplis les papiers nécessaires. D'un coup, Julie me dit qu'elle change d'avis et refuse la chirurgie. Je jette les papiers à la poubelle. Plusieurs fois, elle reprend rendez-vous et change d'avis à la dernière minute. Son comportement inapproprié et irrationnel cache clairement un agenda secret. Après plusieurs expériences du genre, je lui dis que j'en ai assez de remplir des papiers pour rien, pour les jeter ensuite. Je lui remets les documents en mains, en lui disant de me les rendre le jour où elle sera vraiment décidée à se faire opérer.

— Il me donne de l'attention, dit Julie à l'étudiant qui assiste à la scène.

– De l'attention, ou de la tension ?, lui dis-je en imitant ce que Lacan a repris de Saussure.

– Je ressens de la tension dans mon vagin, répond-elle.

Julie se met à verbaliser les abus incestueux qu'elle a subis, toute petite, de son grand-père.

Elle me remet les documents en me disant que cette fois, elle est prête, qu'elle avait associé inconsciemment un acte chirurgical à un acte sexuel. L'opération se passe sans histoires.

Parfois, les mots ne sont pas prononcés, ni murmurés, ils sont seulement écrits. C'est le cas de Yolande.

Yolande souffre d'une maladie de Crohn. Il s'agit d'une inflammation de son intestin qui n'est pas due à une infection. La maladie a débuté tout de suite après la mort de sa mère. De façon bizarre, et sans qu'elle sache pourquoi, Yolande se sent coupable de la mort de celle-ci. Je fais son suivi médical de manière traditionnelle. Mais nous parlons aussi, elle et moi, un peu de sa vie. Un jour, elle entre avec vivacité dans mon bureau, anxieuse et énervée, le front tout plissé.

« Je ne suis pas capable de vous le dire, alors je vous l'ai écrit. » Et de me jeter une liasse d'une dizaine de pages sur mon bureau. Elle s'en va tout de suite. Je fais la consultation avec son texte.

Dès les premières pages, Yolande me raconte les avances incestueuses de son père, qu'elle a repoussées avec indignation. Le père ne l'a pas touchée. Il est clairement incestueux. Mais il n'a pas commis d'abus sexuel, au sens de la définition de Badgley, celle utilisée légalement par le gouvernement du Canada : il n'a commis aucun acte, même s'il désirait sa fille. Je continue de lire le texte de Yolande. Un peu plus loin, elle décrit la mort de sa mère : « Ce jour-là, je me suis levée de bonheur *(sic)* pour aller voir ma mère aux soins intensifs. » Et de raconter comment la vieille dame a vécu ses derniers instants.

Elle s'était levée tôt le matin, de bonne heure, pour arriver à temps à l'hôpital avant que sa mère ne meure. Mais elle s'était aussi levée de bonheur car, inconsciemment, elle était contente que son père la préfère à sa mère, et elle était donc contente de rester seule avec ce père incestueux après la mort de sa mère. D'où, bien sûr, la culpabilité qui nous étonnait énormément, elle et moi. J'y reviendrai plus loin.

« JE NE PEUX PAS LA SENTIR ! »

Les odeurs, que ce soit celles de l'haleine, des aisselles, du périnée ou des pieds, sont elles aussi porteuses d'informations.

Un malade puait des pieds de façon considérable. D'ailleurs, il s'en lamentait, car, disait-il, il se lavait consciencieusement les pieds tous les jours, et il avait même changé ses chaussures plusieurs fois pour être certain que ce n'était pas la chaussure qui dégageait des odeurs. En fait, je pouvais quasiment le suivre à la trace, du nez, quand il était dans les parages. Cet homme avait une vie complexe. Trois divorces plus tard, il fut ravi de me dire que ses pieds ne dégageaient plus cette odeur fétide. Avant le troisième divorce, il avait été jusqu'à utiliser des solutions de formol, ou des semelles imbibées de formol, pour contrôler l'odeur de ses pieds – sans aucun succès. Fort de cette expérience, je pus déceler la même problématique chez quelqu'un que je côtoyais sur le plan social et dont je n'étais pas le médecin traitant. Lui aussi « guérit » de son odeur désagréable et caractéristique quand il entama une relation dont il était manifestement plus satisfait. Une psychanalyste, Gisèle Harrus-Révidi, parle, dans *Psychanalyse des sens*, de ses expériences d'odeurs désagréables, acres, ou acides, modulant les relations difficiles vécues par ses analysants avec leurs compagnes ou leurs compagnons. Le parfum de l'analyste, celui des analysants, subtils ou agressifs, envahissants ou discrets, servent aussi de support à la parole.

Il se vend des hectolitres de déodorant axillaire de par le monde. En effet, l'odeur désagréable qui peut se dégager des aisselles est quasi considérée comme « normale ». Quelle ne fut donc ma surprise de découvrir sur mon corps à moi, il y a longtemps, quand j'étais en thérapie « primale », que soudain mes propres aisselles cessaient de sentir mauvais. J'en fis part à ma thérapeute. « Toi aussi ?, me dit-elle toute joyeuse et probablement rassurée de voir qu'elle n'était pas la seule à avoir suivi cette voie. Mais tu verras, quand un vieux souvenir cherchera à cheminer à travers ton inconscient, chargé de toutes les émotions que tu as dû contenir, les odeurs pourront revenir, jusqu'à ce que tu arrives à exprimer toute ta peine. »

L'odorat permet de sentir le mal-être de son vis-à-vis, sans avoir besoin de poser question, mais, parfois, dans un climat de confiance, nommer ce qu'on sent, je veux dire sentir, renifler plutôt que ressentir, permet d'entamer un dialogue sur un autre plan.

Jusqu'à tout récemment, je croyais que les odeurs pouvaient jouer un rôle diagnostique extraordinaire, comme messagers d'un mal-être profond, mais qu'elles étaient ininterprétables. Pourtant, un jour, un neurologue m'adressa un enfant qui dégageait de tellement mauvaises odeurs qu'à plusieurs reprises il avait été renvoyé de l'école. Il s'appelait Philippe. Il avait huit ans. Il était en foyer d'accueil, la justice ayant retiré sa garde aux parents, déclarés totalement incompétents. La directrice du foyer d'accueil me dit que Philippe prenait un bain tous les jours et qu'il était propre. Elle me l'amenait parce qu'il dégageait, par moments, des odeurs intensément désagréables. Pendant qu'elle me parlait, Philippe grimpa sur mes genoux et pianota, avec un plaisir fou, sur le clavier du système informatisé de rapports médicaux. Ce fut le cas à chaque visite. Philippe cessa de sentir mauvais. Puis il fit une rechute. La mère nourricière était assez futée pour observer que l'odeur se dégageait juste après chaque visite du père de Philippe. Nous fîmes, elle et moi, un plan expérimental d'observations. Il n'y avait aucun doute, c'était vraiment la visite du père qui déclenchait, dans une sorte de révolte corporelle, les mauvaises odeurs de Philippe. Le père était, par ailleurs, sous haute surveillance du tribunal, plein de soupçons à son égard. Un jour, le tribunal déchut le père de tout droit de visite. Et Philippe cessa définitivement de sentir mauvais.

J'ai fait plus de trente mille endoscopies basses dans ma carrière et les premières coloscopies au Québec, il y a trente ans. La table de proctoscopie est conçue spécialement pour faciliter la position génupectorale et l'examen endoscopique du rectum et du début du côlon. Tant que mon odorat fut relativement « gelé », je n'eus jamais de problème avec les odeurs, mais avec le réveil de mon nez, certaines odeurs de périnée devinrent franchement désagréables, voire intolérables. Nous nous équipâmes de parfum d'ambiance en salle d'endoscopie. Parfois, nous avons des surprises.

Une femme se présente avec une plainte inhabituelle. Elle a perdu son travail et a été mise à la porte parce qu'elle « sent mauvais du derrière ». Je suis sûr qu'un badaud de passage ce jour-là se serait demandé si nous étions fous, ou pervers, ou alors il serait mort de rire. Nous sommes penchés, le personnel, les résidents et moi, sur le derrière de la patiente, en train de humer les odeurs tant que faire se peut, en nous regardant interloqués, parce que nous ne captons aucune odeur du tout. Je décide de demander une consultation en psychiatrie. Un diagnostic d'hallucination olfactive est alors posé…

La respiration est importante à observer, car son rythme peut être modulé par les émotions du sujet. Les sujets abusés, par exemple, n'ont pas d'ampleur à leur respiration, comme si elle se bloquait au niveau de la gorge et de la trachée. Parfois, après un examen endoscopique, qu'il ait été extrêmement stressant, comme c'est le cas chez tous les sujets ayant été abusés sexuellement dans le passé, ou parce qu'ils ont eu très mal et ont été incapables d'exprimer leur douleur, ne serait-ce que de façon non verbale, le malade se met à hyperventiler. Dans la vie réelle ordinaire, en ville, un sujet à qui cela arrive, quelle qu'en soit la raison, se retrouve aux urgences, à moitié inconscient, après avoir convulsé, avec un taux de calcium sanguin très bas. Il y a longtemps, une gifle donnée sans avertissement avortait la crise, les convulsions, la syncope, de façon extrêmement efficace. C'était un processus utile, mais un peu sadique. Il faut aussi être prêt à accueillir la colère, voire la rage qui ne manquera pas de vous être adressée par le sujet agressé. En plus, dans un contexte judiciarisé, il faut être prêt à affronter un comité des plaintes, un porte-parole des patients, ou même un avocat et un juge. Mais… c'est efficace. Plus tard, j'adoptai l'approche physiologique qui consiste à faire respirer le sujet dans un sac de papier. Son air s'enrichit d'oxyde de carbone, le calcium ne chute pas ; convulsions et syncope sont évitées. Aujourd'hui, je demande au patient, pendant la crise, de ne pas quitter mes yeux du regard et de ne fermer les paupières sous aucun prétexte. Si je connais peu le sujet et que nous sommes pris par surprise, lui et moi, par la réaction vagale et la crise d'hyperventilation, je lui dis de ne respirer que lorsque moi je respire, et je retiens ma respiration autant que je le peux. Puis je prends des respirations très amples et très lentes, et je demande au sujet de moduler la sienne sur la mienne. Symboliquement, j'utilise la symbiose, la relation fusionnelle, comme si le sujet et moi-même nous étions un seul et même sujet. Mais quand je connais bien le sujet et que mon intuition, mon instinct me dictent qu'il est prêt à exprimer une émotion très intense, je lui dis encore une fois de ne pas quitter mes yeux du regard, puis j'utilise les techniques de respiration employées en *rebirth*, en cri primal ou en respiration holotropique. Je dis au sujet de respirer encore plus vite. Immanquablement, la catharsis est d'une intensité inouïe. Convulsions et syncopes sont évitées tout autant qu'avec les autres approches, mais souvent le sujet lâche prise au niveau du contrôle émotionnel comme jamais auparavant, avec des bénéfices spectaculaires au niveau de son bien-être. La beauté de cette dernière approche, c'est que le patient, au lieu de juste souffrir d'une crise d'angoisse et d'hyperventilation, peut en profiter.

« TU ME TOUCHES »

Lorsque nous serrons la main de quelqu'un, ce contact manuel nous donne une série d'informations sur la température de la peau de la personne, son degré d'humidité, sa force et la durée du contact. En plus, toute une série de messages corporels accompagnent la poignée de main. Toute manifestation d'angoisse provoque une vasoconstriction périphérique : le refroidissement de l'épiderme qui en découle est le principe physiologique utilisé par les fabricants de bagues, indiquant la température cutanée, et utilisé pour évaluer le niveau de stress. Un changement de température procure une information encore plus capitale. Si la main du patient est beaucoup plus chaude au début de l'entrevue qu'à la fin, cela permet de poser des questions sur ce qui, dans l'entrevue, l'a troublé ; si la main du médecin est, elle, demeurée à température constante, cela permet de priver le patient d'une excuse qui prétendait que l'air ambiant de la pièce est trop froid. Une femme qui a peur des hommes aura tendance à avoir une main flasque qu'elle retire vivement. Au contraire, une patiente qui recherche la tendresse laissera sa main dans celle du médecin pendant des heures si celui-ci ne la retire pas.

La tolérance au silence, la tolérance à la proximité, la tolérance à la nudité sont d'autres variables à observer. Les sujets hystériques n'aiment pas être approchés de trop près. Si le médecin s'approche, ils auront tendance à reculer. Mais ils souffrent aussi facilement du rejet. Si le médecin se recule, ils le suivront afin de maintenir ce qui a été appelé la « distance fixe de l'hystérie ». Alors, sans dire un mot, avancer son siège vers le patient est un moyen simple de faire un diagnostic. Celui-ci réagit et recule, hystérique. Ou ne bronche pas.

Il faut noter ici que l'hystérie, tel que le mot est utilisé ici, n'a rien à voir avec ce que le langage populaire appelle une crise d'hystérie. À noter aussi que, même si le mot « hystérie » vient du mot *utérus* et est donc surtout appliqué aux sujets de sexe féminin, il existe autant d'hommes hystériques que de femmes hystériques.

Tels sont les détails d'une scène où va se jouer une possible rencontre entre deux sujets égaux au moment de leur conception, mais inégaux à l'instant de leur rencontre, puisque l'un d'eux a demandé de l'aide à l'autre. Les deux protagonistes sont inondés de toutes les informations que je viens d'évoquer – et de bien d'autres encore. Sur le plan technique, scientifique, médical, les rôles sont assez bien définis. C'est le médecin qui décide seul du travail diagnostique et thérapeutique. La seule liberté que possède le malade est celle d'accepter ou de refuser les compétences professionnelles du médecin qu'il a choisi, et d'accepter ou de refuser les décisions prises par ce médecin sur cette base. Et, souvent, même si le refus n'est pas catégorique, l'acceptation peut n'être que du bout des lèvres.

C'est dire que, lorsque ce genre de choix s'exerce dans le contexte que je viens de décrire, il y a place pour d'innombrables dérapages. Ces dérapages ne sont pas seulement causés par les médecins. Je le répète, les partenaires de la relation médicale sont égaux au niveau existentiel. Le malade aussi est responsable de sa vie.

Le médecin, le malade et leurs maladies

Il y a beaucoup de projections dans les relations soignant-soigné, même celles établies sur une base scientifique, comme c'est le cas en médecine contemporaine. Le jargon médical dit pourtant qu'il faut apprendre aux étudiants en médecine à avoir avec les malades une relation empreinte de compassion et d'empathie, plutôt que de sympathie. À l'autre extrême, le jargon psychanalytique dit qu'à travers l'analyse de la compulsion de répétition et la relation transférentielle névrotique, il faut arriver à trouver le désir de l'Autre.

TRANSFERT ET DÉRAPAGES

Les échanges entre le malade et le médecin dépassent rarement, et c'est dommage, un professionnalisme empreint, non pas de compassion et d'empathie, mais de détachement un peu schizoïde. Parfois, ils débouchent sur une ébauche de relation transférentielle, ce qui est souvent considéré comme une « erreur » médicale, alors que c'est un passage obligé pour parvenir à une véritable communication. Bien entendu, si soignant et soigné s'installent confortablement dans le transfert, la relation d'interdépendance devient pathologique.

Une raison pour laquelle beaucoup de médecins ont peur du transfert est qu'ils pressentent confusément que c'est dans ces conditions que l'« accident de travail » peut survenir. Il est déjà difficile de maintenir et nourrir l'autonomie réciproque des deux partenaires d'un couple qui se rencontrent « par hasard », se reconnaissent et se choisissent. Mais si la relation malade-médecin glisse dans le passage à l'acte d'un transfert érotique, elle devient pure illusion de deux enfants qui essaient de soigner leur âme blessée et la guérir, avec peu de chances de le faire. Ce n'est pourtant pas rare, certaines études montrant que jusqu'à 20 % des médecins ont, au moins une fois dans leur vie, une relation sexuée avec une de leurs malades. Les hommes médecins tombent plus facilement dans ce piège à deux que les femmes. Je dis « piège à deux », parce que viols et chantages de la part des médecins sont rarissimes, et parce que, dans tous les autres cas, les deux partenaires participent au psychodrame, même s'il n'y en a qu'un des deux qui, à la surface, abuse de son pouvoir.

Dans les sociétés anglo-saxonnes, ou d'obédience puritaine et protestante, la prise de conscience, ces dernières années, de ces dérapages et de leurs conséquences souvent catastrophiques a produit un vigoureux coup de barre légaliste. C'est mieux que rien, mais cela ne règle pas le problème de fond. La comparaison avec les enfants abusés s'impose, car 10 % d'entre eux abuseront, quand ils seront adultes, leurs propres enfants ! Ils seront à ce moment punis par la loi, qui protégera les autres enfants d'abus potentiels par eux, mais qui la plupart du temps concentrera tous ses efforts sur l'adulte abuseur, plutôt que sur l'enfant abusé qui s'est recroquevillé en lui.

Henri me consulte pour un problème de constipation.

Dès la première visite, je trouve dans son dossier une vieille consultation qui relate en détails les multiples sodomies que lui faisait subir son père quand il était petit. Henri a un casier judiciaire chargé, avec une lourde histoire de pédophilie à répétition. Sciemment, je décide de m'occuper de l'enfant blessé et constipé, laissant à la justice le soin de contrer les tendances pédophiles de l'individu adulte qu'il est devenu. Je n'ai pas terminé l'évaluation des mécanismes de sa constipation qu'il récidive et se retrouve en prison. J'informe le directeur que son pensionnaire est malade et que je n'ai pas fini mon travail. Volontairement, j'échelonne examens et visites tout au long des dix-huit mois de sa peine pour pouvoir assurer un suivi continu. Au début, il arrive, enchaîné, en clinique, avec un policier qui le surveille, à la grande stupéfaction des gens présents dans la salle d'attente. Puis, sans doute plus confiants, les surveillants le laissent venir sans menottes et sans « chaperon ». Tout en continuant d'évaluer le problème de constipation, j'écoute Henri me parler de son enfance et de sa vie, par bribes et morceaux. Il pleure souvent sur ce qu'il a subi. Il est aussi très paranoïaque, souvent enragé, victime du transfert homosexuel de son père. Il reconnaît mal ses torts et fort bien les injustices qu'il dût subir de la part de la société. Je le laisse ventiler sa colère sans porter de jugement, et progressivement il la déverse sur ses géniteurs, son père d'abord, sa mère ensuite qui, sciemment, a laissé libre champ à son conjoint. La fin de la peine arrive. J'avais prévenu Henri plusieurs fois que s'il récidivait, il serait transféré beaucoup plus loin, dans un édifice fédéral plutôt que provincial, et qu'alors il ne devrait plus compter sur moi pour l'accompagner. Peu avant de sortir de prison, Henri me raconte, en pleurant de joie, un rêve qu'il a fait. Il y protégeait des enfants d'un abuseur. C'était il y a quinze ans. Il n'a pas récidivé depuis. Et il n'est plus constipé.

Je connais Odette depuis cinq ans. Elle a refusé à l'époque à trois chirurgiens, dont moi-même, la résection de son rectum et de son anus, « indispensable » pour traiter un cancer situé à la partie terminale de son rectum, beaucoup trop bas pour permettre une exérèse en passant par le ventre et beaucoup trop gros pour permettre une exérèse locale, par les voies naturelles. Odette ayant refusé l'intervention chirurgicale que je lui proposais, je l'ai donc adressée à un collègue radiothérapeute. Celui-ci a réussi à stériliser la tumeur en combinant une irradiation externe et une implantation locale sous la tumeur d'aiguilles radioactives. Elle et moi avons continué de nous voir tout le temps de la radiothérapie. La tumeur a pris sens sur fond de vie à ses yeux, puisqu'elle m'en a dit un jour, dans un grand cri du cœur : « Ce cancer m'a précipitée dans ma féminité ! »

Aujourd'hui, Odette fait un psychodrame avec un étudiant. Dans son jeu de rôle, elle joue son propre rôle, vieux de cinq ans. L'étudiant joue celui du premier chirurgien qui l'a reçue. Odette décline toutes les raisons qui lui font refuser l'amputation de son rectum et de son corps. Elle ne pourrait pas tolérer la souffrance, ni surtout la mutilation de son corps, avec ce qu'elle implique de déformation de son image corporelle. L'étudiant, plein de compassion et d'empathie, lui dit toute sa compréhension. Puis, elle s'embarque dans des considérations plus théoriques, en disant au chirurgien ses certitudes qu'elle peut guérir différemment. L'étudiant, défensif, essaie vainement de justifier et d'étayer sa compétence et ses connaissances médicales. Odette refuse de le croire. Elle renchérit en parlant de ses croyances dans les médecines douces. L'étudiant, très respectueux d'Odette, lui dit qu'il ne partage pas ses croyances et qu'elles n'ont jamais été étayées, dans le cas de cancer du côlon, par la démonstration scientifique de leur valeur.

J'arrête le psychodrame. Je propose aux partenaires de changer de rôle.

Nous sommes dans une classe d'étudiants en médecine de l'Université de Sherbrooke, qui apprennent le difficile « art de la médecine » en parallèle avec leur instruction de la science médicale. Les sessions sont espacées tout au long du cursus universitaire médical. La phase s'appelle « Communication et humanisme ».

Souvent, j'y amène des malades très avancés sur le chemin de la désomatisation et qui cherchent à démêler l'écheveau de toutes les carences affectives qui étaient associées à leur pathologie bien réelle, bien corporelle. Dans le cas d'Odette, son refus du traitement chirurgical, pourtant indiqué de façon absolue, a conduit heureusement au succès d'une approche alternative, non pas « douce », mais « dure ». Cela fait cinq ans, au moment du psychodrame, qu'elle n'a ni récidive locale ni métastase. (Elle est toujours, d'ailleurs, en rémission, en l'an 2001, c'est-à-dire neuf ans plus tard.) M'accompagner comme « co-professeur » est, pour les malades, un excellent exercice qui leur permet de renforcer leur égo, de se sentir plus forts que le médecin, puisqu'ils ont des connaissances que n'ont pas encore les étudiants. Il est par ailleurs profitable d'exposer les étudiants à certains malades qui ont acquis le talent d'élaborer et nommer les choses, car ces derniers parlent avec la voix de l'expérience et énoncent leur vécu. Il y a là source de partage d'une richesse infinie.

Revenons à Odette. Elle et l'étudiant changent donc de rôle. Je leur dit de « rebobiner » l'enregistrement de ce qui vient d'être dit. Je demande à l'étudiant qui va jouer le rôle d'Odette de lui dire exactement, à elle qui va maintenant jouer le rôle du chirurgien, ce qu'il l'a entendue lui dire tout à l'heure, quand il jouait le rôle du chirurgien. Il commence la partie de ses peurs. Les choses se passent bien. Professionnellement. Puis il lui dit ses croyances dans les médecines douces. Odette explose et hurle : « Espèce de connasse ! Allez mourir avec vos idées folles si vous le voulez. C'est votre problème ! Je m'en lave les mains ! Vos idioties, vous pouvez vous les mettre quelque part, et crever avec ! » Silence de mort. Une étudiante, les yeux écarquillés, se tourne alors vers moi en murmurant : « C'est pas vrai ! » Hélas oui, c'était vrai ! Je connaissais l'histoire et la réaction violente du chirurgien à qui Odette avait refusé l'amputation abdominopérinéale de son rectum et son anus. Mais je ne connaissais pas les mots qui tissaient le contenu de leurs conversation. Odette avait profité, de façon magistrale, de l'occasion que lui fournissait le psychodrame pour expulser tout le venin qu'elle avait été forcée d'absorber lors de cette mémorable rencontre qui l'avait traumatisée cinq ans plus tôt.

LA FUREUR THÉRAPEUTIQUE

Parfois, certaines attitudes de soignants face à la mort montrent, à travers leur brutal rejet, au nom de la réalité, la vérité, la science, une terreur face à la destruction corporelle imminente qui ne peut que refléter leur propre terreur de la mort. Et dieu sait si nous devons apprendre à nous familiariser avec la mort ! Sans pousser à la roue, quand nous savons qu'il n'y a plus rien à faire, pour ne plus avoir ainsi à y penser, et pour pouvoir passer à autre chose et quelqu'un d'autre à guérir. Sans non plus devenir indifférent à la misère et limiter les échanges et les visites au maximum. Sans, enfin, priver le malade de tout espoir, alors que nous savons que, si rares soient-ils (une chance ou deux sur cent mille malades), il y a au moins quatre cents malades qui guérissent « miraculeusement », et sans explication rationnelle médicale, de cancer généralisé.

Mais certains médecins sont sans nuances. Blanc ou noir. Ainsi, cette anecdote à propos d'un malade qui a un petit cancer du rectum, mais le foie truffé de métastases. Il a revu son médecin traitant, qui, au vu des résultats des examens, lui annonce la mauvaise nouvelle. Il inscrit ses notes au dossier. C'était il y a longtemps. Dans un hôpital de l'Amérique profonde.

« Cancer du rectosigmoïde avec métastases hépatiques multiples. Ne veut pas de chimiothérapie palliative. Ne s'est pas présenté à son rendez-vous en oncologie. »

Il continue, sans mettre de sujet à ses phrases.

« A décidé de se faire suivre en médecines alternatives. A maigri volontairement avec régime "particulier". Consomme des produits naturels. Veut profiter de la vie. Vivre pleinement chaque jour. Ne fait que ce qu'il aime. Conserve ses entreprises mais a confié la gestion à des collègues de confiance. Très à l'aise financièrement. S'est séparé temporairement de son épouse. »

En fait, lui et son « épouse » n'ont jamais été mariés. Il me dira même plus tard que cela fait cinq ans qu'il était profondément malheureux avec sa compagne, attribuant même la genèse du cancer à ce malheur chronique.

« Veut prendre du recul. Convaincu qu'il s'en sortira avec rythme de vie plus sain ! [Le point d'exclamation trahit son agacement.] Sait que les métastases ont progressé sur l'écho de contrôle. Ne se plaint d'aucune douleur abdominale. Pas de nausée ni vomissement. Appétit conservé. Selles régulières. Rectorragies intermittentes.

» Mise au point avec lui.

» Guérison impossible. Progression très variable. Ne pas se laisser enjôler par des charlatans ou de fausses promesses.

» Ne pas se laisser manipuler. Mais il se dit prudent et en plein contrôle de lui-même !

» Ne pas se juger pour ses attitudes de son comportement antérieur : son cancer lui serait arrivé parce qu'il n'a pas été heureux. Cela n'a rien à voir ! Ne pas tout remettre en question ! Éviter les reproches. Devra être suivi régulièrement. »

Voilà une pièce d'anthologie pour montrer l'attitude qu'il ne faut pas avoir ! Rien n'est faux dans ce texte. Mais tout est faux aussi, parce qu'il feint ignorer l'impact d'une dépression chronique sur la dépression immunitaire et l'espérance de vie, impact pourtant bien démontré par des études rigoureusement scientifiques. On croirait entendre le sursaut de révolte de ce médecin compétent et consciencieux devant cette autre révolte d'un homme à l'agonie, mais asymptomatique, qui veut jouir de chaque journée qui lui reste à vivre comme si elle était la dernière.

Et le malade, sur le conseil d'une amie, vient me voir pour une seconde opinion.

Sur le plan médical, je ne peux qu'approuver et confirmer ce qui lui a été dit. J'obtiens quelques détails sur les « médecines alternatives » qu'il a utilisées. Il me raconte qu'il est allé voir une praticienne de médecine « douce ». Elle lui a fait des perfusions intraveineuses « d'ozone » : une chance qu'il n'ait pas fait d'embolie gazeuse ! Mais les perfusions lui donnaient des vertiges... Elle lui a aussi fait des perfusions rectales « d'ozone », en lui demandant de bien se masser le ventre pour faire remonter les gaz dans le foie. Il me fait remarquer que ce « traitement » était aussi pénible qu'une colonoscopie. Je me pose la question d'un lien entre ses innombrables micrométastases hépatiques et le balayage gazeux du cancer dans le rectum, puisqu'il a été bien montré, il y a fort longtemps, que les lavements d'eau oxygénée provoquaient des embolies gazeuses dans le système vasculaire porte, qui va de l'intestin au foie.

Pour couronner le tout et passer de l'érotisme du

derrière à celui du devant, elle a couché avec lui, et lui a suggéré de quitter sa compagne !

Il va, comme le font certains malades, avec une certaine sagesse, demander l'opinion d'un autre chirurgien dans un autre centre universitaire. Celui-ci se demande pourquoi personne ne lui a enlevé le cancer du rectum, petit de taille. La question est pertinente, car il est tellement « en forme » qu'il risque de développer une obstruction du côlon avant de mourir, et d'avoir besoin d'une colostomie, un *anus praeter naturam*. Je réussis à obtenir la consultation en oncologie qu'il avait refusée à son premier médecin traitant. Sur place, face à l'oncologue, il écoute les suggestions, mais refuse la chimiothérapie. Il veut la chirurgie. Je le préviens que je ne mettrai pas sa vie en danger, si, pour quelque raison que ce soit, il est difficile de faire une petite résection palliative pour lui éviter une obstruction complète de l'intestin. Que donc il se peut que je l'opère pour rien.

Entre-temps, il s'est trouvé une nouvelle compagne. Il a choisi une femme qui a eu de nombreuses chirurgies pour un cancer du gros intestin. Elle aussi. Mais elle, elle est en rémission depuis de nombreuses années. Il lui tient la main devant moi, avec une tendresse évidente. Je vois aussi apparaître sa mère lors des consultations. Avec elle, il prend l'attitude d'un tout petit garçon. Les deux femmes donnent l'impression d'une belle complicité. Il s'est construit une nouvelle maison.

À l'opération, son ventre est plein d'eau. Je crois d'abord que cette ascite est d'origine cancéreuse, et pleine de cellules mais ce n'est pas le cas. Le foie est monstrueux, plein de minuscules métastases puncti-formes. Je pense aux « lavages coliques » à « l'ozone », et tout ce qu'ils ont dû entraîner comme cellules cancéreuses vers le foie. Le cancer du rectum est assez bas, difficile à atteindre, tout petit, très mobile, mais il en part d'énormes coulées cancéreuses, qui remontent dans le ventre. J'opte pour la fermeture de l'abdomen.

Je fais rapport à sa compagne. Elle se met à pleurer. Plus tard, son ancienne compagne vient aux nouvelles. Elle me met un peu dans l'embarras, parce que je suis tenu par le secret médical à ne pas lui donner de détails. Sa dernière question, à laquelle je ne réponds pas, consiste à me demander si je sais quelles dispositions financières Jean a pris ! Je lui dis que cela n'est pas de mon ressort. Elle aussi a survécu à un cancer. Du sein.

Je ne l'ai pas revu. Il ne s'est pas présenté à son dernier rendez-vous. Sans nouvelle de lui, j'imagine qu'il est mort…

J'aurais pu facilement adopter le même genre de discours que le premier médecin traitant. J'ai d'ailleurs été très en colère, en apprenant que la soi-disant thérapeute lui avait d'abord joué dans le derrière, à l'ozone, avant de lui jouer par le devant. Pauvre enfant ! Il avait beau être un homme d'affaires accompli et prospère, il était tout petit, dans cette dynamique perverse. Mais chacun est responsable de sa vie, et chacun est seul à la vivre. Personne n'a le droit de poser de jugement sur une personne, ni d'interférer avec ses décisions, sans pour cela devoir accepter toutes les « valeurs » des autres. En plus, s'il y a un sujet où il faut être prudent avec les malades, c'est quand nous sommes appelés à prédire le moment de leur mort.

Robert à un cancer généralisé. Lui aussi, je viens de l'opérer d'un cancer rectal. Celui-ci est gigantesque et incrusté dans les os du bassin. On en dit qu'il a un bassin gelé. De cancer. Lui aussi, il a des métastases hépatiques, mais, en plus, il en a aussi un peu partout dans le ventre. Lui aussi, il a de l'ascite plein le ventre, mais celle-ci est pleine de cellules cancéreuses. Son sang ne contient que la moitié des protéines qu'il devrait avoir. Il guérit mal. Une nuit, les points de suture de son ventre lâchent. Il s'éviscère. Il est réopéré d'urgence. Son ventre est refermé. Il serait facile de prédire une issue fatale, imminente ou à court terme.

Je vais voir Robert pour lui dire où il en est. Je passe une longue heure avec lui, pour savoir d'où il vient, dans sa vie. J'apprends qu'il a perdu sa mère quand il était tout petit. Il a été ensuite adopté par un oncle, qui a abusé de lui sexuellement, et le payait pour ses services. Il a fui ce milieu pour se recréer une famille dans l'armée. Il est marié. Il a des enfants. Nous parlons de tout, et de l'état de son ventre.

Je retourne voir Robert quelques jours plus tard, pour voir comment il a encaissé la mauvaise nouvelle. Il me dit, cette phrase stupéfiante : « Doc, j'ai soixante ans, et c'est la première fois de ma vie que je communique ! » Je suis estomaqué de cette réponse. Il rentre à la maison.

L'ascite s'est tarie sans raison apparente. Robert est devenu asymptomatique. Il a même cru qu'il avait « vaincu » le cancer, sans réaliser que si « bataille » il y avait eu, c'était une bataille contre lui-même. C'est une bataille qui renvoie à la parole de cette malade en train de mourir d'un cancer du sein, et qui dit à son analyste, peu avant sa mort, « Docteur, ce n'est pas moi qui meurs, c'est l'autre ! » Mais Robert, moribond, a vécu, et bien vécu, pendant plus de deux ans. Il n'est mort que trois ans plus tard, sa veuve m'accusant alors d'acharnement thérapeutique parce que je l'avais réopéré pour une obstruction intestinale.

Nul n'a le droit de fermer la porte à l'espoir.

POUR UNE VISION GLOBALE DE L'ÊTRE HUMAIN

L'approche holistique de la santé et de la maladie, préconisée par les cultures non occidentales, est fondée sur l'observation de condamnés mourants. L'approche de la culture occidentale envers la médecine est plus scientifique, mais elle est fondée sur des observations faites initialement lors de la dissection de cadavres. L'avantage de cette seconde approche est de diminuer le nombre d'erreurs médicales qui pourraient découler de croyances, associations fortuites, observations inédites et uniques, et projections de théories irréalistes. Elle s'est avérée merveilleuse pour ce qui a trait aux maladies organiques majeures. Mais elle a donné de piètres résultats en ce qui concerne la façon d'aborder les patients souffrant de maladies fonctionnelles, ou de pathologies chroniques. La force de la médecine scientifique pure et dure réside dans sa capacité à résoudre les crises aiguës, dans une vision à court terme. Elle ignore totalement un sens possible à la maladie. Elle est froide et dénuée de compassion.

De plus en plus de preuves démontrent que des éléments de psychopathologie compliquent la physiopathologie d'une maladie. Des études épidémiologiques dans le domaine de la constipation, par exemple, ont démontré que ce symptôme est fréquemment plus qu'un simple dérèglement organique. Comme je l'ai dit plus haut, il y a plus de sujets constipés dans les classes pauvres et peu éduquées de la société que dans les classes privilégiées. Face à de tels faits, immédiatement, deux théories s'affrontent pour les expliquer, à savoir qui de la poule ou de l'œuf, de la charrue ou du bœuf, vient en premier. Il est impossible de procéder simultanément à une évaluation psychologique et physiologique, scientifique, chez un patient : une de ces deux investigations doit être menée en premier. Et le problème réside dans le fait que ces deux approches sont contradictoires. Pour communiquer, idéalement, il faut avoir une relation de sujet à sujet, une relation égalitaire, sans quoi l'on sombre dans un jeu de pouvoir entre le médecin et le patient. Inversement, une évaluation scientifique doit reposer sur une relation objective, une relation de sujet à objet, le malade étant réduit à une chose-objet, puisque toute science doit se fonder sur un système de mesures. Paradoxalement, donc, une approche purement scientifique ne peut aboutir à une possibilité de communication. Il n'est pas surprenant de constater que deux embûches guettent le médecin. La médicalisation est une façon de réduire un être humain souffrant à un organisme malade. La psychiatrisation, quant à elle, oublie le corps.

La plupart des études présentées aux réunions médicales ne concernent pas le traitement, mais plutôt le diagnostic et la compréhension. Pourquoi ? Comme on l'a vu, malgré la méthode scientifique, le plaisir n'a pas été complètement éliminé de notre approche envers le patient, dont celui de comprendre. En fait, toute l'intelligence, si elle prime l'expérience, peut devenir un puissant mécanisme de défense. L'approche diagnostique du patient n'est que descriptive. Son but est principalement d'élaborer un portrait pour le médecin, qui tente de comprendre le problème. La médecine moderne est devenue de plus en plus scientifique et objective, à cet égard. Mais dans le processus diagnostique, le seul avantage, si tant est qu'il y en ait un, pour le patient, est d'envoyer un message non verbal signifiant que le problème est assez important pour justifier une évaluation approfondie par un médecin attentionné. Le traitement choisi n'est pas toujours aussi scientifique. Étant donné la présence d'éléments inconnus, l'approche thérapeutique demeure la plupart du temps fort pragmatique et empirique. Ayant à faire face à cette difficulté, nous adoptons alors l'une de deux positions philosophiques : celle axée sur le patient ou celle axée sur le médecin. Il y a beaucoup plus de chances, pour un médecin, d'adhérer à la réalité en demeurant plus proche du patient que de la « science », même si celui-ci s'avère être non compliant, agressif, bizarre ou incompréhensible.

Les anecdotes ne font pas science. À l'inverse, les statistiques regroupent les patients et les moyennes en effaçant leurs particularité individuelles. Pourtant, ces particularités peuvent potentiellement avoir une importance majeure. Notre société est complètement imprégnée de matérialisme. Le bon côté de ce matérialisme est de fournir des résultats palpables. Son mauvais côté est de se satisfaire de résultats à court terme. S'ils sont bons, tant mieux. S'ils sont mauvais, tant pis pour le patient. Nous, médecins, avons beaucoup de difficultés à vivre avec l'anxiété générée par l'échec et l'impuissance, étant donné que la plupart des médecins sont choisis, à l'entrée des facultés, sur la base de leurs performances intellectuelles, souvent associées à une personnalité agressive et compulsive, à un plus fort degré que la moyenne. En plus, nous vivons souvent dans l'illusion qu'un malade se « répare » comme un objet défectueux mis sur le marché. D'où des exigences irréalistes face aux médecins, aux infirmières et au système de la santé, et une attitude revendicatrice à un certain « droit » à la santé qui n'implique aucune responsabilité à prendre sa santé en main.

Une des caractéristiques fondamentales de la méthode scientifique est la capacité de passer de l'observation du « cas unique » à la généralisation d'observations semblables sur un groupe de « cas uniques » qui partagent certaines caractéristiques communes. L'avantage de ce mouvement de pensée est de ne plus permettre à l'observateur de se laisser influencer émotivement par un événement ponctuel marginal qu'il tenterait de retrouver plus tard quand d'autres occasions se présentent. En l'occurrence, en médecine, une « histoire de cas » spectaculaire et aberrante peut jouer un rôle pervers en biaisant la mémoire du soignant. Pourtant, le « cas » spectaculaire ne devrait lui servir qu'à garder une certaine souplesse et à ne pas s'attacher au contenu théorique communément accepté. Ce contenu scientifique n'est pas fait de dogmes, mais de connaissances actuelles qui ne sont que poteaux indicateurs à vérifier sur le terrain. Ainsi, le diagnostic assisté par ordinateur est supérieur en termes de qualité diagnostique à celui du clinicien le plus accompli, comme cela a été bien démontré pour le repérage de la cause d'une douleur abdominale aiguë. Mais il y a une limite, et c'est celle de la mémoire de l'ordinateur et sa programmation. Par exemple, six pathologies différentes constituent les causes de 90 % des admissions dans les hôpitaux pour des douleurs abdominales. Il est possible de mettre en mémoire informatique les données pertinentes d'une centaine de malades pour chacune des six pathologies. Que vienne un nouveau malade qui souffre d'une de ces six pathologies, et l'ordinateur ira chercher celle qui correspond le mieux au malade. Aucun médecin ne pourra surpasser la fiabilité du diagnostic de l'ordinateur, empêtré qu'il est dans sa mémoire. Celle-ci contient un certain nombre de cas qu'il a vus dans sa pratique. Mais elle est embrouillée d'éléments affectifs, de configurations corporelles, de problèmes d'identité sexuelle et de souvenirs très émotifs. Mais qu'advienne un sujet porteur d'une septième pathologie, plus rare et non programmée, et l'ordinateur, stupidement, ira choisir, parmi les seuls six diagnostics qui ont été programmés de main d'homme, celui qui correspond le plus au diagnostic du nouvel arrivant – et bien entendu, il aura toujours tort.

L'ordinateur est une machine à savoir qui ne souffre pas d'états d'âmes. Mais pour être médecin, il ne suffit pas de savoir, ni de savoir faire. Il faut aussi savoir être. Les malades ne s'y trompent pas, qui évaluent la froideur de leurs soignants autant que leurs compétences, et les poursuivent plus souvent en justice quand la qualité de la communication avec eux a été, à leurs yeux, insatisfaisante, et ce, même si dans les faits ils ont été parfaitement bien traités, suivant les règles de l'art.

C'est bien pourquoi le symptôme est aussi important pour indiquer le problème médical en jeu que le signe qui peut être décrypté et mesuré dans le corps du malade. Et le symptôme étant éminemment subjectif, il apporte une dimension unique à la pathologie du sujet malade, dans la mesure où chaque individu est unique. Ainsi, parfois, un seul patient peut fournir un indice utile. L'histoire suivante démontre que nous pouvons parfois rester très simpliste dans notre approche, que nous croyons sophistiquée, des sujets constipés. Nous devons faire preuve d'humilité et apprendre que les patients peuvent être guéris d'un problème fonctionnel par un cheminement tout à fait hors de notre contrôle. Nous devenons alors de simples observateurs. Toutefois, nous pouvons apprendre de ces mécanismes et les appliquer à d'autres patients.

Christine naît en novembre 1976. Ses parents ont attendu trois ans après leur rencontre avant de la concevoir. Le bébé pleure plus que normalement. Sa mère ne l'allaite que pendant une semaine. Christine reçoit le biberon pendant trois mois. Lorsqu'elle commence à manger des céréales, elle devient constipée.

Un médecin pose un diagnostic de maladie de Hirschsprung, une malformation congénitale, où il n'y a pas de cellules nerveuses dans l'anus et la partie terminale du gros intestin. Cela crée un obstacle au passage des selles.

Les parents décident de ne pas avoir d'autres enfants. Les symptômes empirent. En avril 1978, Christine, alors âgée de deux ans, est opérée pour sa maladie de Hirschsprung. Une intervention chirurgicale majeure est faite. Le côlon est abaissé derrière le rectum, dans le bassin, et lui est attaché. Plusieurs années après, pourtant, lorsque le spécimen est réétudié, on y trouve des cellules nerveuses. Rétrospectivement, le diagnostic était donc erroné, ce que confirme l'évaluation radiologique de tous les films disponibles. Quand Christine a huit ans, un autre chirurgien fait une seconde opération, majeure elle aussi, sur son rectum, sans que ses symptômes ne changent de façon appréciable.

Avec le temps, elle fait des bouchons de matières fécales dans son rectum et perd involontairement selles et urines. À de nombreuses reprises, on tente – sans succès – de corriger l'incontinence en rééduquant son sphincter anal par biofeedback, une technique de physiothérapie grâce à laquelle l'enfant prend conscience de ce qui se passe dans son anus par l'intermédiaire d'une machine qui enregistre les pressions qui y sont décelées, et essaie de modifier ces pressions dans une espèce de processus de rétroaction biologique.

Je vois Christine pour la première fois après cette longue série d'échec. Elle a maintenant dix ans.

Depuis l'âge de trois mois, ses symptômes n'ont pas changé. Christine souffre toujours de constipation, avec des selles énormes tous les trois jours, une obstruction intestinale au moins une fois par semaine, de l'incontinence anale hebdomadaire. Elle souffre également d'infections et d'incontinence urinaire à répétition. Elle a pourtant grandi normalement, mais est devenue un peu obèse. Elle a aussi commencé à avoir des douleurs abdominales après la dernière opération.

Des études sophistiquées du fonctionnement du gros intestin montrent que les selles passent normalement à travers la partie droite et la partie gauche du côlon, mais qu'elles stagnent dans le rectum, qui se contracte mal et se vide peu. L'anus fonctionne bien et se relaxe bien quand le rectum est distendu par un petit ballon gonflé, ce qui confirme une fois de plus qu'elle n'a pas de maladie de Hirschsprung et que les deux interventions chirurgicales qu'elle a subies n'étaient pas nécessaires. La vessie fonctionne normalement et aucune cause n'est trouvée à ses pertes et ses infections urinaires.

À l'âge de onze ans, Christine est hospitalisée d'urgence pour un épisode sévère de douleur abdominale. Elle demeure à l'hôpital pendant cinq jours.

Durant plus de cinq ans, les symptômes persistent, sans répit.

Juste avant son seizième anniversaire, Christine guérit subitement.

Il est impossible de comprendre cette guérison miraculeuse si l'on ne tient pas compte du fait que Christine avait, au-delà et en deçà de son histoire de cas, une histoire de vie.

Depuis sa naissance, elle avait été suivie par de nombreux médecins spécialistes. Des pédiatres, des gastro-entérologues, trois chirurgiens. Une femme, une pédopsychiatre, avait posé, quand Christine avait dix ans, un diagnostic qui s'avérerait crucial. Jouant avec l'enfant avec des marionnettes, comme support de ses projections, elle avait conclu que la relation de l'enfant avec sa mère était à la fois ambivalente et fusionnelle, et que les problèmes fécaux jouaient un rôle déterminant dans la dynamique de la constellation familiale. La mère de Christine décrivait celle-ci comme « collante ». Le père, virtuellement absent, n'était pas inséré dans la diade fusionnelle de la mère avec son enfant, sans pour cela qu'il soit physiquement absent. Plus simplement dit, il n'avait joué que le rôle d'un géniteur et était sans pouvoir. Les médecins avaient suggéré à la mère de Christine de forcer celle-ci à nettoyer ses propres vêtements, mais cela n'avait eu aucun effet sur le problème. Une consultation en psychiatrie avait d'ailleurs été demandée alors que Christine n'avait que cinq ans. Sa mère l'avait refusée en prétextant que les problèmes de son enfant étaient de nature physique et qu'il n'y avait rien d'anormal dans la famille.

Je me sentais un peu impuissant devant cette cascade d'échecs thérapeutiques. Impuissant, mais sans l'ombre d'une trace de culpabilité de l'être, et sans aucune prétention à faire mieux que mes nombreux confrères avant moi. J'ai donc opté pour un accompagnement sans attente ni projet, décidant de voir l'enfant sur une base régulière, sans raison particulière, sauf pour l'accompagner et observer son comportement, tout en notant ses habitudes intestinales. À l'occasion, je vérifiais quelques examens diagnostiques.

Comme méthode de collection de données non verbales, donc beaucoup moins menaçantes pour la mère, j'ai demandé à Christine de me faire des dessins. Parfois, je l'envoyais aussi faire une séance de rééducation périnéale, avec la même technicienne qu'auparavant, assurant ainsi à l'enfant la présence d'un couple symbolique, autre que le réel de ses parents, et désireux de lui venir en aide. Jusqu'à sa guérison, Christine ne vint jamais à l'hôpital avec son père. Sa posture, son petit sourire figé, son comportement en faisaient un clone de sa mère. Le premier dessin qu'elle m'apporta suggérait le chaos et beaucoup de violence intérieure. Les corps y étaient fragmentés. On y parlait de poison, de poignards, d'explosions. Quand je demandai à Christine de me faire un dessin de sa famille, elle me dessina d'abord deux grands oiseaux à visage humain, l'un étant son père, en rose, et l'autre elle-même, en bleu. La mère était absente du dessin. Je lui demandai qu'elle était la couleur des vêtements que traditionnellement on attribue aux nouveau-nés, en fonction de leur sexe. Elle dû comprendre le message, car à la visite suivante elle avait refait le même dessin. Mais cette fois son père était en bleu, et elle en rose. En outre, le corps de son père était lisse et homogène, alors que lorsqu'elle l'avait dessiné en rose, il contenait dans son ventre un vague gribouillis de structure bizarre et chaotique. Et la jeune fille de me dire, avec un beau sourire : « Il n'est plus enceint ! » À partir de ce jour, Christine devint capable de faire des dessins de vrais personnages, où l'enfant commença à trouver une place entre son père et sa mère.

Christine a sa première relation sexuelle, à l'âge de quatorze ans, avec un garçon de son âge. À ma grande surprise, sa mère l'y a encouragée activement, l'incitant même à faire usage de contraceptifs avant même qu'elle n'ait considéré avoir cette première relation. Cette attitude pourrait être analysée comme le reflet du souci d'une mère responsable. Mais il y avait des rumeurs – qui ne furent jamais confirmées – que la petite était abusée sexuellement au sein de sa famille. L'atmosphère est idyllique après la première relation sexuelle, qui s'est fort bien passée. Christine m'apporte un dessin d'elle et de son amoureux. Tout baigne dans le bonheur. Les couleurs, pastel, sont douces. Il fait soleil, avec quelques petits nuages blancs. Les arbres portent des fruits, les champs sont pleins de fleurs, le ruisseau contient des petits poissons. Christine s'est dessinée avec un grand cœur au-dessus de la tête : « Je t'aime, Alain. » Sur la tête de celui-ci répond un autre grand cœur : « Je t'aime, Christine. » Les amoureux font face au public. Mais les pieds de l'amoureux vont dans la direction opposée à son corps et celui de Christine. Je me lève, tente de placer la pointe de mes pieds vers l'arrière et dit à l'adolescente que ce doit être bien difficile de marcher ainsi. Dans une sorte de coq-à-l'âne, qui n'a ni queue ni tête, mais qui doit avoir traversé son inconscient, Christine me répond que son amoureux est très possessif. Elle se dit certaine qu'il ne voudra pas rompre leur relation, mais elle songe à le quitter.

Le dessin qu'elle apporte à la visite suivante, en pleurant pour la première fois de toutes ces années, est éloquent et impressionnant. En sanglotant, elle me tend le dessin d'un cercueil tout noir, sur lequel elle a écrit en noir, et verticalement : « Je t'aime », et à l'horizontale, en croix : « Alain ». Pour la première fois, elle est entrée dans le cabinet de consultation sans sa mère. Christine a quitté son amant. Le jeune homme est venu se suicider, sous sa fenêtre, en se tirant une balle dans la tête. Christine devient asymptomatique du jour au lendemain…

Aux cours des visites suivantes, elle est maintenant toujours accompagnée de son père. Enfin ! Elle reçoit beaucoup de soutien de sa part, est vue, avec son accord, par un pédopsychiatre, participe à une thérapie de groupe pour survivants de suicide qui s'appelle « Je vis ! ». Elle commence à sortir socialement avec son père. Après avoir entamé un processus de deuil, elle recommence à sortir avec des garçons, au grand dam de sa mère, mais avec l'appui de son père. Christine me dit que son père et sa mère se querellent constamment. Elle ajoute que sa mère écrase son père et qu'il est incapable de lui tenir tête. Je lui offre mon aide, qu'elle accepte, sceptique, sans grand espoir de succès. Elle va chercher son père, qui reste debout, face à nous. Je lui dis, pour reprendre une expression chère à mon ami Pierre Arhan, les mots nécessaires pour lui « soutenir le périnée » : « Écoutez, quand votre épouse et votre fille se disputent, ce n'est bon ni pour l'une ni pour l'autre. Alors, tenez-vous debout, comme un homme, entre les deux femmes. Imposez-leur le silence à toutes les deux. Puis, vous les prenez, seul à seule, l'une après l'autre, et vous écoutez ce qu'elles ont à dire de leur querelle. » L'homme part avec un grand sourire. Christine commence à prendre l'habitude de demander à son père de sortir avec elle, pour discuter de ce qu'elle vit. Elle se défusionne de la relation symbiotique que sa mère avait avec elle.

Christine n'a plus de problèmes digestifs durant les dix années qui suivent le drame.

Je la revois beaucoup plus tard. Elle est passée par les urgences pour un bref épisode de subocclusion intestinale, à cause des adhérences dues aux deux interventions chirurgicales – inutiles – qu'elle a subies. Elle veut devenir enceinte et n'y réussit pas. Son amant a acheté la maison où a vécu l'adolescent qui s'est suicidé ! C'est alors que je découvre que celui-ci était issu d'une famille extrêmement violente. Plusieurs membres de la famille étaient ou avaient été en prison. Le premier amant de Christine, jeune adolescent qui était le seul membre de sa famille à n'avoir jamais projeté sa violence sur les autres, l'avait retournée contre lui-même et, ce faisant, par sa mort quasi sacrificielle, l'avait libérée de l'emprise suffocante et vampirisante de sa mère, la guérissant du même coup des symptômes de toute une vie. Sa mort a littéralement donné la vie à Christine. Celle-ci vit maintenant avec son nouveau compagnon, dans la maison de l'homme qui l'a mise symboliquement au monde. Mais elle ne peut concevoir. À la surface des choses, les deux interventions chirurgicales qu'elle a subies obstruent les trompes de son utérus. Je l'envoie consulter un collègue gynécologue. Nous décidons de procéder à une lyse d'adhérences et d'interposer une pellicule permettant d'éviter qu'elles ne se reforment. Cela pour le problème de surface… En effet, nous savons combien une histoire inconsciente, du genre de celle de Christine, est capable d'influencer les processus de conception. Au dernières nouvelles, Christine n'est toujours pas enceinte. Une interprétation facile de cette histoire, à la fois triste et heureuse, voudrait que Christine, au départ totalement symbiotique avec sa mère, sans identité propre, après avoir lentement bâti, au fil des ans, un climat de confiance avec moi et mon associée, réussisse enfin à se séparer de sa mère et à prendre un amant. Celui-ci joue le rôle non de père, mais de mère de substitut et la libère, par sa mort, du lien symbiotique pathologique avec sa mère, puisqu'il était aussi possessif qu'elle. La rage éprouvée par celle-ci après que Christine a pris une certaine distance salutaire vis-à-vis d'elle, la relation grandement améliorée à ce stade de son évolution avec son père qui était déprimé autant qu'elle, après le suicide de l'amant de Christine, la libre expression de toutes sortes d'émotions après le suicide, sont toutes des indications révélant que c'est sa mère qui avait besoin d'elle plutôt que l'inverse. Jamais la mère ne se plaignit de quoi que ce soit durant ce long suivi. Je n'ai jamais rien appris sur sa vie à elle, sur son enfance, ce qu'elle avait vécu, d'où elle était issue. Christine devint enfin capable de faire l'expérience de la vie et de grandir normalement. Elle recommence à sortir avec les garçons, ne restant attachée ni à moi ni à son père. Avec cette expression cataclysmique d'émotions, son corps se libère. Il n'y eut plus jamais de somatisation. Plus jamais elle ne se plaignit d'incontinence fécale, ou de pertes urinaires.

Mais cette explication est sans doute trop facile, puisque Christine vit avec son compagnon dans la maison de l'amant qui s'est suicidé, et que, nonobstant les adhérences, elle n'arrive pas à y concevoir un enfant...

LES ENRAGÉS DE LA GUÉRISON

Trop souvent, le malade arrive muni de son droit à la santé – du moins lorsqu'il a le bonheur de vivre dans un pays où la Sécurité sociale existe encore –, persuadé qu'il a manqué de chance et plein d'attentes envers le soignant qu'il a choisi pour qu'il le « répare ». Naturellement, les malades se choisissent à travers leurs soignants. S'ils sont très immatures et dépendants, ils vont vers un médecin à peine plus évolué qu'eux, dans une espèce d'appariement gémellaire. C'est ainsi que s'explique l'augmentation de demandes d'aide répétitives et insatisfaisantes, où, malgré tout, à travers la compulsion de répétition, l'instinct de vie se fait jour et surpasse l'instinct de mort, prenant la forme d'une quête d'un soignant qui ne tombera pas dans le piège de la séduction ou de l'omnipotence, offerte en toute innocence. Il ne s'agit pas ici de dénoncer une « culpabilité » quelconque à être « tombé malade » : ce serait rajouter l'insulte à l'opprobre. Mais la responsabilité des malades n'est pas un vain mot.

Malgré leur bagage karmique, si l'on y croit, chromosomique dès la conception, comportemental dès l'imprégnation utérine, puis affublés d'une « éducation » plus ou moins pétrie de projections de leurs parents et leur entourage, les individus gardent le potentiel de prendre leur santé en main. Ils conservent la possibilité, si elle est nourrie, de voir comment leur maladie s'inscrit dans leur trajectoire de vie et comment ils peuvent, en prenant conscience de tous les éléments biopsychosociaux, avoir un certain levier sur leur maladie, levier totalement indépendant du médecin et que les patients sont totalement libres d'utiliser ou non.

En général, les malades ne savent pas cela quand ils arrivent en crise. Et plus aiguë est la crise, moins grande est la conscience. Autant nous avons fait d'immenses progrès pour sauver les gens qui nous arrivent en ambulance après un accident ou avec une catastrophe médicale, autant aider ces malades peut être difficile s'ils n'ont pas été ébranlés émotivement par cette crise. Et les malades les pires, les plus inconscients, sont ceux qui n'ont pas la patience d'attendre un rendez-vous (et il leur en faut de la patience, surtout en Amérique du Nord !). Souvent, ils confondent les urgences avec une clinique sans rendez-vous. Ce sont ceux-là qui se plaignent le plus et combinent ces exigences avec la plus grande inconscience de leur contribution à leur pathologie. J'ai toujours fait noter au dossier l'absence d'un malade à son rendez-vous. Il s'agit peut-être d'une panne de voiture, ou, au Québec, d'une tempête de neige en hiver qui les a empêchés de se présenter, chose facile à vérifier. Mais il n'est pas rare qu'un malade soit parti en vacances, ou qu'il ait « oublié » son rendez-vous. Parfois, une suite de rendez-vous ne donnent pas suite à une visite, mais conduisent à un tour aux urgences pour le même problème… Ce sont là les vrais « clients » du système médical, les « consommateurs » de la santé, bien plus difficiles à aider, car il faut le faire malgré eux.

Jeune interne, en Pennsylvanie, j'avais été profondément choqué de me faire jeter hors d'une chambre, où je rentrais pour changer le pansement d'un malade opéré par mon patron chirurgien : « C'est lui que je veux ! Pas vous ! Lui, je le paie pour cela ! » Un des ateliers sur la communication que j'anime à l'université porte donc sur les malades difficiles. Nous sommes une dizaine de professeurs à animer des groupes de dix étudiants, pendant six mois en première année, puis à continuer un autre semestre en seconde. Pour les malades difficiles, l'université a engagé des acteurs, professionnels ou non, qui jouent le rôle de malades qui mettent à l'épreuve le calme et la bonne volonté des futurs médecins. Ce n'est pas le matériel clinique qui manque pour greffer sur ce fond théâtral… En voici un exemple.

Anna est à genoux sur la table de proctoscopie. Le chirurgien, qui l'a opérée d'une fissure anale me l'a envoyée, parce qu'il a peur. Elle a commencé à perdre ses selles après la chirurgie. Le biofeedback, qui permet au sujet de réapprendre la maîtrise de ses sphincters en voyant ou en entendant leur action sur un enregistreur, ne semble pas efficace. Bien sûr qu'il y a là un processus, non seulement de « traitement », mais d'éducation, puisque le taux de succès augmente avec le nombre de séances. Quand je connais assez bien le malade pour me permettre un peu d'humour, je lui dis : « Je vous envoie à l'école du derrière ! » Ce qu'Anna ne sait pas, c'est que notre sphincter anal volontaire (il y en a un autre, fait de muscle lisse, et qui est responsable de la pression au repos) ne peut se contracter plus de quatre-vingt-dix secondes sans que nous ayons trouvé les toilettes. Chirurgie ou pas chirurgie… Tout le monde a fait cette expérience si, au cours d'un voyage, il a été pris d'une tourista. Mais Anna est fâchée. Elle est fâchée contre l'Univers en général, et la « profession » médicale en particulier. Elle ignore pourquoi elle fait constamment de la diarrhée liquide. Bien entendu, son incontinence n'a rien à voir avec la chirurgie, faite suivant les règles de l'art, et qui n'aurait pas, en soi, dû provoquer d'incontinence anale. Elle ne sait pas non plus que ses selles fréquentes sont un indice inconscient que, dans sa vie d'enfant, « on » l'a fait chier. Elle ne sait pas non plus qu'elle est déjà passée dans mon laboratoire dix ans avant l'opération, et que les pressions anorectales sont meilleures et plus fortes après l'opération qu'avant ! Alors, comme elle ne sait pas, elle veut poursuivre le chirurgien, tout comme un praticien d'un autre hôpital qui a méconnu une petite lésion osseuse qu'elle avait.

J'ai pris connaissance du dossier complet d'Anna, et pas seulement des détails de la chirurgie. Je devine un secret pathogène. Elle est à genoux sur la table, prête à l'examen. L'infirmière lui a dénudé les fesses. Mais mon instinct me pousse à m'approcher de son visage. En face-à-face, je lui demande à brûle-pourpoint si elle a été abusée sexuellement. La diarrhée dont elle souffre sans s'en plaindre est sans cause évidente, et donc un problème fonctionnel, et je sais que c'est un des symptômes dont vont souffrir les enfants qui ont été abusé(e)s sexuellement.

Le secret de toute une vie s'échappe. Son frère, avec la bénédiction de leur mère, a abusé d'elle durant plusieurs années. Sortie de cette enfance de misère, elle a épousé un homme qui l'a trompée jusqu'à sa mort. Elle dit que son univers s'est écroulé quand c'est arrivé pour la première fois. C'est une assez jolie femme de soixante-dix ans, sensible, et qui a senti « l'odeur de la mort » de son mari avant qu'elle ne survienne. Mais elle est enragée de toute sa souffrance.

Pendant deux ans, tout en recherchant la cause de sa diarrhée, bien plus importante à mes yeux que l'incontinence anale qui en découle, je l'écoute patiemment, mais toujours un peu sur la défensive, car elle n'arrête pas de récriminer. Je mentirais en disant que ses attaques et reproches incessants me laissaient froid ou indifférent. J'enseigne aujourd'hui aux étudiants, grâce à cette histoire, que tant que nous avons l'impulsion de nous justifier dans ces circonstances, quand nous savons que notre approche médicale est techniquement impeccable, c'est un indice de relation transférentielle. Cela je ne le savais pas. La leçon que j'ai apprise dans cette histoire, c'est d'arrêter de « vouloir guérir » l'autre à tout prix et malgré lui. J'ai aussi appris à ne plus réagir au sentiment d'impuissance par un activisme « médical » forcené, à me détacher d'une obligation de guérison, à la patience ouverte et sereine. Mais je n'en étais pas là à l'époque. Et comme je répondais à la colère par l'obligation de perfection, je mettais en pratique, sans le savoir, une maxime du Bouddha qui dit que la colère est un cadeau. Si nous n'y répondons pas par la colère aussi, dans un futile jeu de ping-pong, elle ne peut aller qu'en crescendo, jusqu'à ce que la personne chute de sa rage à sa détresse et montre le fond de son âme en sanglotant.

Mais je ne suis pas Bouddha, et j'étais mal avec les reproches incessants d'Anna, qui allaient crescendo. Sa rage décupla quand je partis trois mois en congé d'études, lui infligeant ainsi, bien malgré moi, ce qu'elle vécut comme un abandon. Au long de ce difficile chemin, j'avais fait passer un test de personnalité à Anna, corrigé par informatique, et donc ne pouvant être suspect de partialité subjective. L'examen avait conclu à la nécessité de faire procéder à un examen psychiatrique. Ce qu'elle avait refusé net, m'accusant d'abus de pouvoir !

L'orage éclate à mon retour. Anna dépose une plainte auprès des autorités de l'hôpital. Elle m'accuse d'incompétence, ce qui me laisse tout à fait indifférent. Elle me reproche de relier ses symptômes aux abus sexuels, ce qui me met un peu sur la défensive, car, à l'époque, ces choses étaient peu connues. Elle me reproche aussi d'avoir voulu l'envoyer voir un psychiatre pour un problème anorectal. Enfin, elle m'accuse d'avoir voulu la séduire et de la harceler de coups de téléphone, certains faits alors que j'étais en Europe ! Un membre du comité me dit avec cynisme qu'il était heureux qu'elle ait eu vingt ans de plus que moi, et que si elle avait eu trente ans, j'aurais été dans l'eau chaude…

L'évaluation du dossier dura des mois. Elle posait toutes sortes d'obstacles pour que son dossier ne puisse être examiné, poussant l'administration judiciaire à bout de sa tolérance. Il n'y eut jamais de confrontation directe, comme au tribunal, puisqu'il ne s'agissait que d'une évaluation corporative, mais lors d'une entrevue avec le comité, où nous devions passer, elle et moi, elle éclata en larmes en disant qu'elle s'était éprise de moi et qu'il lui fallait mettre fin à cela à tout prix… Rude façon, inefficace, de rompre un transfert sans voir ce que la névrose de transfert cachait. Je dis toujours aux étudiants que le transfert, c'est de l'anti-amour, c'est du vampirisme « amoureux » pour fuir une grande souffrance, en la comblant par la présence de l'Autre. Mais je dis aussi que le transfert est un cadeau de la part du malade, qui pointe la présence chez le soignant d'un portemanteau où le soigné peut déposer ses projections. Je fis donc mes devoirs à propos d'Anna. Mais je réalisai aussi quelques remarques qu'elle avait faites quand elle venait me voir, où elle m'avait associé à son frère. Pauvre Anna ! Il lui restait tant de chemin à faire ! Le frère était déjà un transfert de son père, et « derrière » lui, c'est-à-dire plus tôt dans sa vie, de sa mère, complice des abus.

Je fus réprimandé… pour ne pas avoir envoyé Anna chez le psychiatre… malgré son refus d'y aller quand je l'avais proposé. Un superviseur provincial émit le diagnostic qu'Anna faisait probablement partie de ces patients à qui on colle l'étiquette de « borderline » en Amérique du Nord, ou d'« état-limite » en France. Idée intéressante, mais qui me pose beaucoup de questions. En effet, une personnalité borderline passe de la névrose à la psychose sans crier gare, avec des accès très évidemment mentaux, énormément d'agressivité, et une génitalité effrénée. Ce n'était pas vraiment le cas d'Anna, même si je pouvais y déceler des pistes. Cette remarque me fit réfléchir à la possibilité que la somatisation, les symptômes corporels, puissent protéger un individu d'une désorganisation mentale cataclysmique.

Je me plaignis du fait que je recevais une réprimande pour ne pas avoir envoyé en psychiatrie une patiente qui refusait d'y aller… Mon permis de pratique fut donc modifié, de sorte que, depuis, si je pense qu'une consultation en psychiatrie est nécessaire, que j'aie ou non raison à propos de cette nécessité, je suis obligé de me retirer du dossier, en vertu des lois de l'hôpital. Ce faisant, je suis maintenant protégé par l'anonymat de l'institution, prenant l'odieux du rejet sur elle. Mais cela ne règle pas le problème du patient, laissé à lui-même et navigant entre deux eaux…

J'ai croisé Anna une fois depuis dans un couloir

d'hôpital. Son regard, m'ayant reconnu, m'a fui, et elle s'est précipitée vers un escalier.

Il est clair que les malades sont les partenaires de leur guérison, même s'ils n'en sont pas toujours conscients. Certains sont même des enragés de la guérison, attribuant toute la responsabilité de toute leur vie à un autre.

On peut sourciller à mon analyse du rôle des parents, du transfert, et des projections dans la pratique médicale. Bien entendu, il y a peut-être une autre explication. Toutefois, il reste remarquable que la mort d'un enfant en ait guéri une autre, qui avait été constipée et avait souffert d'incontinence fécale depuis l'âge de trois mois jusqu'au moment du suicide de son amant. Ce ne sont certainement pas les manœuvres d'un médecin qui ont permis cette guérison « miraculeuse ». Des explications doivent être trouvées. Un événement traumatique peut se solder par une guérison soudaine chez certains patients. L'histoire de Marie-Madeleine, que je raconterai plus loin en détail, est un autre exemple de ce genre : elle ne déféquait qu'une fois tous les deux mois et elle guérit subitement lorsque son père, qui l'avait violée à l'âge de seize ans, mourut. Tout ce qu'elle fit fut de placer une lettre de six pages dans son cercueil, lettre où elle avait exprimé tous les sentiments refoulés qu'elle avait à son égard. Marie-Madeleine et Christine ont deux choses en commun : la constipation et une guérison non médicale. Dans les deux cas, la pathologie médicale faisait partie d'une économie psychosomatique où le symptôme était essentiel au maintien d'un équilibre un peu sclérosé, et profondément insatisfaisant pour la patiente. Une erreur médicale flagrante aurait donc été de « guérir » la malade sans rien offrir en échange, même de l'ordre du relationnel, « guérison » de toute façon impossible et ayant réduit nombre d'intervenants à l'impuissance, la frustration, l'échec et le rejet.

La relation médicale n'est pas qu'une application pratique de connaissances techniques par un soignant sur un soigné. Les deux ont un vécu et un passé qui font partie de l'échange et déterminent non seulement la qualité de la communication, mais aussi le devenir du malade. En paraphrasant Balint, on peut donc parler du médecin, du malade et de leurs maladies.

CHAPITRE II

La ligne de vie

Le miracle de Myriam

« Nos parents sont toujours ensemble. Moi, je pense qu'ils devraient se séparer, ou alors faire une thérapie de couple. Mais c'est leur vie. Et moi j'ai la mienne. J'ai beaucoup bénéficié de l'accident, mais j'ai l'impression de n'avoir jamais eu d'enfance, d'avoir été précipitée trop vite dans la vie d'adulte. Rappelez-vous, j'allais à peine avoir treize ans au moment de l'accident ! »

Je connais Myriam depuis cinq ans. Je ne l'oublierai jamais.

Un instant, sa voix s'assourdit pendant que je plonge dans mes souvenirs.

— Vite, venez vite, venez tout de suite. Nous avons aux urgences une jeune fille qui s'est empalée. » La voix est rapide, oppressée, insistante. Cela doit être grave.

Je saute dans ma voiture. Il fait tout blanc. Noël sera enneigé, comme presque toujours. Sur l'autoroute, je rappelle l'hôpital pour avoir plus de détails.

— Elle jouait et glissait sur des montagnes de neige, tout en livrant des journaux. Elle a dépassé une butte et est tombée en contrebas. Elle s'est empalée sur une barre de fer balisant la route.

– Aïe ! Comment sont ses signes vitaux ?

– Ils sont stables. Les ambulanciers n'arrivaient pas à sortir la barre du sol gelé. Ils n'avaient pas de scie à métaux. Ils ont décidé de désampaler la patiente sur place, avant de l'amener aux urgences.

– Aïe, aïe, aïe ! Et… ?

– Elle n'est pas en état de choc, mais elle est fort traumatisée.

– Emmène-la au bloc opératoire. Je vous rejoins tout de suite.

Je rencontre les parents à l'entrée du bloc. La mère est en avant, le front plissé, débordante d'inquiétude. Je lui dis ce que je viens d'apprendre, que je ne peux pas donner plus de détails, que je reviendrai la voir après l'intervention, sans aucun doute nécessaire. Le père est en retrait, deux pieds en arrière et à gauche de la mère, beaucoup moins expressif que son épouse.

Je rentre en salle d'opération.

La jeune fille respire mal. Elle a un pneumothorax droit. Si elle s'est empalée au niveau du périnée et qu'il y a de l'air autour de son poumon droit, c'est que la barre qu'on m'avait décrite comme mesurant à peine trente centimètres est, en fait, beaucoup plus longue et qu'elle a traversé l'abdomen de part en part, de bas en haut. Comme les suppliciés qui étaient empalés à mort au Moyen Âge. Je demande à l'urologue de faire une cystoscopie. Il n'y a pas de sang dans la vessie, indemne. Je demande au gynécologue d'examiner le vagin et le périnée. L'hymen est rompu. Le sphincter anal superficiel est déchiré en antérieur. Il y a une blessure à la face postérieure de la vulve. Le fond du vagin est indemne. J'examine le rectum. Indemne et sans sang. Je décide d'ouvrir l'abdomen au-dessus et en dessous du nombril, et tombe sur une petite perforation de la deuxième partie du duodénum, au-dessous de l'estomac, dans sa partie qui descend à côté du foie. De la bile claire s'en échappe. Je ne vois pas de matières fécales dans le péritoine.

Un vrai miracle !

L'utérus, de naissance, est bifide, double, intact. Avec une moitié à gauche et une moitié à droite. L'intestin grêle est intact. Le gros intestin aussi. Il n'y a pas de sang dans l'abdomen. La barre a dû frôler les gros vaisseaux, l'aorte et la veine cave, à leur bifurcation, puis surfer sur le petit intestin juste sous la paroi abdominale. Un vrai miracle ! Un vrai !

Je réfléchis.

Si la barre sort du duodénum, elle a dû y rentrer, et elle n'a pu le faire que dans la troisième partie, un peu plus bas, à l'horizontal. Cela me force à une prouesse technique, en rabattant tout le côlon droit vers la gauche.

De fait, la plaie d'entrée est là, à quelques millimètres de l'artère mésentérique supérieure, qui pulse, intacte. La jeune fille serait morte, à quelques millimètres près.

Mais, et le pneumothorax ?

Au-dessus du foie, loin en postérieur, je trouve un orifice dans le muscle du diaphragme, qui sépare le thorax de l'abdomen.

Rien d'autre. Rien d'autre ! Rien d'autre !!!

Après avoir défloré la jeune fille, en avulsant quelques fibres du sphincter anal, la barre est montée, séparant doucement le rectum du vagin, sans faire de trou ni dans l'un ni dans l'autre, en passant dans l'espace virtuel aréolaire exsangue qui les sépare. Épargnant la vessie, les uretères, l'utérus bifide, la bifurcation de l'aorte et de la veine cave – Myriam serait morte –, la barre a surfé sur l'intestin grêle, sous la paroi de l'abdomen. Puis, elle a plongé sous le côlon transverse, épargnant celui-ci et l'artère mésentérique supérieure. En perforant de part en part le duodénum, elle épargne le pancréas, puis elle est passée derrière le foie, sans toucher les structures vitales de la région :

foie, gros vaisseaux, vésicule biliaire, estomac. Et le poumon s'est rétracté grâce au pneumothorax...

Un vrai miracle !

Un drain thoracique a été mis d'emblée pour permettre une bonne ventilation pulmonaire. Je ferme les deux petits trous du duodénum. Le gynécologue répare le sphincter anal. La patiente rentre chez elle à peine deux semaines après son admission.

Quand Myriam revient me voir après les fêtes, elle présente tous les symptômes d'un syndrome de stress post-traumatique. Elle dort très mal, sans jamais se souvenir de ses rêves. Elle hallucine souvent la sensation d'être empalée, se touchant le périnée pour se rassurer. Elle a beaucoup de difficulté à travailler à l'école. Enfin, elle entend des voix. Pas n'importe quelles voix. Celles des ambulanciers qui discutent le coup. Ils savent qu'ils doivent amener la victime à l'hôpital avec le corps étranger, et sans y toucher. Mais la fichue barre de métal est congelée profondément dans le sol et ils n'ont pas de scie à métaux. Avec les souvenirs, revient pour Myriam l'horreur d'entendre ce qui va suivre, et qui l'a fait dissocier au moment de l'accident.

Je lui suggère de me faire une bande dessinée des différentes étapes de l'accident, dans le but d'apprendre comment elle a vécu celui-ci. Pendant ces échanges, la maman de Myriam se met à se bercer frénétiquement sur sa chaise. Myriam me dit qu'elle se berce sans cesse à la maison. La mère fond en larmes et pleure de longs pleurs sur son enfance, ajoutant qu'il y a longtemps que sa fille, dont elle a énormément besoin, voudrait savoir son grand secret. Elle reste évasive.

Myriam me ramène sa bande dessinée.

Il est clair qu'elle a vécu l'empalement comme un viol. Dans le dessin où elle s'est dessinée, empalée, à moitié morte, elle met dans la bouche d'un des ambulanciers qui approchent les mots : « Elle est sur une pine de métal. » Au fond du décor, elle a dessiné une maison. À côté de celle-ci, elle a dessiné un gigantesque lampadaire. Un lampadaire coiffé d'un gland qui éjacule de la lumière. À sa base, deux boules bizarres complètent la forme des phallus en pleine érection. Au cas où je n'aurais pas encore compris, Myriam, dans la scène où les ambulanciers l'ont désinsérée de la barre de métal, a dessiné le phallus complètement débandé, plié vers le bas…

La maman s'agite violemment dans le vif échange qui s'ensuit. À l'âge exact où sa fille s'est empalée, elle a été violée par deux hommes. Elle n'en a pas parlé à sa mère ni à personne depuis. Un peu plus tôt, à l'âge de dix ans, elle s'est empalée accidentellement sur le guidon de sa bicyclette, sans en parler non plus à sa mère.

C'est au tour de Myriam de s'agiter.

« Je suis sûre que grand-maman aussi a été violée ! »

Et de fait, un étranger a violé sa grand-mère, elle aussi au même âge. Mais, déjà à l'âge de dix ans, elle avait été violée par un beau-frère. Il s'avère aussi que l'arrière-grand-mère a été violée au même âge, sans qu'on en sache beaucoup plus…

Au cours des années qui suivent, Myriam parle beaucoup, au début, de la sexualité de ses parents, décrite comme mal vécue. La famille finit par entrer en thérapie, surtout, au début, pour l'adolescente. Mais les parents aussi grandissent à travers l'épreuve et trouvent leur propre bonheur. Myriam se dessine toujours en pantalons quand la scène se passe avant l'accident, mais en robe après. Ce détail illustre fort bien son épanouissement de femme. J'eus peur, un moment, que les fantômes d'inceste et de viols ne continuent à hanter son périnée et lui coupent le chemin des hommes. Mais, là aussi, elle évolue magnifiquement. Elle a maintenant près de vingt-cinq ans. Amoureuse, elle a l'orgasme aux caresses et à la pénétration. Elle poursuit des études artistiques tout en songeant aussi à la médecine... Aux dernières nouvelles, elle vient de tourner son premier film en France. Son expressivité et l'intégrité de sa cohérence transparaissent à travers l'écran et font fureur.

Avant de rencontrer Myriam, je savais combien l'histoire des familles pèse sur le devenir psychique et corporel des descendants, mais ma connaissance en était plus théorique que pratique. Comment comprendre logiquement le passage de la généalogie de viols répétitifs de mère en fille à la mutation brutale en empalement ?

Sylvie, ou les boucles de la vie

Vous me parlerez bien sûr de la compulsion de répétition. Il fut un temps où j'avais la vision confuse d'une sorte de masochisme consistant à toujours répéter les mêmes actes pathologiques, avoir le même type de relation, subir les mêmes violences. Mais l'instinct de vie est autant à l'œuvre que celui de mort dans ces séquences répétitives d'un même scénario de malheur. En voici un bel exemple, non pas transgénérationnel mais dans cette vie-ci, et avec une évolution favorable.

Sylvie arrive aux urgences les fesses pleines de trous, d'où sort du pus comme d'un arrosoir. Elle a mal au ventre. Elle a de la diarrhée non sanglante. Elle a de la fièvre. Nous posons un diagnostic de colite de Crohn aiguë.

La maladie de Crohn, en fait, a été décrétée avant que Burrill Crohn ne le fasse en 1931. Un médecin écossais, Kennedy Dalziel, avait remarqué que cette maladie était différente de la tuberculose, et ce dès 1916. Souvent, les Européens font des découvertes qui sont « redécouvertes » par les Américains plus tard. Burrill Crohn a décrit la maladie qui porte son nom en

1931 seulement, avant que cela « prenne » partout. Le syndrome de polypose familiale de Peutz-Jeghers est un autre exemple, décrit par le Hollandais Peutz en 1921 et « redécouvert » par Jeghers aux États-Unis en 1949. La maladie de Crohn n'est pas une infection, même s'il y a beaucoup d'inflammation. Nous pensons aujourd'hui que le système immunitaire fonctionne mal. Nous savons aussi que les malades ont plus de psychopathologie, ont plus de difficulté de personnalité que les sujets non malades à qui ils sont comparés, et ce dès le début de la maladie. Si je rajoute ce dernier point, c'est que les sceptiques pensent que l'impact de la maladie sur les conditions de vie est tel qu'il est « normal » d'être marqué psychologiquement. Il n'empêche... Nous savons que plus d'un tiers de ces malades entrent en rémission quand ils recourent au placebo, c'est-à-dire à un non-médicament, dans des études où les malades pensent qu'ils en reçoivent un. Et nous savons aussi que les suicides ne sont pas rares chez ce type de malades.

Je n'ignore pas tout cela quand je rencontre Sylvie.

Nous parons d'abord à la crise. Sylvie est hospitalisée. Elle est traitée avec de la cortisone et de nombreux autres médicaments, de façon intensive. Sylvie entre en rémission.

Son père était alcoolique et la battait. Bien entendu, Sylvie est mariée avec un alcoolique qui la bat. Elle divorce, écœurée de toujours se faire battre. Peu de temps après, elle rencontre un homme qui lui plaît. Un autre alcoolique... Mais il ne la bat pas ! Progrès !

Elle se fatigue de ses cuites et le quitte. Puis, elle se choisit un homme qui a vingt ans de plus qu'elle. Un ex-alcoolique... Progrès encore. Il a un fils du même âge que Sylvie et qui souffre lui aussi de maladie de Crohn... Sylvie découvre l'orgasme.

– Je ne veux plus te voir, me dit-elle. Je ne veux plus rien savoir de l'hôpital. Je ne pense plus qu'à une chose, c'est faire l'amour jour et nuit. C'est tellement bon.

– Profites-en tant que cela passe…

Six mois s'écoulent. Pas de nouvelles de Sylvie. Et puis un jour elle revient aux urgences. Le périnée plein de pus.

– Qu'est-ce qui t'arrive ?

– Il m'a mise à la porte.

Il faut dire que Sylvie était très possessive. En réaction au rejet, elle est retournée au bercail… chez son ancien mari. Mais celui-ci, après que Sylvie l'a quitté, est entré en thérapie. Il ne boit plus. Il ne la bat plus. Mais quand ils font l'amour, Sylvie s'ennuie à mourir, compte les mouches au plafond en attendant que ça se passe, rêvasse aux bons souvenirs avec l'amant qui l'a abandonnée, quand ils baisaient. Bientôt, elle n'en peut plus. Elle requitte son mari. « Je sais ce qu'il me faut. Prendre un appartement, avoir des relations, ne plus m'attacher à aucun homme. »

Sitôt dit, sitôt fait. Et les amants de passage de défiler, des mois durant, dans une surconsommation effrénée. Durant tout ce temps-là, la maladie de Crohn se tait, reste muette, signe d'un corps satisfait. Je ne fais aucun commentaire, aucune remarque, aucune analyse. Je me contente de suivre son bilan de santé. Tout de même… Au bout de six mois, je me risque : « Tu sais, j'ai envie de t'offrir un calendrier. Tu devrais y marquer d'une croix chaque homme que tu entraînes dans ton lit. Tous les mois, tu fais l'addition. Il va t'en falloir combien pour te rassurer que tu es aimable ? »

Sylvie n'avait pas vu la « chose » sous cet angle…

Quelque temps plus tard, elle entre dans mon bureau, me regarde d'un air bizarre.

– J'ai envie que tu me prennes dans tes bras et que tu m'embrasses !

– Ferme le rideau devant la porte. Nous serons plus tranquilles.

Sylvie prend un air terrifié, me regarde comme si je lui avais demandé de faire l'amour avec elle, s'entortille dans le rideau, prend une posture et un air de toute petite fille. Il n'y a plus que sa tête qui émerge du rideau. « Je ne comprends pas, lui dis-je. Tu veux m'embrasser. Je te dis oui. Et regarde ta panique ! »

Sylvie se met à verbaliser, à haut débit, très angoissée. Elle associe, fait du coq-à-l'âne, totalement incontrôlée. Il ressort de cette crise qu'elle a terriblement manqué de tendresse de la part de son père, qui ne lui avait donné que des coups.

Il lui restait encore un long chemin à faire avant d'accéder à son identité de femme...

L'histoire de Sylvie raconte de façon caricaturale une série compulsive de relations conflictuelles et répétitives. Elle montre à l'œuvre l'instinct vital de cette jeune femme : du mari alcoolique qui la bat, elle passe à un alcoolique qui ne la bat pas, puis à un ancien alcoolique avec qui elle découvre l'orgasme. Ensuite, elle retourne au mari qui ne boit plus et ne la bat plus, mais le désir de génitalité la pousse à une surconsommation de sexe. L'absence de frein à ce comportement la fait aller jusqu'au bout et, dans un échange très ponctuel, quasi chirurgical, avec moi, elle rencontre sa détresse de ne pas avoir connu de tendresse paternelle et d'avoir cherché ce « toucher » par le sexe, par la génitalité pure, non relationnelle. Bien sûr, elle n'avait encore aucune idée qu'elle pouvait chercher une mère dans ces hommes qu'elle consommait dans sa génitalité effrénée.

Une somatisation karmique ?

Si j'ai raconté cette histoire comme un modèle de compulsion de répétition, c'est parce qu'elle renvoie, « dans cette vie-ci », à celle de Myriam qui était, elle, dans la lignée d'une compulsion de répétition à travers les générations. Certains parlent de « vies antérieures », d'autres croient au « karma ». L'idée que des traumatismes puissent laisser des traces amnésiques transmises aux descendants est un « karma » d'un tout autre ordre, les « vies antérieures » devenant les secrets et blessures de nos ancêtres. Didier Dumas m'a ouvert l'esprit à ce sujet, il y a fort longtemps, dans *L'Ange et le Fantôme*, qui est un livre pionnier. Puis, j'ai rencontré Anne Ancelin Schützenberger, qui m'a fait découvrir les ateliers de génosociogramme, où elle accompagne les personnes qui reconstruisent leur arbre généalogique, en incluant non seulement les fruits des entrailles, qui naissent et meurent, mais le cœur des entrailles, par l'ajout du vécu relationnel – non chromosomique, lui...

La première fois que j'ai pris conscience de l'existence du syndrome anniversaire, c'était à l'hôpital. Un collègue m'avait demandé une opinion sur la cause des douleurs abdominales d'une de ses patientes. J'avais conclu que sa diarrhée douloureuse était due au fait qu'elle absorbait mal sa bile dans la dernière partie de son petit intestin. Quand elle atteint le côlon, la bile est le plus puissant laxatif au monde. À cause d'une erreur administrative, mon collègue n'a pas lu mes conclusions. Il s'apprête à opérer la patiente avec un diagnostic de diverticulite. Elle est déjà hospitalisée quand il se rend compte de l'erreur. Il m'appelle, me demande de l'accompagner dans la chambre de la malade pour lui signifier la raison de son congé de l'hôpital. Je note au passage que la date prévue de l'opération est celle de la date de naissance de la malade.

Nous entrons dans la chambre. La mari est au chevet de sa femme. Nous faisons le récit des raisons de l'annulation de l'intervention chirurgicale. J'ajoute : « Et puis, Madame, ce sera sûrement plus agréable de fêter votre anniversaire de naissance, chez vous, avec votre mari… !

– Ah ça, me répond-elle, vous pouvez le dire. Déjà que la dernière fois, j'ai été opérée le jour de ma fête ! »

Voici une autre histoire.

Il y a dix ans, un de mes collègues me demande de voir une malade constipée pour savoir s'il peut procéder à la colectomie qu'il s'apprête à lui faire, ou, au contraire, si la femme devrait entreprendre une psychothérapie. Je passe voir la malade. Au bout d'une heure, il me paraît évident qu'elle a besoin de thérapie et non de chirurgie. J'apprends plus tard qu'elle est opérée malgré tout.

Dix ans s'écoulent…

Mon collègue me redemande en consultation. Le dossier de la malade a maintenant dix tomes. Je passe plusieurs heures à les réviser. La malade a été opérée après ma consultation. Elle avait dit à son chirurgien qu'elle n'avait aucun problème mental et refusait de voir quelque psychothérapeute que ce soit. Elle a eu par la suite de très nombreux épisodes d'obstruction intestinale. Plusieurs ont nécessité une lyse d'adhérences.

Je vais voir la malade.

Nous nous reconnaissons tout de suite. Elle n'a plus l'air renfrogné qu'elle avait quand je lui parlais du corps souffrant qui parle à la place des mots. Je récapitule l'histoire des dix dernières années.

Rapidement, elle se met à pleurer. « Et une fois de plus, je viens de fêter mon anniversaire à l'hôpital ! »

J'attends qu'elle soit calmée et retourne voir le dossier. Eh oui ! Depuis dix ans, elle a été hospitalisée, chaque année, autour de sa date de naissance, et jamais à d'autres périodes de l'année ! Trois fois, elle a été opérée. Une bride, quelques adhérences ont été défaites, ou juste avant, ou juste après son anniversaire. L'apothéose, c'est la colectomie, celle que j'avais suggéré de ne pas faire, pratiquée le jour de son anniversaire.

Elle en est morte.

Dans *Aïe, mes aïeux*, Anne Ancelin Schützenberger parle abondamment du syndrome anniversaire et fait référence aux travaux de Joséphine Hilgard. Médecin et psychologue, celle-ci a montré que le déclenchement d'une psychose chez une patiente à l'âge adulte pouvait être relié à un événement traumatisant vécu pendant son enfance. Après avoir fait plusieurs observations, anecdotiques mais impressionnantes, où l'adulte « tombe » malade lorsque son propre enfant atteint l'âge qu'elle avait lorsque son père est mort, Hilgard entreprend un doctorat et étudie 8 680 malades admis dans deux hôpitaux de Californie. Elle restreint l'étude à ceux qui sont admis alors qu'ils sont mariés, ont un enfant, ont été orphelin et ont perdu un parent entre l'âge de deux et seize ans. Le petit nombre d'hommes qui répond à ces critères, trente-sept, ne permet pas une analyse statistique adéquate. Mais sur les cent quarante-sept femmes de l'étude, l'auteur démontre un lien significatif entre l'âge auquel se déclenche leur maladie mentale, l'âge de leur enfant aîné, et l'âge qu'elles avaient elles-mêmes quand leur mère est morte. Ces conclusions fascinantes ne devraient pourtant pas être surprenantes, tant elles font sens. Tous les enfants s'identifient initialement à leurs parents. Le processus de maturité consiste à s'en détacher. Mais que survienne une mort prématurée, et voilà un processus normal avorté de façon catastrophique, avant que l'enfant n'ait la maturité d'un adulte pour faire le deuil du parent qui vient de mourir. Que de sujets âgés je rencontre en clinique, dont les yeux deviennent humides quand je fais l'anamnèse familiale, et que je devine qu'un parent, ou même les deux, sont morts quand ils étaient petits ! Noter les larmes au bord des paupières, le dire, poser des questions plus précises, c'est ouvrir une boîte de pandore et exposer au grand jour un deuil, que toute une vie n'a pas résolu.

Nous savons qu'un deuil non résolu est pathogène, rend malade, et cela surtout s'il est tu et caché. Mais tous les parents projettent sur leurs enfants aussi, la lignée des substituts qui visent à compenser les manques affectifs étant le parent – le conjoint – l'enfant. Il n'est donc pas étonnant d'apprendre que lorsque son enfant atteint l'âge qu'elle avait elle-même quand sa mère est morte, la conjonction de l'identification à la mère avec la projection sur l'enfant déclenche de violentes réactions.

Nous avons quatre façons de nous exprimer, quand nous vivons quelque chose d'intense. Idéalement nous avons la parole, et surtout l'émotion, faite de chair et de cœur, psychosomatique, en un mot, et non en deux, comme dans la dissociation. Il a été démontré que les larmes n'ont pas la même composition chimique quand elles sont le reflet d'une grande souffrance, que lorsqu'elles sont déclenchées par le fait de peler un oignon. Mais si la parole fait défaut, si l'enfant a été élevé durement, dans le mépris et le rejet de ses émotions, il ne lui reste que son corps pour qu'il puisse parler. Certains vont utiliser la sexualité, comme un anxiolytique, comme l'a fait Sylvie un bout de temps. Mais si la sexualité, ou mieux dit, la génitalité sert uniquement de décharge à la tension, elle n'opérera que le temps d'une médication, d'où la course effrénée répétitive d'une génitalité de consommation. Beaucoup de sujets ont été éduqués « à mort », comme Fritz Zorn, dont je parlais dans l'introduction de ce livre, à propos du grand énarque. Ils ne sont même plus capables d'être eux-mêmes sur le plan de la sexualité même pas à un niveau purement génital. Ne restent alors que le symptôme et la maladie pour exprimer le mal-être.

C'est dire la complexité des choses. C'est dire aussi

le nombre incalculable de variables à l'œuvre qui vont faire en sorte que tous les orphelins ne sont pas voués à un syndrome anniversaire, quand leur enfant aura l'âge qu'ils avaient à l'âge du drame. Le vécu de l'enfant, plus ou moins bien aimé, avant la perte, le soutien du parent survivant, les êtres de substitution marquants sont des éléments cruciaux. Il y a aussi la résilience propre à chaque individu, qui ne dépend ni du père, ni de la mère, mais peut-être du désir de vie propre à l'enfant, au moment de sa conception, autant d'éléments essentiels dans le devenir d'un être humain. Nous ne sommes pas que les marionnettes de notre histoire.

Nous sommes tous les héritiers de nos ancêtres. La vie n'a pas commencé avec nous. Et même si nos sociétés adolescentes, encore dans leur phase anale d'acquisition de biens et de consommation des autres, tendent à rejeter les vieux, à les parquer dans des asiles, à fuir l'accompagnement de leur mort, ces vieillards nous habitent. Ils ont laissé des traces en nous. Bien sûr, quand on dit d'une personne âgée qu'elle est retombée en enfance, cela veut dire qu'elle a toujours été infantile, même sous le masque, le costume, ou la cuirasse de l'adulte. Il est hors de question de confondre le respect des vieillards avec le respect du comportement infantile qu'ils peuvent avoir. Mais parlez à une personne âgée sans l'esprit de dépendance qui caractérise la relation d'un enfant avec un parent, parlez-lui d'égal à égal, détaché, ouvert, reconnaissant de sa différence. Et vous aurez alors peut-être la joie de voir fleurir en face de vous l'âme de l'autre, sorti des jeux de rôles de l'enfance. Et si vous suivez cette piste, si vous établissez des liens de confiance mutuels, vous arriverez à échanger, et gagner l'un comme l'autre en connaissances des acquis de vos histoires.

Nous sommes tous et toutes en marche sur ce train de la vie. Moi, comme les autres. Aujourd'hui, je peux dire que j'ai eu de la chance d'avoir à faire face à ma terreur de la mort quand j'avais seulement vingt-sept ans. La vie a été bonne pour moi, me donnant suffisamment de souffrances pour être obligé de me réveiller tôt, de m'ouvrir les yeux, les oreilles, le nez, le goût, le toucher. Et surtout le cœur, l'intuition, l'instinct. J'avais vingt-sept ans. J'étais jeune résident en chirurgie, dans un petit hôpital de Pennsylvanie, au bord du lac Érié. J'apprenais mon métier de base. J'avais la chance inouïe d'être déjà accepté à la clinique Mayo, une institution prestigieuse, pour y faire une spécialisation en chirurgie du côlon et du rectum. Ce jour-là, je suis de garde à l'hôpital. Une amie américaine m'appelle, paniquée :

– Ghislain ! J'ai trouvé une boule dans mon cou ! Qu'est-ce que c'est ?

– Lucille ! Au téléphone ! Elle est où ta boule ? !

Lucille me décrit l'endroit, dans la partie inférieure gauche de son cou. Un pouce au-dessus de la clavicule. Un pouce à gauche de la pomme d'Adam. De la main gauche, je palpe mon cou pour suivre sa description.

J'ai failli laisser tomber le téléphone. Il y avait une boule dans mon cou ! Un nodule solitaire du lobe gauche de ma thyroïde. Je savais qu'à mon âge, le risque de cancer était très élevé. Une semaine plus tard, je me faisais opérer d'un cancer de la thyroïde.

Un petit cancer. Un cancer pour rire. De huit millimètres. Avec plein de lymphocytes autour indiquant que je me défendais de tout mon système immunitaire. Un cancer pour me faire peur et me réveiller. De bon pronostic : 90 % de probabilité de guérison. Il n'empêche. Mon angoisse de mort s'était réveillée. C'était il y a trente-six ans. Lucille avait un banal petit lipome bénin. Elle m'a sauvé la vie.

Cela me prit trente ans pour réaliser que j'avais été opéré le 11 septembre 1964. Et... je suis né un 11 septembre... !

Le Talmud raconte l'histoire de Lilith, première femme, avant Ève, créée du même limon qu'Adam. C'est-à-dire son égale. Un jour, Adam décida de devenir le maître. Lilith le quitta. Adam en fut très malheureux et demanda l'aide de Dieu, devenu Dieu le Père. Le Seigneur envoya donc un ange à Lilith, lui enjoignant de rentrer au bercail. Elle accepta... à condition de rester son égale. Ce que refusa Adam... Lilith désobéit à Dieu, qui avait pris le parti d'Adam, et ne rentra pas à la maison. Pour la punir, Dieu la condamna à la stérilité, et en compensation, lui donna droit de vie et de mort sur tous les nouveau-nés, pendant huit jours pour les garçons, mais... pendant vingt jours pour les filles... ! Puis, Dieu eut pitié d'Adam, l'endormit, et, extrayant Ève de son côté gauche, il la façonna à son image. Le mythe de Lilith se transformera autour du bassin de la Méditerranée, Lilith devenant Méduse, Gorgone ou Sphinge, personnages bisexués, séducteurs et meurtriers.

J'ai une bonne raison de raconter ce mythe de Lilith. La raison, c'est qu'il est au cœur de la pathologie transgénérationnelle. Je crois profondément, en effet, que le mal-être rend vulnérable à la maladie, surtout quand le corps ne peut plus montrer ce mal-être par une kyrielle de symptômes fonctionnels, qui ne tuent pas, mais qui font mal parce qu'ils disent le malheur intérieur. Or, si je prends un certain recul face au mal-être, je crois tout aussi profondément qu'il se résume à être et à avoir été mal aimé. Personne n'a été aimé de façon mystique, c'est-à-dire pour soi-même, et non comme objet de projection de ses parents.

C'est Jacques qui se débat avec un cancer du côlon récidivant. Inopérable.

Il est sous chimiothérapie lourde. De façon surprenante, il se sent mieux quand il prend ses médicaments, si toxiques soient-ils. Il a bon appétit. Il maintient son poids.

Sa femme et lui se sont séparés peu après l'annonce du cancer. Il est triste d'être loin de ses enfants, tout petits. Il est retourné vivre chez sa mère qui, elle aussi, a fait un cancer du côlon et y a survécu.

Là, il cesse de se souvenir de ses rêves. Il n'est pas bien chez elle. Il se trouve un centre d'accueil pour personnes en perte d'autonomie. Il recommence à se souvenir de ses rêves.

Je lui parle de Marie-Claude Defores, une psychanalyste qui a baptisé du terme de « nostalgiques de l'état d'ange » les analysants figés dans leur développement affectif au moment de leur conception, tant l'environnement manque de qualités humaines.

Je demande à Jacques s'il trouve si folle que cela mon idée que, peut-être, les sujets développant un cancer risquent la mort pour pouvoir vraiment vivre. Comme si c'était leur ultime tentative pour se sortir de la nostalgie d'état d'ange et, enfin, s'incarner. Pour cesser de seulement penser leur vie, téléguidés par leur entourage, leur famille et leurs ancêtres. « Vous avez tout à fait raison, me répond Jacques. Quand j'étais petit, j'avais l'impression d'être un tableau. Un objet. Je n'avais pas l'impression d'appartenir à cette famille ! C'est dur de réaliser cela. Mais je ne lâcherai pas ! »

Autre histoire, celle de Solange, qui vient me voir parce qu'elle a mal à l'anus. « Seulement » mal à l'anus...

J'aurais pu me contenter de faire une proctoscopie, mettre la fissure en évidence, vérifier la normalité de quelques examens sanguins de routine. Solange n'a aucun autre symptôme. J'aurais pu simplement l'opérer, de manière classique, en incisant le muscle fibreux sous l'anus, si – ce que l'histoire me suggérait – la fissure était chronique.

Mais nous ne savons pas, fondamentalement, à quoi

sont dues les fissures anales. Nous savons seulement les traiter. Et parfois, rarement d'ailleurs, cela tourne mal. La fissure récidive. Ou bien le malade commence à perdre ses selles involontairement.

La fissure anale de Solange est en postérieur, là où l'anus fait un angle avec le rectum assez aigu. Je flaire un problème de dyschézie, de difficulté à déféquer. Je devine un problème d'anisme qui fait perdurer le problème. De fait, Solange a été très constipée toute sa vie. Petite, elle n'allait à la selle qu'une fois par semaine. Souvent, elle a l'impression que les selles sont là, mais qu'elle est incapable de les faire sortir. La douleur ne s'est ajoutée à ces difficultés que tout récemment.

Je note que Solange m'a été envoyée en consultation par une femme que j'aime beaucoup et qui est dotée d'une grande sensibilité. Mais elle est hémato-oncologue. Elle s'occupe des cancéreux. Je demande à Solange comment il se fait qu'elle me soit adressée par une cancérologue. Et de me dire qu'elle a eu un cancer du sein il y a quelques années, et qu'elle est restée fidèle à son médecin parce qu'elle est parfaitement satisfaite de sa relation avec elle.

Je dis à Solange qu'il y a un lien bien connu entre une histoire de constipation de longue date et la genèse d'un cancer du sein. Plus rares sont les selles, plus fréquentes les anomalies des sécrétions mammaires. Je lui dis que la démonstration est seulement épidémiologique : les deux vont ensemble. Je lui explique ainsi qu'une simple corrélation, le simple fait d'une association entre deux événements, n'implique pas un lien de cause à effet, ne veut pas dire que l'un cause l'autre.

Solange se met alors à parler de sa vie. Elle me dit avoir développé ce cancer à l'époque où son mari et elle divorçaient. Son niveau de vie a chuté de façon dramatique. Elle a découvert un grand vide.

Et tout à coup, elle me lance : « Je n'existe que depuis que j'ai eu ce cancer ! »

Je suis profondément touché. Je lui dis mon émotion devant cette prise de conscience dans une solitude totale. Solange me dit que jusque-là toute sa vie était dictée par les désirs des autres…

Elle a de la chance, ou du mérite – j'ignore ce qui fait la différence – d'avoir fait cette découverte plus tôt que Jacques.

L'anisme de Solange était sûrement présent depuis sa toute petite enfance. Comme il s'agit d'un réflexe antagoniste, on peut dire tout aussi bien qu'il existait deux Solange, une qui poussait pour déféquer, et l'autre pour ne pas déféquer : une double personnalité. L'anisme est tellement fréquent qu'on ne peut pas faire un lien automatique entre anisme et cancer. On peut seulement parler, quand il y en a, d'un état de dissociation.

La vie en continu

Lorsque, il y a vingt ans, je fis face pour la première fois à Marie-Madeleine, une femme si constipée que les gastro-entérologues me demandaient de lui enlever son côlon, je fus estomaqué de l'entendre dire que son père l'avait sodomisée quand elle avait seize ans. Bien sûr, c'était seulement une « anecdote », mais je ne pouvais pas m'empêcher de penser que le viol anal et la constipation étaient reliés. Et j'avais raison, parce que lorsque son père mourut, elle se vida le cœur dans une longue lettre qu'elle mit dans son costume avant qu'il ne soit enterré. Elle guérit du jour au lendemain de cette constipation si opiniâtre qu'elle n'allait à la selle qu'une fois tous les deux mois. Cette anecdote, sur laquelle je reviendrai en détail au chapitre IV, est maintenant étayée de multiples mesures médicales, scientifiques, objectives, prouvant et la constipation et la guérison subite à la mort du violeur. De nombreuses publications sortent, démontrant sur trois cents, quatre cents, cinq cents malades qu'il y a un lien entre un abus sexuel avant l'âge de quatorze ans et une colopathie fonctionnelle, une plainte de douleur abdominale chronique, de constipation, de diarrhée, une chirurgie abdominale inutile. Avec la connaissance de l'impact d'un abus sexuel en tête, il m'a été plus facile d'établir un lien entre une histoire d'abus sexuel et ses conséquences possibles transgénérationnelles, tout en sachant pertinemment qu'abuseur et abusée forment une alliance maudite et que cela arrive aussi aux garçons.

Charles est constipé depuis sa première semaine de vie. Déjà à l'âge d'un mois, il ne va à la selle qu'une fois par semaine. Quand je le vois, il a sept ans. Il n'y va que tous les quinze jours, passant des étrons gigantesques, avec beaucoup de douleur et un peu de sang à l'occasion. Il bouche souvent les toilettes avec ses étrons. Il faut savoir, à ce propos, que la tuyauterie des toilettes nord-américaines est beaucoup plus étroite que celle des toilettes européennes, ce qui rend le symptôme rare sur le vieux continent…

Comme la constipation a débuté à la naissance, et qu'il s'agit d'un garçon, je pense d'abord à un diagnostic de maladie de Hirschsprung. Il s'agit d'une maladie organique, où il n'y a pas de cellules nerveuses dans la partie terminale du gros intestin. Celui-ci reste fermé, spastique. Lorsqu'on distend le rectum avec un ballonnet, et qu'on mesure les pressions qui en découlent, l'anus ne se relâche pas : il n'y a pas de réflexe recto-anal inhibiteur. La manométrie anorectale de Charles démontre la présence du réflexe. Il n'a donc pas de maladie de Hirschsprung. Sinon, il aurait fallu l'opérer. Sa constipation est donc de nature fonctionnelle, hautement suspecte d'être d'origine psychosomatique. Il avait fallu longtemps aux parents, pas encore divorcés, pour s'ouvrir à la possibilité d'éléments psychologiques dans la problématique de leur fils. Il leur avait fallu aller d'échec médical en échec médical pour enfin s'y éveiller.

La grossesse avait été difficile. Le langage de la maman de Charles, pour la décrire, est surprenant. « On m'a si souvent demandé de me retenir. Je n'arrêtais pas de dire à mon bébé : allez, bébé, on se retient. Serait-il possible que je lui aie aussi appris à se… »

L'examen de l'anus de l'enfant montre qu'il est extrêmement serré, demandant beaucoup d'anesthésie « vocale » pour induire confiance et relaxation.

Charles est clairement dissocié au niveau de son derrière. Chaque fois que je lui demande de pousser contre mon doigt, comme s'il voulait faire sortir une selle, il serre son sphincter anal, au lieu de le relaxer comme c'est le cas durant la défécation. Il souffre donc d'anisme, par analogie au vaginisme. De fait, les études du temps de transit colorectal démontrent que la stase fécale se fait exclusivement au niveau du rectum, le transit colique étant parfaitement normal.

« On est moins constipé ! », dit la maman, très fière, toujours aussi fusionnelle avec son enfant. Charles s'est mis à déféquer tous les deux ou trois jours, peu après qu'une physiothérapie anale eut été entreprise, par biofeedback, pour que l'enfant puisse apprendre à relaxer l'anus en faisant des tentatives de défécation. Doucement, je lui fais comprendre que, elle, elle n'est pas constipée, et que lui, il est une autre personne. L'apprentissage est lent et graduel, avant qu'elle ne passe du « on » au « il », ce faisant, s'en détachant et le mettant au monde.

La sensation de réplétion rectale réapparaît. Charles est bon élève. Il apprend vite à relaxer son petit derrière comme il le faut.

Il devient très agressif. Le premier dessin qu'il « produit » de sa famille montre des individus sans mains. Il me dit par là que tendresse et toucher affectueux ne font pas partie du portrait de famille. Il a dessiné un père maternant à sa gauche, au lieu de la norme culturelle droite pour le masculin. C'est durant cette période que les parents divorcent. Mais ils se reconstituent en famille à chaque fois que le petit vient en consultation.

La maman décide d'entreprendre une thérapie. Très rapidement, elle confie à son thérapeute que c'est sa mère qui portait les culottes quand elle était petite, et que, elle, elle ne s'en était jamais sentie acceptée comme fille. Elle parle aussi d'inceste émotif, psychologique, de la part de son père, sans qu'il y ait eu passage à l'acte. Charles se met à faire de la diarrhée. Constatant le lien, et que le corps de son enfant est la parole et le lieu de son histoire à elle, elle s'exclame avec vivacité que : « C'est maman le problème ! Quand la maman va bien, le fiston va bien ! Et l'inverse ! » Elle tente sans succès de parler avec sa propre mère de sa petite enfance. La vieille dame fuit dans le sommeil toute réponse à ses questions. Mais sa rage à son égard décuple quand la vieille dame, sans explication, se met à assister à des groupes d'entraide de femmes abusées sexuellement.

Peu après la séparation de ses parents, Charles acquiert des habitudes intestinales normales chez son papa, réservant la constipation aux séjours chez sa maman... Celle-ci de me dire alors – contrairement à ses dires antérieurs – que elle aussi a été constipée toute sa vie... En fait, elle est la seule personne dans ma carrière à m'avoir jamais dit que, dans sa famille, tous les enfants devaient être constipés ! À la moindre vue de selles un peu molles, l'enfant recevait un agent constipant ! La défécation, éventuellement inévitable, déclenchait alors chez elle des grandes angoisses paniques. Nos échanges furent très animés sur cette famille bizarre, radicalement inverse de celles qui formaient la société de l'époque, où c'était plutôt la séance de laxatifs qui était la norme, aussi hebdomadaire que l'était la messe. On a d'ailleurs fait à ce sujet un film génial sur la folie excrémentielle de nature culturelle, *Léolo*. Nos échanges guérissent la maman de Charles de sa constipation chronique, constipation qui avait résisté à tous les tests et traitements médicaux antérieurs, parce qu'elle était de nature non génétique, mais familiale.

Charles devient de plus en plus enragé. Un jour, chez sa mère, il plante un couteau dans la table de cuisine, en hurlant qu'elle lui a volé sa vie en quittant son père. Il l'accuse aussi de l'avoir mis au monde.

Mais ils sont si proches, au niveau de l'inconscient... !

Pour les aider à se défusionner, j'avais demandé, depuis un certain temps, à la maman de prendre deux rendez-vous à chaque visite, un pour elle, et un pour l'enfant. Un jour, ils m'amènent chacun un dessin de champignon. Celui de la mère est extrêmement sexualisé, plein de symboles phalliques : une femme toute nue face au champignon, avec le genre de détails crus que font souvent les enfants abusés sexuellement. Charles, lui, a surmonté son champignon d'un titre éloquent, « le champignon qui pue ». Et ils ne s'étaient pas parlé du dessin qu'ils allaient faire...

Brutalement, sans raison évidente, sans avertissement ni annulation, mère et fils cessent de se présenter à l'hôpital.

Sept ans se passent...

Je décide un jour d'évaluer les résultats à long terme de la rééducation périnéale, pour en faire un travail scientifique.

Appel au père qui me dit que Charles est chez sa mère.

Appel à la mère.

Charles est guéri depuis trois ans !

« Charles a fait une crise épouvantable. Vous vous souvenez comme il était en colère, comme il avait planté un couteau dans la table de ma cuisine ?

» Eh bien, un jour, il est allé en colonie de vacances.

Fâché sur son moniteur, il lui a lancé une hache à la figure, le ratant de près. Tout le monde était bouleversé. Et moi encore plus. Je décidai qu'il était temps que je révèle et travaille mon grand secret de petite fille.

» J'avais cinq ans. Un prêtre, grand ami de la famille, m'avait complètement déshabillée. Il était nu, bandé, sur moi, prêt à me pénétrer. Mon père est arrivé in extremis. Il m'a sauvée du viol. Mais il m'a imposé le silence, m'a interdit d'en parler à quiconque pour éviter le scandale. Je ne pouvais pas parler à ma mère non plus. Elle me battait souvent, sauvagement, et je n'avais aucune confiance en elle. J'étais sûre que tout ce qui serait arrivé si je m'étais confiée à elle, c'est que j'aurais reçu une raclée. Je me suis donc tue, jusqu'au jour où Charles a agressé son moniteur. Là, cela a été irréversible. J'ai compris que la rage de Charles, c'était ma rage qui l'habitait, qu'il avait fait sienne. Je suis entrée à nouveau en thérapie. Charles a guéri de sa constipation dès que j'ai entrepris ma démarche. »

Et Charles est resté guéri !

Mais pour une vraie mère de ce genre, capable de se remettre en question par amour pour son enfant, que de mères englouties dans la souffrance et incapables de faire face à leur progéniture, qui traîne le karma familial dans l'incompréhension et l'inconscience la plus totale, comme la grand-mère, qui se met à fréquenter des groupes de femmes abusées, quand sa fille lui pose des questions angoissantes, mais qui ne lui parle pas ! Que serait le monde, si tous les secrets de famille étaient révélés, si tous les fantômes étaient sortis du placard ?

CHAPITRE III

De mémoire de fœtus

Élodie, bébé constipé

— Ghislain, faut que tu voies ma petite-fille !
— Qu'est-ce qu'elle a, ta petite-fille ?
— Elle est constipée.
— Dis à ta fille de venir me voir, mais je veux que tu soies là aussi. C'est essentiel.

Je veux voir les trois générations. En effet, j'ai accompagné Ferdinand, le grand-père, Français, pendant qu'il divorçait. Il avait une colopathie fonctionnelle dont l'intensité symptomatologique suivait les méandres des difficultés du travail de deuil obligé que représente un divorce. Arrivé en eaux calmes, et mieux en couple, ses symptômes s'étaient calmés. Quelque temps plus tard, il m'avait demandé de voir sa fille, Josiane, anorexique et constipée. Celle-ci vivait encore avec sa mère. Elle avait fini par la quitter, emménager seule et devenir plus adulte et autonome. Elle avait eu quelques relations orageuses avec des hommes, où je n'étais pas du tout certain qu'elle cherchait un mâle, avant d'en trouver un qui fût à son goût. Elle s'était mise en ménage. Ils avaient fait une petite fille, Élodie – la fillette constipée.

Les trois générations se présentent donc ensemble, la maman portant le bébé dans les bras. Je m'approche du bébé, qui a sept mois. Je tente de mettre en pratique ce que je viens de lire dans *À corps et à cris* de Caroline Eliacheff, où la psychanalyste montre qu'il est possible d'être le porte-parole de bébés, avant l'âge de la parole, et de leur parler comme s'ils étaient adultes. C'est là l'héritage de Françoise Dolto.

« Écoute, dis-je à Élodie qui me regarde avec des yeux tout ronds en me tripotant la barbichette, ce que ton petit derrière essaie de nous dire, je le sais déjà. Je connais toute l'histoire. Ce n'est pas nécessaire de te faire du mal dans ce petit coin-là. C'est inutile. Et puis, je vais te livrer un grand secret qu'il faut que tu saches. Écoute bien. Les problèmes entre ta maman et son papa, qui est ton grand-papa, c'est leur affaire. Ne t'en mêle pas. Tu n'en es pas responsable. Tu n'as rien à voir là-dedans. »

La petite guérit de sa constipation du jour au lendemain ! Je n'en reviens toujours pas. Je me suis senti comme un shaman, comme le grand sorcier. Et pourtant, Élodie allait à la selle une fois par semaine. Et pourtant, ses selles étaient si grosses qu'elles en éraillaient l'anus à le faire saigner !

Aux dernières nouvelles, Élodie continue de se bien porter, Josiane s'apprête à accoucher d'un petit garçon, et Ferdinand, le grand-père vient de me demander de voir sa mère à lui, qui souffre d'une diarrhée chronique incoercible…

Cette histoire m'a appris que nous avons très bonne mémoire. Très tôt dans notre vie. Et que nous comprenons alors bien des choses que nous ne sommes pas sensés savoir.

Danger de mort en utérus

Le couple entre dans mon bureau. Le bébé gazouille dans les bras de son papa. Il rit beaucoup. Un petit garçon. Manifestement un bon père. La mère

106

semble absente, examine les meubles et le plafond du bureau. Pour moi, c'est un couple inversé, où le père materne plus que la mère.

Erreur. La femme qui est là est une amie de la mère. Au moment même de la consultation, celle-ci est sur une table d'opération, dans un autre hôpital.

Je glane des informations sur la vie de ce petit garçon et sur celle du couple. L'enfant est né constipé. Auparavant, le couple a eu une petite fille, morte en bas âge, puis la mère a perdu son père, puis elle a mis au monde ce petit garçon.

Je m'entends dire au père : « Je parie qu'on enlève la trompe de l'ovaire droit de votre femme.

– Pourquoi dites-vous ça ?, me répond-il interloqué.

– Je l'ignore. C'est sorti de je ne sais où. Comme si mon inconscient avait parlé. Le côté droit, depuis des millénaires, a été attribué au sexe masculin. Au temps des Grecs, avant de partir à la guerre, le roi allait consulter le prêtre. Celui-ci tenait un oiseau à la main et le lâchait. S'il partait vers la gauche, c'était de mauvais augure, et il était prévisible que le seigneur allait perdre la bataille. S'il partait à droite, il allait gagner. Les Romains utilisaient une variante, suivant que le prêtre faisait face au nord ou au sud. Les catholiques avaient peur des femmes. Elles furent reléguées pendant des siècles dans le côté gauche des églises. Le latin *sinister*, qui désigne le côté gauche, devint de mauvaise augure. La section "sinistres" des compagnies d'assurances ne veut rien dire d'autre que cela.

» Pourquoi l'ovaire et la trompe droite ? Encore une fois, je n'en sais rien. Mais je crois que votre femme ne s'est autorisée à mettre au monde un petit garçon qu'après la mort de son père.

» Cela dit, votre enfant est un garçon, et il est constipé depuis la naissance. Le premier diagnostic à considérer, c'est donc la maladie de Hirschsprung, qui affecte surtout les mâles, dès la naissance. C'est important à savoir, car seule la chirurgie peut guérir ces enfants. La première chose à faire, c'est donc de voir s'il a un réflexe recto-anal inhibiteur. Normalement, lorsque le rectum est distendu, le sphincter anal interne – celui, fait de muscle lisse, qui ne dépend pas de la volonté – se relâche et on peut enregistrer cette relaxation. Dans la maladie de Hirschsprung, ce réflexe n'existe pas : donc, si on peut mettre en évidence un réflexe, il est possible de dire à coup sûr que le malade ne souffre pas de maladie de Hirschsprung. »

Deuxième visite. Au laboratoire. Le petit a un réflexe recto-anal inhibiteur. Il n'a pas de maladie de Hirschsprung.

Troisième visite. Père, mère et bébé. La mère est extrêmement énervée. Sa grande question : « Et comment saviez-vous que c'étaient la trompe et l'ovaire droits qu'on m'enlevait ? » Je répète ce que j'ai dit à son mari.

Quatrième visite. Père et mère radieux. Le bébé est guéri !

La mère raconte : « Vous ne pouvez savoir quel effet vous avez eu sur moi en sachant qu'on m'ôtait la trompe et l'ovaire droits, alors que personne ne vous avait donné cette information !

» Je ne vous avais pas donné toutes les informations à propos de mon bébé quand je suis venue vous voir avec mon mari. Cette grossesse avait été extrêmement difficile. Il y avait des menaces d'avortement constantes. J'avais très peur de perdre le bébé. J'étais donc allé revoir le thérapeute que j'avais consulté avant de me marier. Il travaillait beaucoup avec l'imagerie et la visualisation. J'avais vu ma petite fille morte. Je me suis mise à sangloter. Mon thérapeute m'a suggéré de la laisser partir. Je ne voulais pas. Ensuite, j'ai vu mon père mort. Je me suis mise à sangloter de plus belle. Mon thérapeute m'a suggéré de les laisser partir ensemble, la main dans la main. Je trouvais que c'était une belle suggestion. Je les ai laissé partir, apaisée. Du jour au lendemain, les menaces d'avortement ont cessé. La fin de la grossesse fut facile. Mon fils est né. Constipé.

» Vous n'avez pas idée à quel point j'ai été bouleversée du fait que vous saviez.

» Je suis donc retournée, une fois de plus, voir mon thérapeute. La première chose que j'ai vue, c'est mon petit garçon, dans mon ventre, terrorisé à l'idée de mourir. Je l'avais laissé, lui, chez la gardienne, pour la journée. Je l'ai rassuré, lui ai dit que tout se passerait bien, qu'il ne mourrait pas dans mon ventre.

» Puis, on a vu la lumière. Mais il ne voulait pas naître. Avec l'aide de mon thérapeute, je l'ai encouragé à aller vers la lumière. Il a fini par sortir de mon ventre. J'ai pris ensuite une bonne douche, puis je me suis offert un bon massage, qui m'a fait beaucoup de bien. Quand je suis arrivée chez la gardienne, elle m'a dit : "C'est bizarre, il a fait caca deux fois aujourd'hui… !" Et il est guéri depuis. »

Le fœtus n'est pas une chose. C'est un être vivant, capable de passer d'une mémoire cellulaire à celle d'un cerveau qui, tout en se structurant anatomiquement et physiologiquement, tout en établissant les connections neuronales, qui sont le substrat de la psychophysiologie et de la psycho-neuro-immunologie, enregistre, emmagasine, certainement au point d'en être parfois débordé – puisque le futur être humain adulte l'aura oublié – une foule d'informations sensorielles que son corps absorbe dans l'aube de ses sens.

Geneviève, ou la pensée cloacale

« Mon père me donnait vingt-cinq sous pour que je me la ferme », dit Geneviève.

109

Elle a trente-sept ans. C'est un confrère urologue qui m'a appelé. Il la suit depuis plusieurs années pour des problèmes d'infections urinaires à répétition. Geneviève a noté chaque fois qu'elle urine que « ça lui pique ». Elle a souvent, aussi, des épisodes aigus de rétention urinaire. Ils ont été étiquetés comme étant psychogènes, aucune cause apparente n'ayant été trouvée. On l'a envoyée chez l'infirmière, dont c'est le travail, pour qu'elle apprenne à se cathétériser la vessie elle-même quand sa vessie est bloquée. Cette infirmière fait aussi des manométries anorectales, mesurant les pressions de l'anus et du rectum, et utilise le biofeedback pour corriger l'anisme et les autres dyssynergies abdomino-périnéales. Elle sait que lorsque la patiente pousse pour déféquer et que, paradoxalement, elle contracte en même temps l'anus au lieu de le relaxer, la probabilité qu'elle ait été abusée sexuellement dans le passé est dix fois plus grande que si elle n'avait pas d'anisme. Elle pose donc la question.

Oui, son père l'a abusée sexuellement quand elle était petite. L'infirmière m'envoie la malade.

Geneviève : Mon père me donnait vingt-cinq sous pour que je me la ferme.

– Quelle obéissante fillette !

– … ?

– Mais oui. Il vous a dit de vous la fermer. Vous avez tout fermé. Vous avez fermé la sortie de la vessie et vous avez des problèmes urinaires. Vous avez fermé le vagin et vous avez mal à la pénétration. Vous vous êtes fermée au plaisir et vous ne parvenez pas à l'orgasme. Vous avez fermé l'anus et vous êtes constipée.

Geneviève éclate en sanglots. Elle pousse des cris stridents. Je sens qu'elle lâche prise, sans retenue, sans inhibition.

« Je sens la rage monter en dedans de moi », me dit-elle. Je lui tends la paume de ma main droite.

« Frappe !, lui dis-je. Pas avec le poing. À main ouverte ! »

Elle n'hésite pas une seconde. Ça claque très fort. J'amortis les coups. Geneviève pleure et hurle sa rage dans un crescendo impressionnant. D'un coup, elle éclate de rire. Elle s'affaisse, paisible, décontractée. Comme une poupée. Sans la raideur de tout à l'heure.

Huit jours plus tard, Geneviève entre dans mon bureau. Elle s'assied en face de moi, voûtée. Elle lève la tête.

Quand son regard rencontre le mien, elle éclate en gros sanglots, avec la voix d'une toute petite fille. Elle pleure. Longuement. Sans me toucher. Sans que je ne la touche. Sans que je ne dise un mot. Elle se calme.

« C'est incroyable ! finit-elle par dire. Dès que je me suis mise à pleurer, j'ai senti que tout s'ouvrait en bas. » Elle montre son bas-ventre du doigt. Je lui explique en termes simples ce qu'est la somatisation. J'ajoute que je crois qu'elle vient de faire le chemin inverse. De fait, elle n'aura plus jamais de rétention urinaire, devient orgasmique à la pénétration et cesse d'être constipée.

Geneviève est un cas très intéressant. Arrêtons-nous sur lui.

Elle a vingt-sept ans quand elle consulte à l'hôpital pour la première fois. Son conjoint n'a pas de spermatozoïdes dans le liquide qu'il éjacule. On pense à une insuffisance testiculaire. Le couple vit ensemble depuis un an. Geneviève n'utilise aucun moyen de contraception. Elle veut un enfant, mais n'arrive pas à en avoir. Une prise en charge est faite à la clinique d'infertilité.

Elle sera vue au département de gynécologie dix-huit fois en trois ans. Une très légère endométriose, avec implants dans le ventre de substances menstruelles, est mise en évidence dans le cul de sac de Douglas, juste derrière la vessie, en avant de l'utérus. Une injection de bleu de méthylène montre que ses deux trompes sont perméables. Pourtant, un an aupa-ravant, dans un autre hôpital, une hystérosalpingogra-phie, radiographie des trompes, avait montré que sa trompe droite était bouchée. À noter également que, dans cet autre hôpital, la malade avait été traitée pour un condylome sur la lèvre antérieure du col utérin, maladie vénérienne s'il en est. Son partenaire avait, lui aussi, déjà été traité pour des condylomes au pénis. Plusieurs inséminations artificielles sont faites chez Geneviève. Sans succès.

Entre-temps, elle consulte en médecine de famille parce qu'elle a des pertes blanches par le vagin et que ses mictions sont brûlantes. Cette plainte de brûle-ment mictionnel devient la plainte principale. Gene-viève est adressée à un urologue qui la voit trois ans après le début de sa demande d'aide, quelques jours après son anniversaire. Les symptômes urinaires y sont précisés. En fait, c'est depuis deux ans qu'elle a des brûlements mictionnels constants. Elle urine très fréquemment. Parfois, elle a envie d'uriner la nuit. Elle a l'impression que sa vessie ne se vide pas. Le jet d'urine est parfois interrompu. Elle n'a ni besoin impérieux, ni incontinence urinaire, ni douleur suspu-bienne. Depuis six mois, tous ces symptômes sont exacerbés. Depuis deux semaines, elle a des rougeurs brûlantes autour de la vulve. L'urologue pose un diagnostic de syndrome urétral. Une étude d'urodyna-mique, de pression dans la vessie, est faite. La débit-métrie est de type obstructif. Il y a un obstacle à la vidange vésicale. La capacité vésicale maximale n'est que de 290 centimètres cubes, avec une première envie à 150. Il y a des contractions de la vessie pendant le remplissage. L'urologue pose un diagnostic de vessie instable, probablement secondaire à une dyssy-nergie, une incoordination, vésico-urétrale. À la cystoscopie, une semaine plus tard, un spasme de l'urètre est trouvé. Celui-ci est dilaté d'un cathéter de type « français » numéro quatorze, progressivement remplacé jusqu'au numéro vingt-quatre pour permettre une dilatation de l'urètre. La malade est revue un mois plus tard : les symptômes sont inchangés. Le mois suivant, elle ne se présente pas et elle annule le rendez-vous suivant. Elle est devenue asymptomatique.

Sauf une fois, elle ne consultera plus pour ce problème pendant cinq ans.

Six ans plus tard, elle subit une insémination artificielle. Le sperme ne provient pas de son conjoint. Un fils naît. Il porte le prénom de son père à elle : René ; c'est son conjoint qui en a ainsi décidé. Après l'accouchement, Geneviève doit garder une sonde dans la vessie deux jours d'affilée. Par la suite, la symptomatologie urinaire reprend de plus belle. Pourtant, elle attendra trois ans avant de revenir consulter aux urgences pour les mêmes problèmes de brûlement mictionnel. Cette fois, elle a, en plus, des douleurs abdominales post-mictionnelles. Le diagnostic de syndrome urétral est maintenu par un autre urologue. Elle a une seconde dilatation urétrale. Les symptômes reviennent en force au bout de trois semaines et persistent toute l'année. Juste avant Noël de cette année-là, elle est hospitalisée pour rétention urinaire aiguë. L'urologue lui fait une troisième dilatation, beaucoup plus poussée, et il provoque un léger saignement. Deux semaines plus tard, elle est à nouveau hospitalisée. Et de nouveau pour rétention urinaire aiguë. Depuis une semaine, les urines ne sortaient plus qu'en goutte à goutte. La patiente n'a pas uriné depuis vingt-quatre heures. Le conjoint s'offre à l'urologue pour anesthésier la patiente en l'assommant... L'interne dira plus tard qu'en lui faisant le cathétérisme vésical, elle a eu clairement l'impression de violer Geneviève. Près d'un litre d'urines claires s'écoule. L'urologue, écœuré des échecs thérapeutiques, renonce à tout espoir de guérison. Il opte pour une approche palliative, visant à éviter les épisodes de rétention vésicale aiguë. En conséquence, il décide d'apprendre à Geneviève comment se faire des auto-cathétérismes. Il conclut que les épisodes de rétention urinaire sont de nature psychogène.

Tout au long de ces années, aucune question n'a été posée ni sur le fonctionnement du tube digestif de Geneviève, ni sur son comportement sexuel. Une fois, quelqu'un a vaguement noté qu'elle se plaignait de dyspareunie, mais sans élaborer. L'infirmière qui doit lui enseigner l'autocathétérisme a une vision beaucoup moins fragmentée de la maladie que tous les autres soignants vus par Geneviève. Elle découvre qu'elle est constipée depuis longtemps, et qu'elle n'en a jamais discuté avec personne. La patiente refuse à deux reprises d'apprendre à se faire des autocathétérismes, mais elle accepte l'idée d'avoir une manométrie anorectale pour évaluer les mécanismes de sa constipation. Son anus est plus serré que la normale. Son sphincter anal interne se relâche bien quand son rectum est distendu. Geneviève ne souffre donc pas de maladie de Hirschsprung, seule pathologie, congénitale, entraînant une approche chirurgicale pour en guérir. Geneviève a de l'anisme. Quand on lui demande de pousser pour déféquer la sonde, elle augmente fort bien la pression intrarectale, mais au lieu de relaxer l'anus, comme elle devrait le faire, elle le contracte de façon évidente. Dans les faits, son périnée se contracte par-devant durant toute pénétration du pénis de son conjoint, et il se contracte aussi par-derrière, chaque fois qu'il est le temps de déféquer. Bien entendu, c'est un des mécanismes de sa constipation. L'infirmière sait qu'un tel mauvais réflexe implique une très grande probabilité que la patiente ait été abusée sexuellement dans le passé. Elle lui pose la question. Geneviève parle d'abus sexuels multiples, de la part de son père et d'un de ses frères. Pour la première fois. L'urologue me demande de la voir.

À sa première visite, elle dit à un étudiant que ses symptômes urinaires sont causés par la nervosité. Elle vit seule avec son fils. Elle s'est séparée de son conjoint, à cause de la violence de celui-ci, mais elle le voit encore. Quand le stagiaire à qui elle a dit cela vient me chercher pour la présenter, Geneviève est déjà partie... Elle ne vient pas voir l'urologue deux semaines plus tard. Elle ne retourne pas non plus voir l'infirmière qui a découvert l'histoire de constipation, l'histoire des abus, et la présence de l'anisme. Plus tard, elle dira qu'elle n'en voyait pas l'utilité. L'infirmière la recontacte.

Je la rencontre donc pour la première fois sept ans après sa première visite à l'hôpital. Elle est constipée « depuis toujours », dit-elle. Elle ne va à selle qu'une fois toutes les deux semaines. Elle n'a jamais connu l'orgasme. Elle a des douleurs vaginales à chaque pénétration. Cependant, elle dit avoir connu l'orgasme « oral », en pratiquant la fellation sur son conjoint, sans en avaler le sperme. Elle n'a pas de douleurs abdominales pendant ou après qu'elle ait fait l'amour, comme en ont beaucoup de femmes qui souffrent de colopathie fonctionnelle.

Geneviève a été abusée par son père, René. Elle a aussi été abusée par son frère aîné, Roney. En fait, pour une fois, c'est le frère qui a commencé, ce qui montre bien l'inversion des rôles dans sa famille. Elle rit quand elle en parle, sans faire allusion à la ressemblance phonétique du prénom de son frère avec celui de leur père. Son frère a abusé d'elle entre l'âge de onze et de quinze ans. Elle ne fait pas allusion non plus au fait que son conjoint l'a forcée à appeler leur fils René, comme son père.

« C'est drôle, dit-elle. C'est des affaires que j'ai voulu oublier. Il me pognait les seins. Il a baissé mes culottes. Ça a failli pénétrer, mais ça a pas pénétré. Ça a l'air que c'est lui qui a arrêté. »

À un jeune stagiaire, elle tient un langage

115

légèrement différent, à savoir que son frère a tenté de la pénétrer mais sans succès, parce que la sœur aînée l'a surpris couché sur sa cadette avant que cela n'arrive. Les abus du père ont suivi ceux du frère. « Peut-être qu'il a tâté les seins. Il m'a jamais pénétré. Il m'a donné des sous bien longtemps pour que je ne dise pas qu'il m'avait embrassée. » Les abus du père ont duré jusqu'à ce qu'elle ait vingt-deux ans. Il l'emmène souvent en voiture dans la campagne et, là, lui fait ses avances. Ce n'est que plusieurs années plus tard qu'elle en parlera à sa mère. Celle-ci lui dit que s'il récidive, elle les chassera tous les deux. Geneviève se sent dès lors très coupable. La mère lui a dit : « Sauve ta peau ou sauve ton cul », ce qui, d'après Geneviève, veut dire : « Ôte-toi de là. »

Son conjoint a cinq ans de plus qu'elle. Cette différence d'âge est la même que celle entre ses parents. Il la rudoie verbalement, physiquement et sexuellement. Elle accepte les relations sexuelles pour éviter les querelles. Dès qu'elle a son enfant, elle s'en sert comme paravent pour ne pas subir de coups. Deux ans avant que je ne la voie, elle se sépare légalement de son mari. Il cesse de boire. Ils continuent de se voir, mais ne cohabitent plus.

Le diagnostic clinique d'anisme, de dyssynergie abdomino-périnéale étant posé, une rééducation périnéale par biofeedback est entreprise pour corriger l'anisme. Onze sessions étalées sur un an. Souvent, Geneviève déclare ne pas sentir le bas de son corps durant le traitement, mais elle commence à le sentir « vivant », par intermittence, à la maison. Le conjoint ne vient qu'une fois à l'hôpital, impatient à cause de la durée de la rencontre entre Geneviève et la femme qui fait la rééducation. Pour ma part, je ne l'ai jamais vu. Elle verbalise de plus en plus, alors que la sonde anorectale est en place, parlant abondamment de ses rêves et exprimant ses émotions. À la dernière séance, les pressions et les réflexes entre le rectum et l'anus sont devenus tout à fait normaux.

En parallèle, je la vois en clinique. À la première rencontre, elle sait que je connais son histoire d'abus sexuels. Je lui parle longuement des conséquences médicales de ceux-ci, lui offrant de la revoir quand elle le veut, à son rythme à elle.

Elle décide de revenir un mois plus tard et elle vit la scène décrite en exergue de ce texte.

Elle devient « frigide » et refuse de répondre aux avances de son amant « qui n'en a jamais assez ». Elle prend conscience qu'elle « ferme » en présence de celui-ci. Pour reproduire la dissociation sur un plan plus corporel qu'anal, je lui fais jouer un jeu à deux chaises, passant de l'une à l'autre, et jouant respectivement le rôle de la tête et celui du corps. Quand elle est assise sur la chaise corporelle, elle se dit « gelée ». Elle commence à faire des liens mnésiques, comprenant d'où provenait son dégoût pour une maison particulière de son village : c'est là que les abus ont débuté. À chaque visite, c'est elle qui part, le dossier à la main, prendre son rendez-vous, sachant que je suis prêt à la voir un maximum d'une fois par semaine. Jusqu'à l'été, elle vient tous les huit jours, puis elle espace les rencontres aux deux puis aux quatre semaines. Sa sœur aînée, qui a été, elle, violée par des étrangers, l'accompagne souvent. Geneviève est très fière lors de la première visite où elle ne pleure pas. Elle est maintenant quasi asymptomatique sur le plan périnéal. Pour consolider la « mentalisation » de cette « somatisation », elle envoie, à ma suggestion, une carte à son père avec un billet de deux dollars, et y annote la mention : « Ça, c'est pour les vingt-cinq sous. » Elle a choisi une carte montrant une petite fille aux cheveux longs devant une maison qui ressemble à celle de son enfance. L'envoi déclenche une diarrhée qui dure huit jours. Sa mère lui dit que cela a brisé quelque chose. Geneviève lui répond que cela ne la concerne pas. Le frère qui l'a abusée lui demande alors pardon.

« Même si je pardonne, l'anus ne pardonne pas encore », dit Geneviève.

Elle entreprend pourtant un dialogue avec ce frère pour se remémorer le passé. Elle passe une semaine intense lorsqu'elle envoie la carte à son père. Non seulement elle commence à beaucoup discuter avec son frère abuseur et sa sœur violée, mais c'est alors que le mari de celle-ci se suicide en se pendant. Elle se dit très émue mais aussi très apaisée par tous ces développements.

Elle va maintenant à la selle une ou deux fois par jour. Elle urine bien, mais a encore parfois des douleurs à la miction. Elle commence à avoir du plaisir durant les relations sexuelles, mais aussi des nausées. « Le trou du milieu, il a mal au cœur, dit-elle. Pour moi, il a pas assez dégueulé. Le cœur ou le corps. J'ai plus de plaisir. Le haut pas, le bas oui. » Elle indique par là que ses seins restent anesthésiés mais qu'elle aime se faire caresser le clitoris. Elle en est très surprise, parce qu'auparavant elle n'avait de plaisir qu'aux caresses des seins. Avant chaque relation avec son amant, elle dit : « Pa, ton vingt-cinq sous, je te le renvoie », ce qui provoque de gros maux de cœur. Son père essaie de la séparer de son enfant en disant à celui-ci de ne pas se laisser abuser par sa mère.

Je lui offre de participer au groupe d'entraide qui se réunit dans une salle de conférence adjacente aux bureaux de consultation de la clinique externe de chirurgie. Ce groupe est composé de malades qui ont pris conscience que personne ne tombe malade seulement par hasard. Je leur ai parlé du modèle biopsychosocial de la maladie proposé par le psychiatre américain George Engel.

Le groupe d'entraide fonctionne depuis deux ans à l'arrivée de Geneviève, qui s'y décrit comme très sécurisée. Elle apprend avec stupéfaction que d'autres femmes, comme elle, ont été abusées. Elle parle de son passé avec de plus en plus d'aisance, et pleure, pour la première fois, devant d'autres que moi.

Sexuellement, elle n'a plus de dyspareunie. Elle commence à avoir des orgasmes durant la pénétration. Mais elle reste « gelée », selon ses termes, au niveau des seins. Avec la disparition des symptômes somatiques, apparaît une grande fragilité émotionnelle. Elle se sent libérée d'un grand fardeau mais se sent aussi vidée et détachée. Son amant lui reproche maintenant de vouloir faire l'amour tous les jours, et lui dit qu'elle n'est pas normale. Il n'exerce plus aucune violence sur elle, qu'elle soit verbale, physique, ou sexuelle. Parlant du désir sexuel qu'elle ressent à l'égard de son amant, elle dit : « Quand il n'est pas là, j'en ai mal. Ça part de la vulve, et ça tire jusqu'entre les fesses. »

Sa relation avec ses parents s'améliore. Son père a encaissé l'envoi de la carte sans repartie. Il tente de se faire pardonner de sa fille. Elle dit avoir fait le deuil de n'avoir jamais été aimée de lui.

Un peu plus de trois mois après la première visite avec moi, elle relate que pour la première fois de sa vie, d'aussi loin qu'elle s'en souvienne, elle se rappelle de ses rêves. « Je rêve souvent que je ferme la porte au nez à mon père. » Je lui suggère d'écrire ses rêves, le matin, avant de se lever, et de faire un dessin d'un de ceux-ci. Elle a noté que chaque fois qu'elle rêve de son père, « les muscles d'en bas rouvrent pas du tout ». Elle est aussi en panne de désir après avoir rêvé de lui. Lorsqu'elle ramène son dessin, elle a fait deux corps asexués, sans pieds ni sol. Les deux personnages sont, dit-elle, elle et son père, en miroirs. La rééducation fonctionnelle du périnée a maintenant complètement corrigé la dyssynergie. Elle fait un autre rêve, de dissociation, où son périnée est détaché. « Il a peur. Je vois l'anus dans le noir, et il se calme. » Je lui suggère de refaire le dessin du rêve avec son père. Elle le fait, en mettant celui-ci non à sa droite, mais à sa gauche. « Je vous jure qu'en bas ça travaillait. Ça ouvrait, ça fermait sans arrêt. Le premier dessin ça avait pas fait pareil. C'est niaiseux ce qu'un dessin peut dire. » Je lui demande de refaire le dessin, en mettant son père à sa droite. « Je hais mon père, mais c'est mon père quand même. »

À partir de cette séance, qui a lieu le 7 juillet 1994, elle espace les visites et ne vient plus qu'une fois par mois. À la visite suivante, elle dit que d'avoir dessiné son père à droite de son corps a déclenché chez elle un torrent de larmes et de rage, avec une ouverture de l'anus et de l'urètre. Elle a fait un rêve, et raconte en pleurant que dans celui-ci, elle quittait son père pour aller vivre avec son amant. Dans un autre rêve, elle battait un fœtus féminin qui était dans son ventre. Je lui propose de faire un dessin d'elle, cette fois, avec ses deux parents. Elle va maintenant à la selle trois ou quatre fois par jour, sans difficulté, évacuant des selles bien formées, avec exonération complète. Elle est asymptomatique sur le plan urinaire.

Pendant trois mois, elle cesse de menstruer, sans qu'elle soit enceinte, et sans cause médicale décelable. Juste avant de recommencer à avoir ses règles, elle fait un rêve dans lequel une voix d'homme lui dit qu'elle a des « cacas rouges ». Et de s'interroger sur la nature de ces voix oniriques, mais aussi : « C'est aussi comme si le devant était rendu par-derrière. Quand je suis menstruée, j'ai tout le temps envie d'aller à la selle, et quand je vais aux toilettes, c'est juste de l'urine. » Elle continue de faire beaucoup de rêves érotiques. Son père la paie pour tuer son fils. Son frère remplace son amant. Dans une lettre cachetée hermétiquement, à la façon de celles typiques des constipé(e)s, elle me confie un secret qui la culpabilisait beaucoup, à savoir qu'elle a eu deux amants à l'époque où son conjoint était alcoolique, la battait et avait des maîtresses. « Je croyais que vous alliez être fâché. » C'est au cours de cette période qu'elle est devenue enceinte, mais elle croit que son fils est de son conjoint à cause de leur grande ressemblance physique. Elle se sent très coupable à l'idée que son fils pourrait n'être pas de cet homme, mais d'un de ses amants. Elle ne sait toujours pas aujourd'hui si l'enfant est de son mari, d'un de ses amants, ou du donneur de la banque de sperme.

Elle débute l'année 1995 en disant que les visites la constipent, le jour même et la veille du rendez-vous. Elle vient me voir et va voir la thérapeute en biofeedback le même jour. « Après, c'est sorti en eau, elle m'a fait assez mal », dit-elle en ayant une toux sèche répétée et des signes buccopharyngés importants, qui me font immanquablement penser à une dimension maternelle. Elle fait d'ailleurs elle-même un début de diagnostic : « Pensez-vous que j'aie encore des choses à sortir ? Je retiens encore. Je sais qu'il y a de quoi ! » Elle a cessé les relations sexuelles, à cause, dit-elle, de la visite d'une sœur qui loge chez elle : « Vu que je me lamente, mon conjoint veut pas qu'elle m'entende crier. » Elle parle en détail de sa vie sexuelle, spontanément, et dit : « À la pénétration, des fois je perds toute... Ça fait du bien qu'elle est dedans. » En réponse à mon questionnement, elle me dit que le « elle » réfère au pénis de son amant. « C'est une manière de parler. Mon conjoint dit que c'est une queue. » Sans réaliser l'association, elle relate ensuite un rêve hermaphrodite d'une femme qui a un pénis. Elle fait souvent et particulièrement ce jour-là, énormément d'erreurs de langage, confondant masculin et féminin.

À la visite suivante, elle sent monter en elle une haine envers sa mère « à la tuer ». À chaque visite où un ou une stagiaire est présent, elle répète son histoire depuis le début, un peu à la manière d'un « vaccin » de désensibilisation. Les étudiants en médecine présents, un ou une à la fois, à la consultation notent à plus d'une reprise son aisance à s'exprimer.

121

Un jour, elle vient me dire que son conjoint l'a « trompée ». Elle le quitte, avec beaucoup d'ambivalence, qu'elle ventile dans le groupe. Elle déplace temporairement sur lui toute la rage qui s'accumulait face à sa mère. Elle ne se présente pas à un rendez-vous, sans m'en prévenir. Elle entre dans une phase dépressive. Un mois plus tard, elle revient, et dit avoir revu son amant. Elle a eu un orgasme en lui faisant une fellation et en ayant avalé son sperme. Elle contredit son discours initial. « J'ai jamais aimé ça. Là, j'ai aimé ça. Je sais pas pourquoi. Je ne sais plus ce que j'aime. Je suis trop mélangée. » La liaison reprend, mais elle dit de son conjoint : « C'est fou, je vois souvent mon père en lui. » La dysurie reprend de plus belle. Cet été-là, avant et après son anniversaire, elle passe de nouveau une période sans menstruation.

À l'automne, elle entre en disant : « Est-ce que ça se peut ? Ma mère avait des menstruations irrégulières. Moi, j'étais aux vingt-six jours. Et depuis deux ans, je deviens irrégulière. » Toute la symptomatologie périnéale reprend, mais seulement en période prémenstruelle. Elle fait un dessin de sa mère. « Je lui ai dessiné les yeux malins. Ça m'a fait pleurer. C'est quelqu'un qui me voulait du mal. Après ça, je me suis dit, non, ce n'est pas de ma faute. Après, je filais assez bien. » Elle a oublié de me rapporter ce dessin. Un flash lui revient de son frère : « Il m'a quasi pénétrée. J'ai filé mal deux semaines durant. » Elle apprend qu'un procès est en cours parce que la fille de son frère abuseur a été abusée. Il a divorcé. C'est le second mari de son ex-femme, qui a commis le crime. Il est en prison.

À la fin de cette année, elle quitte définitivement son amant et devient asymptomatique. Elle a abordé sa mère et lui a demandé pourquoi elle avait toléré les abus. Sa mère a reconnu qu'elle le savait, mais qu'elle avait peur de voir la réalité. Geneviève associe à elle-même : « J'avais peur d'affronter la réalité. J'avais peur de la solitude. Dieu que c'est dur ! Mais maudit que je suis ben ! » Dans le groupe, elle est devenue volubile et le bout-en-train depuis la rupture. Elle a remplacé son rideau de douche blanc par un rideau gris. Quand elle est dans la douche, depuis, elle tremble, pleure et crie. Sa mère lui fait faire l'association à la couleur des pantalons gris de son père. Elle fait alors une catharsis intense à la suite de grands tremblements corporels. Elle parle, hurle, et se fâche en disant que c'était son corps, et que sa mère « n'avait pas le droit ». Elle comprend après coup pourquoi elle en a toujours voulu à sa mère sans savoir la cause de son ressentiment. Elle fait, de sa propre créativité, un certain nombre d'expériences. Elle change son lit de place, et le met dans la même position que quand elle était petite, c'est-à-dire sans pouvoir voir la porte, par où entrait son père. À partir de ce moment se déclenche une série de cauchemars, où un homme essaie d'entrer dans sa chambre, où elle n'a ni téléphone, ni protection maternelle. Elle rencontre des moments de dépersonnalisation assez brefs. « Je vous jure que les trous noirs ne sont pas toujours drôles. » Les cauchemars diminuent d'intensité, et à la longue se transforment en rêves où elle arrive à s'en sortir sans se réveiller. Elle note maintenant que sa mère, elle aussi, a des symptômes bucco-pharyngés, mais constamment. Sa mère reprend sans le savoir, mes paroles en disant à sa fille : « Tu as le droit de m'en vouloir. »

Dans un atelier, elle fait une régression d'âge, en état de transe. À l'âge de dix ans, sa détresse est reliée au fait que sa mère ne la protège pas des abus. Elle traverse, année par année, la période des abus. À l'âge de six ans, c'est sur la séparation d'avec sa mère qu'elle pleure à l'occasion de ses premiers départs à l'école. À l'âge de trois ans, elle pleure beaucoup sur le fait qu'elle ne se sent pas aimée de son père. À l'âge d'un an, elle éclate de rire et dit se sentir bien et aimée.

Toute l'année suivante, Geneviève reste pleine d'énergie. Elle dit qu'elle va dix fois mieux. Elle a encore fait un rêve avec son père, où il était couché. Elle était debout à sa droite. Il essayait de rentrer un doigt dans son vagin. « Ça a pas rentré, mais c'est un peu vague. Pourquoi ça se fait que chaque fois que je rêve de mon père, après, je mets une petite fille au monde ? » La petite fille, dit-elle, grandit.

Je vois encore Geneviève à l'occasion. Je ne l'ai pas revue depuis un an. C'est toujours elle qui prend rendez-vous, sans m'en parler. Si je la fais trop attendre parce que je suis occupé, ailleurs, dans l'hôpital, elle part sans s'excuser, ni me donner l'occasion à moi, de m'excuser. Mais elle reprend rendez-vous. Tout cela se passe dans le non verbal afin de nourrir sa capacité d'autonomie. Il est loin le temps de la relation médicale classique où le médecin dicte la date du prochain rendez-vous. Elle a cessé de dépendre totalement du bien-être social. Elle a d'abord occupé un emploi de serveuse, puis est devenue préposée aux bénéficiaires dans un établissement du ministère de la Santé. Aux dernières nouvelles, elle a entrepris des études de travailleuse sociale. Elle est toujours seule, mais commence à s'ouvrir à l'idée de se choisir un nouvel homme.

Elle reste, depuis longtemps, asymptomatique.

Les symptômes corporels de Geneviève peuvent être vus comme étant le résultat d'un ordre de secret (le père lui disant de se la (bouche) fermer). Elle guérit subitement et aussi par la parole. Du devant (disparition des problèmes urinaires). Du milieu (disparition des douleurs à la pénétration et apparition de l'orgasme à la pénétration). Du derrière (disparition de la constipation). Et le tout, d'un coup. Cela semble indiquer que chez elle, la représentation inconsciente de son périnée était restée très nettement figée à un niveau de développement intra-utérin. En effet, le cloaque, cavité commune aux voies urogénitales et digestives, se divise en trois, tôt durant la vie fœtale. En guérissant les trois orifices d'un coup, Geneviève a agi comme si elle avait encore un cloaque. Comme si elle avait une pensée cloacale.

Les vilains petits canards

Cette interprétation peut paraître choquante, dans la mesure où, à ce moment de la croissance du fœtus, il n'y a encore eu ni langage, ni instruction, ni éducation. Mais il a été très clairement prouvé que le fœtus rêve, et même qu'il rêve de manière synchrone avec sa mère. Son rythme onirique, d'ailleurs, est un des paramètres de son bien-être physique. Il a aussi été établi qu'il entend, du moins dans la mesure où la diffusion de sons intra-utérins enregistrés sur disque induit un état de sommeil dans les pouponnières. Une autre étude, très touchante et très élégante, a démontré que le nouveau-né se souvient des sons émis par la voix de sa mère quand il était dans le ventre de celle-ci, et qu'il est prêt à utiliser son système digestif, non seulement à des fins digestives, mais également à des fins affectives. Si nous utilisons un organe dans un autre but que celui qui lui est propre, il y a potentiel de dérapage et de pathologie future. L'étude se décrit comme suit. La maman chante une chanson à son bébé, dans son ventre. La chanson est enregistrée. Après sa naissance, elle lui chante une autre chanson qui est, elle aussi, enregistrée. L'expérience consiste à faire téter par ces nouveau-nés une tétine qui donne non pas du lait, mais le son des chansons enregistrées. La plupart des bébés préfèrent écouter la chanson entendue dans le ventre de leur mère. Une autre étude a d'ailleurs montré qu'ils avaient aussi le souvenir de la voix de leur père, qui leur parlait à travers le ventre de leur mère. Enfin, les nouveau-nés, très tôt après leur naissance, sont capables de coordonner leurs mouvements de succion avec leur regard, pour pouvoir mettre au focus l'image de leur mère sur un écran. C'est dire qu'une conscience plus ou moins claire du corps peut exister avant l'apprentissage de la parole et qu'elle est excessivement importante chez les sujets souffrant de problèmes psychosomatiques, qu'ils soient modulés de façon plus aiguë, par la psychophysiologie, ou de façon plus lente, par la psycho-neuro-immunologie.

Joyce McDougall a écrit à ce sujet qu'on pouvait assimiler un problème psychosomatique à un rêve qui n'aurait jamais été rêvé. Elle parle du *nameless dread* et de ce que Freud a appelé « forclusion », en rappel de la notion de sentinelle chère à Ferenczi. Quelque chose d'enfoui profondément dans l'oubli de l'inconscient. On parle donc de schéma corporel à propos de la représentation mentale du corps réel, et je crois qu'il antidate toute forme de traumatisme psychique causé par l'environnement. Par contre, le corps imaginaire, lui, se retrouverait plutôt dans l'image inconsciente du corps, concept élaboré par Françoise Dolto. Il serait issu des attentes et influences des parents et de leurs ancêtres, *via* une communication inconsciente et transpersonnelle. Je suis ouvert à l'idée que l'image inconsciente du corps contienne, non seulement un « moureur » interne, puisque les chaînes du passé mènent à des morts prématurées, mais également un guérisseur interne, qui fasse référence à un idéal intérieur et propre à chaque individu dans son unicité. La conception d'un enfant serait le fruit de la rencontre de trois désirs, celui de la mère, celui du père et celui de l'enfant. La résilience, concept fort étudié par Boris Cyrulnik pour décrire les sujets capables de traverser des épreuves que d'autres sont incapables de franchir, pourrait alors être vue comme la réflexion de la qualité propre à l'enfant, indépendamment de ses géniteurs.

Il existe une confusion extraordinaire entre le « devant » et le « derrière » chez beaucoup de personnes. Cette confusion a mené à beaucoup d'interventions chirurgicales inutiles pratiquées sur les femmes. Un nombre considérable d'entre elles ont, par exemple, subi une hystérectomie, bien que leur utérus fût de structure anatomique et histologique normale, et des laparoscopies « blanches » – c'est-à-dire sans trouvaille significative – alors que la vraie cause de leurs symptômes était une colopathie fonctionnelle – dans le « derrière ». Nous avons aussi appris de la part de plusieurs auteurs américains et européens que le fait, pour une femme, d'avoir été abusée sexuellement durant son enfance, l'expose à être hystérectomisée – c'est-à-dire castrée ! – tôt dans sa vie. Au cours de ma carrière, j'ai vu de très nombreuses femmes qui venaient consulter pour des douleurs abdominales sévères et chroniques, résistant à toute thérapeutique, y compris chirurgicale, ou pour des problèmes de constipation sévère et opiniâtre – allant jusqu'à n'avoir de défécation qu'une fois tous les deux mois – ou encore pour des troubles incoercibles, du genre trente selles liquides par jour. J'en ai vu, parmi elles, plusieurs centaines qui avaient été abusées sexuellement durant leur enfance, et qui, bien entendu, n'en avaient jamais parlé.

La profession médicale a été lente à ouvrir les yeux sur ces drames. N'est-il pas étrange, toutefois, d'apprendre d'une étude britannique qu'une femme que son père a violée durant son enfance, avec pénétration vaginale complète, aura en moyenne huit interventions chirurgicales durant sa vie, dont les trois quarts, après évaluation des comptes rendus chirurgicaux et histologiques, s'avèrent rétrospectivement parfaitement inutiles ? Qu'est-ce donc que ce bistouri phallique qui prend la succession du pénis paternel ?

Et que l'on n'accuse pas indûment les chirurgiens !
« Arrachez-moi ce côlon ! », me dit une victime d'abus
sexuels. Et cette autre, dans un chantage encore pire :
« Si vous ne m'opérez pas, je me tue, je n'en peux
plus ! »

Alors elles se plaignent, elles consultent, elles changent de soignants, elles arrivent aux urgences en se
tordant de douleur. Les tests sont normaux, mais leur
allure est alarmante, et un jour ou l'autre, elles vont
au bloc opératoire pour enfin subir la laparotomie
exploratrice qui va trouver la cause de leur souffrance, et résoudre leur problème de toute une vie. Ou
alors, elles saignent. Trop, trop longtemps, tout le
temps. Et elles ont mal en plus. Pendant qu'elles font
l'amour avec un conjoint qui ne sent pas leur raidisse-
ment et leur retrait, et les prend pour un « trou »
comme le dit un jour un homme malade, colopathe lui
aussi, mais en miroir de la victime. Elles ont mal à la
pénétration, elles ont mal dans leur ventre. Pendant.
Après. Et bien entendu, l'« amant » ne se demande
pas trop pourquoi, lorsqu'il la pénètre, elle a mal au
ventre. Il ne sait pas, lui, qu'il n'y a aucun nerf qui va
du périnée au fondement, du vagin à l'abdomen, qu'il
faut obligatoirement que le signal soit d'abord perçu
au cerveau, dans une zone sous-corticale antérieure,
qui est modifiée chez les femmes abusées, insensibles,
« gelées », et que de ce cerveau partent des signaux
afférents vers le ventre de son amante... Il y a collu-
sion entre les protagonistes : la malade, le conjoint, le
chirurgien.

L'histoire de Geneviève montre de façon caricaturale que le périnée est une unité fonctionnelle qu'il ne
faut pas fragmenter en ses composantes urinaires,
génitales et intestinales. Mais la confusion de la symptomatologie, de la pathologie, de la nature du traitement renvoie à une certaine confusion mentale entre
le « devant » et le « derrière », qui s'exprime pourvu
qu'on y prête une oreille attentive.

Ainsi Noël raconte un rêve où il fait l'amour avec une femme qui a été jadis sa maîtresse, mais l'a aussi été de la femme avec qui, lui, il a longtemps vécu. Dans son rêve, sa maîtresse le sodomise d'un pénis. De sa bouche à elle sort un fœtus masculin qui tombe sur le sol. Elle le force ensuite à avaler le placenta. Bien entendu, il y a chez cet homme sodomisé par son père quand il était enfant un problème majeur d'identité, comme chez cet autre, lui aussi victime d'abus, qui me parlait constamment du « vergin ».

Louise, pendant une proctoscopie – examen du rectum par un instrument rigide illuminé, et très « phallique » –, a la sensation que l'instrument n'est pas dans son rectum, mais dans son vagin, et y réagit intensément.

Leïla vient me voir parce qu'elle est excédée de faire chaque automne une rechute de proctite de Crohn – inflammation du rectum dont la cause reste inconnue depuis soixante-dix ans qu'elle a été décrite –, proctite assez sévère pour forcer à une hospitalisation. Dans le but de confirmer ou d'infirmer le diagnostic et d'évaluer l'étendue des lésions lors du début de sa crise, je lui prescris une proctoscopie, suivie d'une colonoscopie flexible pour mesurer la distance de l'anus au territoire sain. La proctoscopie confirme que la proctite n'est pas une proctite ulcéreuse, mais bien une maladie de Crohn. Leïla reçoit deux lavements et sort de la salle d'examen. Elle interrompt la séquence des examens dix minutes plus tard. Dans une grande crise émotionnelle, elle dit que la proctoscopie a déclenché ses menstruations deux semaines plus tôt que prévues, alors qu'elle était jusque-là très régulière. Elle refuse la colonoscopie et s'en va... Dans les dix années qui suivront, elle n'aura plus jamais de rechute. D'avoir ainsi saigné par-« devant » au lieu de par-« derrière » ? À la suite d'une « pénétration » anale par un instrument dont la connotation phallique est évidente ?

Elle revient me voir de nouveau dix ans plus tard. Elle a recommencé à saigner du derrière. Je lui demande ce qui se passe dans sa vie. Elle s'apprête à subir une hystérectomie, recommandée par un gynécologue. Elle subit de lourdes pressions de la part de sa mère et de sa sœur unique, toutes deux hystérectomisées, qui l'encouragent fortement à accepter l'indication chirurgicale. Elle est la seule femme de la famille qui « possède » encore un utérus. Je trouve, sur la base des éléments objectifs dont je dispose, l'indication chirurgicale un peu légère. Je propose à Leïla de demander une consultation à un autre gynécologue, que je respecte beaucoup pour ses qualités de clinicien, d'enseignant et d'humaniste. Il lui dit qu'à son avis, il n'y a absolument aucune raison médicale d'enlever son utérus. Elle renonce donc à la chirurgie. Et arrête à nouveau de saigner… du rectum.

Josée, quant à elle, a une douleur vaginale aiguë durant une rectosigmoïdoscopie, que rien ne justifie sur le plan anatomique.

Pauline dit qu'elle a eu très mal lorsque qu'elle a subi une colposcopie faite par le praticien qu'elle a consulté. Il s'avère que l'examen était, en fait, une colonoscopie, examen du gros intestin, et non, comme l'est la colposcopie, du vagin, plus par-devant…

Marielle a mal au « passage », terme québécois utilisé pour le vagin, durant le toucher rectal. À quoi renvoie Jean, qui, lui aussi, souffre d'une proctite de Crohn, et qui, lui aussi, pour décrire ses douleurs anales, utilise le terme de « passage ». Son génie à lui est d'avoir compris profondément le sens de son lapsus, et de l'avoir introduit dans la « ligne de vie », sa « trajectoire de vie ». Il était impuissant, et souffrait d'une proctocolite de Crohn tellement sévère, et tellement réfractaire à tous les traitements médicaux, qu'il avait fallu se résigner à l'opérer. Son côlon était devenu comme un tuyau de poêle, raide, fibreux, plein d'ulcères. Il souffrait beaucoup, avait chaque jour plus de dix selles liquides et hémorragiques. Son rectum, par contre, tout en étant inflammé lui aussi, était plus calme, moins atteint. Nous avions convenu que j'enlèverais son côlon au complet, lui ferais une colostomie, c'est-à-dire un anus artificiel, en mettant le petit intestin à la peau, mais que je laisserais le rectum et l'anus en place. Sitôt guéri, sitôt futur papa… Et sa femme, sitôt accouchée, sitôt partie… Autant il était heureux d'avoir un fils, autant il était ulcéré du départ de sa femme avec leur enfant, qu'il adorait. Il a beaucoup pleuré durant cette période d'avoir servi de « banque de sperme sur deux pattes ». Il s'est beaucoup battu aussi pour obtenir une garde partagée de l'enfant, qui lui a été accordée. L'enfant grandit. Le papa aussi. La proctite se calme de plus en plus. Il avait songé un temps à faire enlever le rectum et l'anus, tellement il s'était habitué à vivre avec son iléostomie. Il avait même réussi à avoir une nouvelle relation, sexuée, et il avait malgré tout un petit peu peur de redevenir impuissant à cause du risque inhérent à la résection abdomino-périnéale de son rectum. Je l'avais rassuré en disant que la chirurgie ne visant pas à traiter un cancer, le risque était beaucoup moins grand. C'est durant cette période qu'il avait dit un jour avoir mal dans le « passage », quand il passait des glaires sanglantes par l'anus. Il avait même fait la comparaison avec des règles, avant de commencer à se poser la question de sa féminisation par sa famille, reprise par son ex-femme. Cela avait déclenché beaucoup de rage. La proctite était devenue « dormante ». Voudra-t-il un jour prendre le risque d'une réanastomose entre son petit intestin et son rectum, quand il se sentira vraiment un homme, et que, d'un point de vue médical, ce sera raisonnable ?

Claire me parle du cancer du côlon qu'elle a eu, alors qu'il s'agit d'un cancer du col utérin.

Monette parle de la tête qu'elle aide à faire sortir avec ses doigts. Il s'agit d'un étron.

Jeanne dit qu'elle a l'intestin dilaté comme une prostate.

Aline dit qu'une iléostomie ressemble à un petit pénis.

Dominique dit que son amant évacue quand elle parle de son éjaculation.

Ces quelques exemples montrent que, chez bien des malades, les fonctions urinaires, génitales et colorectales ne sont pas clairement identifiées, et que le langage utilisé reflète leur confusion. Du derrière au devant, il est lent, long et périlleux, le chemin qui conduit l'humain à passer de l'analité à la sexualité, en passant d'abord par la génitalité. Il faut noter à ce sujet que le fœtus masculin est en érection quand il urine, et que cela perdure un certain temps après sa naissance. L'enfant apprend donc à distinguer fonctions urinaires et fonctions sexuelles.

Dominique Bourdelat, chirurgien pédiatrique parisien, a repris cette idée de pensée cloacale et a conclu, sur la base de son expérience clinique, qu'il existe chez l'être parlant une représentation inconsciente de la région périnéale, représentation qui se constituerait dès le développement intra-utérin. Il fait remarquer que les échographistes ont observé des mouvements très précoces du fœtus, certains mettant la main au niveau de la verge, d'autres se touchant la région anale ou périnéale. De là à imaginer que le fœtus doit, logiquement, avoir dès avant sa naissance une notion, une représentation mentale de l'endroit où se trouvent les différents orifices. Ces zones sont sensibles, les échographistes ont vu des verges en érection. Il semble tout à fait cohérent d'accepter l'idée de ces informations dans le schéma corporel qui est en train de s'imprimer dans le cerveau en cours de développement.

Bourdelat dépasse largement le périnée. Il intègre à sa vision du fœtus toutes les informations. À sa propre surprise, un jour, il guérit une femme qui souffrait d'incontinence urinaire, en lui disant qu'elle pleurait dans sa culotte ! Ainsi, il est possible de voir à l'écho le fœtus se mettre le doigt dans la bouche, et même parfois l'orteil ! Qui peut prétendre à l'âge adulte mettre son gros orteil en bouche ?

Anne-Marie est couchée à mes côtés. Je l'accompagne dans un atelier de « respiration holotropique ». C'est une technique qui vise à revivre de vieilles expériences, dans un profond état de régression. Elle respire rapidement. Son corps suit la musique rythmique. Nous sommes au Mexique, à Vera Cruz, au bord de la mer. Elle est couchée sur un matelas. Je veille sur elle, assis à ses côtés sur les céramiques du sol, chaudes de soleil. Elle m'a prévenu qu'elle ne voulait pas que je la touche. Je me contente de m'assurer qu'elle ne se fasse pas mal en heurtant les objets voisins. Tout à l'heure, elle va revivre sa naissance. Mais, elle n'en est pas encore là. Je la vois ramener ses genoux vers le menton, puis jouer des mains avec ses pieds. Elle a l'air d'une enfant. Pourtant, c'est une adulte. La courbure de son dos s'accentue. Je vois la trajectoire. Non ! C'est impossible ! Le mouvement continue. Le but atteint ! Impossible ! La voilà en train de sucer son gros orteil ! Comme les fœtus ! Tout à l'heure, elle me dira qu'elle se plaint de douleurs chroniques dans le dos. Mais, elle a conservé la mémoire du fœtus qu'elle était…

Bourdelat rapporte aussi que le fœtus semble se méfier, avoir des mouvements, se rétracter comme s'il était attaqué, durant une cœlioscopie. Cela me renvoie à une anecdote racontée par Anne Ancelin Schützenberger à propos d'une petite fille qui avait fait un dessin d'elle-même dans l'utérus de sa mère avec un grand poignard pointé dedans. Elle ne savait pas que sa mère avait subi une amniocentèse… Cette découverte modifia les symptômes dont elle se plaignait.

La somatisation de la parole du père enjoignant à sa

fille de se la (bouche) fermer est un exemple qui illustre fort bien la pensée de Sami-Ali, qui dit que la représentation inconsciente de l'anatomie n'est pas anatomique mais symbolique. Les orifices deviennent interchangeables et se taire se transforme sur le plan corporel en se contenir. Geneviève avait des problèmes de rétention urinaire psychogène dont le mécanisme physiologique est une dyssynergie vésico-urétrale : lorsque le sujet pousse pour uriner, il (elle) contracte le sphincter vésical externe pour ne pas le faire. On retrouve souvent dans le passé de ce type de malades souffrants de troubles de miction une histoire d'abus sexuel. Geneviève avait aussi un problème de constipation dont le mécanisme était semblable. Dans l'anisme, le sujet pousse pour déféquer, mais il contracte en même temps l'anus pour ne pas le faire : c'est par analogie au vaginisme que les auteurs qui ont décrit cette pathologie ont choisi ce terme. Quasiment tous les sujets abusés sexuellement ont de l'anisme (je reviendrai plus loin en détails sur cette question). La fiabilité du corps est bien plus grande que celle de la parole. Le corps fonctionne déjà avant la parole, et le langage du corps est l'expression la plus archaïque de l'humain. Il est donc très important de savoir que les dysfonctions motrices anorectales trouvées chez les femmes qui ont été abusées sexuellement leur sont spécifiques. L'anisme n'est pas une maladie. Toutes les tentatives de correction médicamenteuse ou chirurgicale ont échoué. Au contraire, la rééducation périnéale par biofeedback est très efficace pour corriger l'anomalie motrice. Il y a là un apprentissage corporel de maîtrise qui explique que le taux de succès augmente avec le nombre de séance. L'anisme, symboliquement, est le fruit d'une dissociation entre deux sujets partiels : l'un qui veut déféquer, et l'autre qui ne veut pas. Or, la dissociation est un des mécanismes de défense favori des victimes de violence sexuelle. Geneviève, dans son inconscient, était restée bloquée à un stade antérieur, fœtal en l'occurrence, avant la différenciation du périnée et le schéma corporel mental qui s'y réfère.

La désomatisation

À ma grande déception, j'ai vu peu de sujets réussir, comme Geneviève, à récupérer des fonctions physiologiques normales dès qu'ils ont eu l'occasion d'exprimer leurs émotions reliées aux abus sexuels qu'ils avaient subis. Il est vrai que, dans le cas de Geneviève, la catharsis émotive à notre première rencontre fut d'une intensité inouïe et qu'à la suivante, c'est elle qui a repris l'initiative sans que j'aie eu à dire un mot. Il s'agissait probablement là d'un épisode où Geneviève a dépassé rapidement le niveau du transfert en réalisant dans son corps et dans ses larmes ce qu'elle avait subi. Le soignant devient ici un simple enzyme, ou catalyseur, essentiel à la prise de conscience et à jeter après usage. Seules les émotions sont de nature psychosomatique, donc intégrante, pour rejoindre soma et psyché. J'ai même entendu parler d'une étude qui a démontré que les larmes issues d'un cri primal, à densité émotive paroxystique, n'avaient pas la même composition chimique que celles déclenchées en pelant un oignon. Un travail de deuil me paraît impossible sans une prise de conscience émotive et corporelle. Comprendre peut devenir un mécanisme de défense particulièrement pervers quand l'explication donnée ou trouvée est exacte. C'est là probablement la plus grande ligne de défense de la profession médicale, mal à l'aise hors la science, et qui se cantonne dans la relation sujet-à-objet qui caractérise la méthode scientifique, alors que la relation malade-médecin est aussi de l'ordre du sujet-à-sujet. Évitant l'histoire de vie du malade, le médecin évite sa propre histoire de vie et ses propres émotions. Dans un domaine aussi intime et délicat que la sexualité, la plupart des médecins sont mal à l'aise, et lorsqu'il y a violence en plus, préfèrent, en général, éviter totalement le sujet, ne pas toucher aux causes profondes, et ne pas fouiller leur propre inconscient.

Une histoire juive présente une parabole de ce qu'on pourrait baptiser la mémoire du fœtus et de ce qu'il serait possible d'y retrouver. Elle dit que, pendant la gestation, un ange apprend au futur bébé tout le savoir du Talmud. Au moment de la naissance, cet ange pose son doigt sur le creux de la fente labio-narrinaire du bébé, un peu comme dans le geste qui est fait pour dire : « Chut ! ». C'est pour que l'enfant qui va naître oublie tout ce qu'il a appris, et qu'il ait toute la vie pour le redécouvrir...

CHAPITRE IV

Mal de ventre et abus sexuels : vous avez dit aimer ?

Marie-Madeleine, ou l'amour violé

« Si cette opération ne me guérit pas, je me tue. »

Je regarde Marie-Madeleine sans angoisse. J'ai déjà cédé à l'angoisse déclenchée par pareille phrase. Une femme était venue me voir du fin fond des États-Unis. Elle aussi était constipée. Je lui avais enlevé son côlon, comme cela se faisait beaucoup et se fait encore. Les suites postopératoires avaient été épouvantables, son corps faisant une surenchère paralytique face à l'arsenal chirurgical d'un fringant chirurgien. Elle avait plongé dans un bref épisode psychotique, d'où elle était sortie déconstipée. Je m'étais juré de ne plus jamais céder au chantage à la mort.

Je regarde Marie-Madeleine avec compassion. Je lui dis que je comprends sa souffrance. Elle va à la selle une fois seulement tous les deux mois. Le restant du temps, elle est ballonnée, tordue de douleurs, nauséeuse ou vomissante. Depuis dix ans, elle passe chaque année deux, trois mois à l'hôpital. On lui a enlevé l'utérus. D'un coup... Bien sûr, il était normal. On lui a enlevé un ovaire. Normal lui aussi. Puis l'autre. Normal, évidemment. Ainsi castrée, elle a toujours mal. Elle est toujours constipée. Les laxatifs, tous les laxatifs, qu'elle a essayés, à quelque dose que ce soit, sont totalement inefficaces. Quand elle reçoit un lavement, non seulement il n'a aucun effet, mais elle est incapable de l'expulser. Elle a vu d'innombrables médecins sans rien réussir d'autre que perdre son utérus et ses ovaires. On l'a traitée d'hystérique, sans voir que son hystérie s'accompagnait de souffrances et de somatisations dramatiques. Quand elle était hospitalisée, parce que la douleur devenait intolérable, une débâcle diarrhéique était déclenchée par application nasale de vasopressine.

Je m'enquiers de sa vie. Elle est mariée. Elle a trois fils. Elle n'a aucun plaisir avec son mari. Elle ne sait pas qu'une femme peut avoir du plaisir à faire l'amour. « N'allez surtout pas le dire à mon mari, s'exclame-t-elle. Sinon, il voudra encore plus de sexe ! » Je remonte la filière.

Et brutalement, elle me jette à la figure que son père l'a violée quand elle avait seize ans.

J'interromps notre entretien, qui vire à l'interrogatoire. Je fais un rapport au gastro-entérologue qui m'a demandé de faire la colectomie. Je lui dis que je ne pense pas que ce soit une bonne indication. Il me transfère la malade.

Marie-Madeleine m'a beaucoup appris. C'était la première femme abusée que je rencontrais dans ma carrière. Première de nombreuses autres. Au début, certains collègues, confondant abus sexuels et sexualité, me reprochaient de trop parler de sexe avec les malades, insinuant derrière mon dos que j'étais un obsédé sexuel, ainsi que me le rapportaient les étudiants à qui j'inspirais confiance. C'était il y a vingt ans. Aucune balise dans la littérature. Seulement les fantasmes théorisés par Sigmund Freud, forcé de faire demi-tour devant les tollés de la bourgeoisie viennoise. Pas d'Office de la protection de la jeunesse pour faire enquête. Pas de loi pour interdire les abus. Pas d'approche bien établie pour évaluer à l'urgence les victimes de viol.

Marie-Madeleine n'est pas encore remise de son enfance, mais elle a beaucoup changé.

Il fallut plusieurs années avant qu'elle ne passe devant moi, après avoir décalé un rendez-vous, sans avoir un mouvement de recul du corps, très évident au début, imperceptible plus tard. « Pourquoi ce mouvement ? » Elle avait peur que je la batte parce qu'elle avait « désobéi » et ne s'était pas présentée à l'heure prescrite.

Il a fallu plusieurs années avant qu'elle ne me dise que son père l'avait sodomisée. Un peu après le viol, elle avait rencontré son futur mari. Ils avaient suivi ensemble le cours de préparation de mariage. Un jour, un médecin était venu leur parler de sexualité et de procréation. Elle s'était levée, indignée, au grand dam de son futur mari, et avait apostrophé le médecin en le traitant de fieffé menteur : « Les enfants, ce n'est pas par-devant que cela se fait, c'est par-derrière ! » Munie de son passé et de ce semblant de préparation à la sexualité et au mariage, Marie-Madeleine se laisse faire par son mari, lors de brèves rencontres épisodiques de quelques minutes. Les fils sont ainsi produits. Le mari est frustré. Elle fait une brève psychothérapie pour lui plaire. Les rapports sont plus fréquents et durent une demi-heure. Marie-Madeleine reste frigide.

Cinq ans après notre rencontre, je suis devenu la personne-ressource de Marie-Madeleine. Je lui ai confié mon numéro de téléphone privé. Ce n'est pas le genre de femme « têteuse » dont me parle un de mes fils. Ce n'est pas le genre de femme qui me réveille à une heure du matin... pour me demander un rendez-vous ! Je l'avais, celle-là, éconduite en disant qu'elle m'avait réveillé et que ce n'était pas l'heure de faire de la thérapie... Elle n'était plus jamais revenue, incapable de tolérer ce semblant de rejet. Il faut dire que son premier et grand « amour » lui avait dit, il y a longtemps : « Viens, on va faire l'amour, parce que je me marie demain… » Et elle y était allée…

C'est Marie-Madeleine qui appelle.

– Mon père est mort. C'est un salaud. Je ne suis pas triste !

– Je comprends.

– Mais ma famille ne comprend pas que je ne pleure pas !

– Ils ignorent que vous avez été abusée.

Ni elle ni moi ne savions que le père avait abusé ses cinq filles et que chacune gardait pour elle son lourd secret. « Vous avez le choix, lui dis-je. Ou vous leur dites que votre père vous a violée, ou vous comprenez qu'ils ne comprennent pas. » Marie-Madeleine est indignée. C'est pour cela qu'elle a téléphoné. Les deux choix qui s'offrent à elle sont tout aussi impossibles l'un que l'autre. Ainsi dissociée, et ce sans que j'y aie réfléchi, car à l'époque je n'avais pas encore mon diplôme en hypnose ericksonienne, Marie-Madeleine ne peut que se retirer dans son inconscient, à un niveau bien plus profond, pour trouver une tierce solution qui transcende les deux autres.

« J'ai envie de lui écrire une lettre avec tout ce que j'ai sur le cœur, et de mettre ma lettre dans son costume avant qu'on ne l'enterre. »

Je l'encourage fortement à utiliser cet objet de transition dont je connais déjà le pouvoir métaphorique.

Sitôt dit, sitôt fait.

Et Marie-Madeleine de guérir, du jour au lendemain, de sa constipation opiniâtre ! Toutes les évaluations médicales objectives confirment la normalisation de tous les tests.

Quelque temps se passe.

Marie-Madeleine part avec son mari en vacances, en Gaspésie, au bord de la mer. Dans un endroit reculé, ils entrent en collision frontale avec un orignal. L'élan d'Amérique est un bestiau gigantesque et dangereux pour les automobilistes. Perte totale de la voiture. Marie-Madeleine a une fracture du crâne sans séquelle neurologique. Son mari sort indemne de l'accident mais, pour la première fois de sa vie, il se met à tromper sa femme sur une base régulière.

Marie-Madeleine est fâchée. Mais elle a appris toute petite à ravaler ses colères. Elle se met à passer de dix à trente selles liquides par jour. C'est une femme intense et passionnée. Elle ne se contente pas de quelques selles liquides. L'évaluation montre qu'elle a, encore et toujours, un trouble fonctionnel digestif. Mais cette fois, elle n'absorbe plus les sels biliaires dans le dernier segment de son petit intestin. Quand la bile se déverse dans le côlon, elle agit comme un puissant laxatif qui empêche l'absorption de l'eau et du sodium.

Une nuit, elle m'appelle chez moi. Elle me réveille.

« J'ai peur de moi. Je suis levée. Mon mari dort. J'ai une envie folle de planter un couteau dans son ventre ! »

J'ai peur, moi aussi.

« Marie-Madeleine ! Si tu le tues, la société ne te le pardonnera pas. Tu iras en prison, à la place de ton père, et tu n'auras pas de circonstances atténuantes, même si ton père t'a violée, même s'il a violé ton anus ! »

C'est l'hiver. Il fait froid. Le sol est couvert de neige.

« Tu vas t'habiller, mettre ton manteau. Je veux que tu ailles marcher une heure dans la neige. Jusqu'à ce que tu n'en puisses plus de froid ! »

J'use, pour une fois, de tout mon pouvoir de médecin et de mâle.

« Puis tu me rappelles. »

Elle me rappelle. Elle est calmée. Elle va se coucher.

Le mari, au bout d'un certain nombre de maîtresses, en trouve une qui lui plaît suffisamment : il quitte

Marie-Madeleine. Le divorce est prononcé. Marie-Madeleine se retrouve seule.

Plusieurs mois plus tard, elle rencontre un autre homme. Au début, celui-ci est impuissant. Ils s'apprivoisent l'un à l'autre pendant près d'un an. Marie-Madeleine continue d'avoir de la diarrhée. Elle finit par avoir des relations sexuelles avec son nouvel amoureux. Peu de temps après, elle rompt avec lui.

La diarrhée cesse aussitôt, montrant par là même la véracité du dicton populaire disant que ces deux hommes l'avaient « fait chier ».

De nouveau, les années se passent…

Un jour, Marie-Madeleine revient me voir parce qu'elle est en conflit avec ses fils, qui calquent le comportement de leur père.

Elle a choisi d'aller consulter une thérapeute qui l'aide beaucoup. Une femme ! « Je vais à mon cours de colère ! », dit-elle, surprise et choquée de voir tant de rage l'habiter. Elle s'apaise tranquillement.

Elle décide de vendre la maison où elle habite. Elle y vivait avec son ancien mari. C'est là que son père l'a violée. C'était la maison parentale. Tout de suite après le viol, elle avait couru en pleurant chez sa mère et lui avait montré son pyjama souillé de sperme. Sa mère l'avait traitée de menteuse et lui avait dit d'aller laver son pyjama. Tous les souvenirs lui reviennent en mémoire depuis qu'elle a décidé de vendre cette maison. La nuit, son père lui apparaît, comme un fantôme qui sort des placards. Je l'encourage à lui parler et lui cracher sa rage et sa haine. Pour la première fois en près de vingt ans, elle commence à être capable de raconter comment elle a vécu le viol, dans le menu détail, en s'exorcisant à travers des catharsis terribles, faites de cris et de sanglots.

Elle vend la maison et emménage dans son nouveau condominium.

Elle y apprend encore doucement la vie. Elle n'est pas guérie. Elle a encore des épisodes de diarrhée.

Pendant quelque temps, celle-ci a été totalement sous contrôle grâce à un nouveau médicament fort efficace. Mais un jour le médicament est retiré du marché. Je suis obligé d'annoncer la mauvaise nouvelle dans mon bureau. Marie-Madeleine est furieuse contre moi. Furieuse contre le laboratoire pharmaceutique. Que dis-je, en rage ! Elle part, comme matraquée par la mauvaise nouvelle. Marie-Madeleine m'appelle du bord de l'autoroute, où le mal de ventre l'a clouée. Au téléphone, je lui fais sortir sa rage sur le mirage aux alouettes qu'a été pour elle le nouveau médicament. Elle passe de la rage déclenchée par le laboratoire, qu'elle accuse de maltraiter son corps, à celle contre son père, qui l'a violée. Elle se calme. La douleur s'estompe. Elle rentre chez elle.

Et elle continue de cheminer.

L'histoire de Marie-Madeleine est unique. Cette femme a été involontairement l'un de mes plus grands maîtres. Elle m'a beaucoup appris de par sa confiance, son ouverture, sa ténacité à progresser, son goût de vivre. Elle s'était raccrochée, petite, à sa grand-mère et au chant, qu'elle avait toujours pratiqué dans une chorale locale. Là, elle pouvait s'exprimer, dans le silence des mots. Lentement, elle avait appris à dire, à nommer les choses, et elle continue d'apprendre.

Mais l'histoire d'abus sexuel perpétré sur Marie-Madeleine n'est pas, elle, unique.

Une épidémie d'abus sexuels ?

Plusieurs études nord-américaines et européennes ont montré que 50 % des femmes qui consultent pour des symptômes de colopathie fonctionnelle ont subi, durant leur enfance, des abus sexuels. Cinquante pour cent ! Elles se plaignent de maux de ventre, de constipation, de diarrhée, mais elles ne disent pas les mots nécessaires pour exprimer leurs souffrances d'enfant abusée. La loi du silence a longtemps joué. Dans 90 % des cas, le médecin traitant n'est pas au courant ! Dans les deux tiers des cas, les abus sont survenus avant que la patiente ait atteint ses quatorze ans ! Et lorsque l'abus est reconnu, on préfère se voiler la face : « Elle a couru après ! », ou : « Ce n'est pas un abus, cela faisait partie des jeux de séduction, d'une activité sexuelle normale », ou : « Toutes les femmes ont besoin – pire : aiment ça – de se faire violer », ou encore, comme je l'ai entendu en France, lors d'un grand congrès médical : « Il est normal de trouver une petite fille désirable ! »… Comme le restant de la population, la profession médicale a longtemps fermé les yeux et s'est bouché les oreilles.

Pourtant, dès 1985, je présentais dans un célèbre service parisien de gastro-entérologie quelques données factuelles sur les temps de transit colique et sur l'activité électrique colique de Marie-Madeleine, avant et après la mort de son père. Les données, scientifiques, étaient irréfutables, et ma propre crédibilité scientifique ne pouvait me faire soupçonner de mensonge. Mais il ne s'agissait que d'une anecdote, d'une histoire unique, peut-être le fruit du « hasard ». D'où, cette fois-là, le commentaire « scientifique » du chef de service : « Il fait trop froid en hiver au Québec, vous n'avez rien d'autre à faire ! »…

Dix ans se passent. Me voici dans un autre service de gastro-entérologie, cette fois dans le sud de la France. Je raconte la même histoire, avec dix ans de suivi en plus. Et ce n'est plus une anecdote, mais une métaphore, comme le sont les contes de fée qui envoient plusieurs messages, à différents niveaux. Les métaphores sont abondamment utilisées en hypnose ericksonienne, qu'on a, à cause de cela, baptisée « hypnose sans hypnose ». Quand il m'est demandé de faire une conférence, ou d'animer un atelier sur la somatisation et la désomatisation en relation avec un passé d'abus, je commence presque toujours ma présentation par l'histoire de Marie-Madeleine, si représentative des misères infligées à une enfant, à long terme, à l'occasion du viol de l'amour que représente un abus sexuel. Puis je me tais, le temps de laisser décanter le choc émotif que l'histoire représente pour l'auditoire. Je sais que, tout de suite, dans le silence, se lève l'angoisse. Tous les moyens sont bons pour fuir cette angoisse et, si l'auditoire est composée de scientifiques, la façon la plus économique consiste à décréter qu'une « anecdote » n'a de valeur que pour « ce cas-là » et qu'elle n'a aucune valeur scientifique, applicable à d'autres malades. Donc, passé le temps nécessaire pour que ce mauvais raisonnement puisse s'installer, je continue : « Vous allez me dire que cette histoire n'est qu'une anecdote, et qu'une anecdote n'a aucune valeur scientifique, en quoi vous avez absolument raison. Mais en l'occurrence, l'histoire de cette malade est plus qu'une anecdote, c'est une métaphore. En effet, plusieurs études portant sur des centaines de malades ont montré à quel point une telle histoire était fréquente ! » Et de citer l'étude pionnière en provenance de Caroline du Nord, la nôtre, celle de la Mayo Clinic au Minnesota, celle de Californie.

Réponse un peu gênée et goguenarde de cet autre mandarin : « Que les Nord-Américains sont pervers ! » Quatre années plus tard, une étude française montrait que le problème était présent des deux côtés de l'Atlantique…

J'attends avec impatience l'étude qui sera faite un jour en Autriche. En effet, dès l'époque où je me faisais dire qu'il fait trop froid en hiver au Québec, un gastro-entérologue qui était aussi psychanalyste me disait, tout énervé : « Tu sais bien que ce sont des fantasmes ! » Il faisait référence au dogme freudien sur la théorie de la séduction et des fantasmes. On parle aujourd'hui des fausses mémoires, induites par les thérapeutes qui suggèrent à des personnes en souf-france qu'elles ont été abusées tôt dans leur vie et ont occulté l'histoire de l'abus. Oui, oui, cela existe ! Il y a des fausses mémoires, créées de toute pièce pour faire plaisir au fantasme du thérapeute et le confirmer dans sa croyance. Beaucoup d'horreurs judiciaires ont été perpétrées au nom de ces fausses mémoires. Mais, inversement, il y a des victimes d'abus sexuels qui ont complètement dissocié au moment de l'abus et en ont occulté le souvenir de leur mémoire.

Ce qui me frappe chez les personnes qui souffrent de douleurs abdominales chroniques, ou de constipa-tion, ou de diarrhée chronique, et chez qui aucune pathologie organique opérable ou susceptible de trai-tement médicamenteux n'a été repérée, c'est que la mémoire de l'abus est vive et présente d'emblée. Ce que la malade n'a pas réalisé, c'est le lien qui existe entre la mémoire de l'abus et la plainte corporelle. De se faire poser la question crée automatiquement une ouverture de l'inconscient et entraîne souvent des torrents de larmes. Beaucoup plus rares sont les sujets qui ne parlent de l'abus que longtemps après en avoir nié l'existence, longtemps après s'être fait poser la question.

Nous avons donc tenté de court-circuiter la parole de la malade, ou du malade, et de voir ce que son corps peut nous dire d'un abus possible. Une première trouvaille est que l'anisme, dont j'ai parlé à plusieurs reprises, se retrouve plus souvent chez les sujets abusés. Sa découverte ne veut surtout pas dire que la malade a été abusée ! Mais si on demande à une femme, qui se plaint de symptômes abdominaux, durant le toucher rectal, de pousser comme pour aller à la selle, et que le clinicien, durant cet effort, perçoit une contraction du sphincter anal, il sait automatique-ment que cette malade-là, en face de lui, a dix fois plus de probabilités d'avoir été abusée qu'une malade qui relaxerait son périnée pendant son effort de défécation. Et si on examine des femmes dont on connaît l'histoire d'un abus perpétré sur elles, quasiment toutes ont de l'anisme.

« Docteur Devroede, me dit un interne au téléphone, nous avons été demandés en consultation pour voir une dame chez qui un diagnostic d'appendicite a été posé. Je vous dis tout de suite que je ne pense pas qu'elle ait une appendicite. L'échographie (examen par ultrasons) de l'appendice est normal. Elle n'a pas de fièvre. Le nombre des globules blancs n'est pas élevé. Au toucher rectal, elle n'a pas de douleur dans la région de l'appendice.

» En plus, elle vient d'être opérée, il y a à peine un mois. Elle avait menacé votre collègue de se suicider s'il ne l'opérait pas pour trouver la cause de ses douleurs intenses et chroniques. Il avait hésité, puis obtempéré. La laparotomie exploratrice n'avait rien démontré d'anormal.

» Pendant que je lui faisais le toucher rectal, je lui ai demandé de pousser. Il était évident qu'elle serrait l'anus au lieu de le relaxer. Je lui ai donc demandé si elle avait été abusée sexuellement quand elle était petite.

» Et, de fait. Elle avait été abusée à répétition depuis l'âge de deux ans jusqu'à l'âge de treize ans. Elle ne l'avait jamais dit à personne... »

Les abus symboliques

Pourquoi une victime d'abus sexuel devient-elle laparotomophile, cette expression désignant les malades qui « adorent » se faire opérer ? Je n'ai aucune explication scientifique pour expliquer ce phénomène. Tout ce que je sais, c'est qu'il est courant, en particulier chez les femmes qui ont été abusées sexuellement. On le rencontre aussi chez les femmes qui souffrent de colopathie fonctionnelle. Celles-ci ont souvent, comme on l'a vu, été abusées dans le passé.

Un jour, il faudra apprendre à mieux cerner les éléments propices à une intervention chirurgicale inutile. On sait également que les femmes « hystériques » ont subi plus d'opérations chirurgicales que celles qui ne le sont pas. En revanche, on ignore si les hommes « hystériques » – car il y en a – sont souvent opérés. Mais nous savons que les abus sont aussi perpétrés sur des garçons, même si, dans l'ensemble de la population, le drame est moins fréquent. Nous commençons à disposer de données statistiques qui nous permettent d'appréhender la gravité de l'association entre « l'acte » sexuel imposé et « l'acte » chirurgical, souvent imposé, et souvent demandé. Une femme violée par son père, avec pénétration vaginale complète, aura, en moyenne, huit interventions chirurgicales, dont les trois quarts, en rétrospect, après évaluation du protocole opératoire et du protocole anatomo-pathologique, se révéleront parfaitement inutiles ! Dès lors, il n'est pas surprenant de voir les statistiques étayer cette donnée sur de grands groupes de sujets, qui prouvent que d'être abusée expose une femme à une surmédicalisation et à un excès de chirurgie par rapport au groupe contrôle.

Vous allez me dire : « Qu'est-ce que c'est que ces chirurgiens qui opèrent pour un oui ou pour un non ? » C'est ne pas connaître le côté théâtral et impressionnant de certains malades qui se présentent aux urgences avec un tableau de douleurs abdominales suraiguës, ou viennent consulter en clinique externe avec un tableau chronique après avoir épuisé d'innombrables ressources médicales, et très en colère à cause de « l'incompétence médicale ». « Personne ne m'écoute ! » ; « On me dit que c'est dans ma tête ! » ; « Les médecins me disent que je n'ai rien ! » ; « Sitôt entrée dans le bureau, sitôt sortie, et on passe à la caisse ! » ; « Tous les médecins que j'ai vus sont des incompétents, mais on m'a dit que vous étiez le meilleur ! »... Entre le chantage à la gloire et celui aux poursuites médicolégales, les occasions de « chuter » au bloc opératoire, en faisant tout simplement un passage à l'acte, ne manquent pas.

C'est cette infirmière qui vient se plaindre de fatigue extrême. Elle a cinquante-cinq ans, elle est hystérectomisée, elle est anémique par perte de sang, elle a du sang dans les selles... Non, elle n'a pas de cancer du tube digestif... Elle se pique, aspire le sang dans des seringues, et le boit...

Ce sont ces deux autres femmes qui arrivent à la salle des urgences en choc septique. Leur pression artérielle s'est écrasée, des bactéries circulent dans leur sang. L'une d'elle est opérée. Elle a un ventre dur comme du bois, un ventre dit « chirurgical ». Un scanner suggère la présence d'un abcès dans le bas du ventre. Rien d'anormal n'est trouvé. Après enquête, il s'avère que les deux femmes s'injectent des matières fécales dans les veines des pieds...

Parfois, le cercle vicieux peut être brisé :

« Nous avons reçu en transfert une dame en occlusion intestinale, mais le tableau n'est pas typique. J'ai demandé une entéroclyse [il s'agit d'un examen qui permet de vérifier si le passage forcé du baryum à travers un tube placé dans l'intestin grêle met un obstacle en évidence]. »

La malade me parle, peu, de sa vie. Son mari la dénigre beaucoup, verbalement. Elle a quitté, auparavant, un autre mari, qui la battait. Je ne pose pas de questions. Nous sommes en situation de crise. Je veux d'abord savoir s'il faut l'opérer, ou si l'occlusion va se lever.

Mon assistant me rappelle le lendemain. Il bafouille d'énervement :

« Elle a menti ! Elle a tout inventé ! L'entéroclyse est normale. Le baryum passe au côlon sans problème. Elle a menti aussi dans l'autre hôpital, celui où, coup sur coup, on lui a enlevé l'estomac et un morceau de son côlon sigmoïde. Elle a menti sur toute la ligne ! Elle n'a pas mal ! Elle m'a dit qu'elle préférait se faire opérer que de divorcer, que sa vie est intenable à la maison ! »

Je vais voir la malade. Elle m'explique :

« Je ne vous ai pas tout dit hier… Quand j'avais six ans, ma mère me forçait à lui lécher la vulve jusqu'à l'orgasme… Puis elle m'a donnée à son frère… Puis elle m'a donnée à son chum… Je me suis enfuie avec le premier venu, celui qui me battait… »

Nous la transférons en psychiatrie avec un diagnostic de syndrome de Münchhausen, encore appelé syndrome de désordres factices, ou patho-mimie. Parfois, les malades de ce genre n'aboutissent pas au bloc opératoire : on parle alors de *pseudologia fantastica*. Ils ne sont pas de grands névrosés. Ils ont une structure de personnalité psychotique et leur pathologie consiste à sacrifier – sur l'autel médical – une partie de leur corps pour tenter de maintenir le reste à flot.

– J'adore mon chirurgien ! J'irais bien me faire opérer par lui pour le voir !

– Allez coucher avec lui, cela vous fera moins mal !

Les mots m'ont échappé… Cet autre passage à l'acte ne vaut pas mieux, même s'il est, lui, moins irré-versible qu'une intervention chirurgicale inutile. La patiente n'a pas quarante ans. Jolie. Blonde. Agitée. La parole qui m'a échappé me dit qu'il y a là la folie d'un désir pervers entre eux. Je verbalise. Je lui dis à haute voix ce qui m'a fait lui parler de sexe alors qu'elle me parle du bistouri de son chirurgien qu'elle aime…

Je suis à l'hôpital Bichat, à Paris. On m'a demandé un avis ponctuel. Cette femme se plaint de maux de ventre sévères. Tellement, qu'elle a été opérée pour voir ce qui s'y passe. Pas une fois, mais trente-cinq fois ! Vous vous rendez compte ? Trente-cinq fois ! Et par le même chirurgien ! Celui-là n'est-il pas encore plus fou qu'elle ? Au moins, elle, elle essaie de guérir... On veut savoir si je pense qu'il faut explorer à nouveau ce ventre qui ressemble à un champ de bataille. J'ai bien le temps. Elle est la seule malade que je verrai ce jour-là. Je reste quatre heures avec elle, en passant constamment du physique au psychique, de son histoire de cas à son histoire de vie.

Lorsqu'elle me dit qu'elle « adore » tellement son chirurgien qu'elle irait jusqu'à se faire opérer par lui pour se faire opérer, elle me fait penser à une autre malade, québécoise, elle. Elle était la maîtresse d'un chirurgien. Celui-ci lui a enlevé tout le côlon parce qu'elle était constipée. Plus tard, il lui a enlevé l'utérus parce qu'elle se plaignait d'avoir des règles trop abondantes. J'avais eu pour elle une immense bouffée de tendresse et de compassion, en apprenant cette histoire.

La personnalité type du chirurgien est généralement décrite, de façon caricaturale, comme étant « active », « forte en gueule », « macho », « travaillante ». Il est vrai que ce sont les étudiants en médecine les moins déprimés qui choisissent la chirurgie comme carrière, alors que ceux qui sont à l'extrême opposé choisissent, eux, la psychiatrie. La possibilité d'« agir » permet, au moins en partie, aux chirurgiens de se défouler dans l'action. Un dicton chirurgical américain nous dit d'opérer au moindre doute. Il s'agit aussi d'une occasion extraordinaire de pouvoir passer à l'acte. Au fil des ans, en ce qui me concerne, je suis progressivement passé d'une attitude où ce qui m'intéressait, c'était d'opérer le plus possible – et le plus était le mieux – à une attitude beaucoup plus nuancée, où je n'opère que lorsqu'il n'y a pas d'alternative raisonnable, et qu'opérer n'est pas pour calmer l'angoisse de l'impuissance devant la souffrance. Opérer, muni d'une alliance thérapeutique, devient alors un paisible geste thérapeutique.

Le chirurgien de la malade dont on vient d'entendre l'histoire était encore plus malade qu'elle et leur relation était clairement sado-masochiste. Mais j'ai dit plus haut que la structure de personnalité de la malade était clairement moins psychotique que celle de la malade qui inventait ses plaintes. Il y a une grande confusion, autant chez les médecins que chez les malades, entre « maladies imaginaires », inventées, inexistantes au plan corporel, et « somatisation », où le corps souffre faute de pouvoir parler.

Toute pénétration du corps de l'autre peut se transformer en abus symbolique. Ainsi cette femme : « Quand le médecin a fait ma proctoscopie [cet examen implique l'introduction d'un tube rigide dans le rectum, par l'anus], il a été tellement violent et peu à mon écoute, que j'ai dissocié. Je suis sortie de mon corps. Je voyais la scène du plafond. Il était évident qu'il prenait plaisir à me sodomiser… » Je connaissais, à l'époque, ce médecin. Je savais qu'il était très malheureux en ménage. J'ignorais tout de sa vie sexuelle, mais je pouvais la deviner à travers les dire de la malade.

Le corps est sacré, et d'autant plus à respecter que la personne a peu accès à la parole. Souvent, nous obtenons la confidence d'un abus sexuel en nous abstenant de faire une proctoscopie, une colonoscopie, une manométrie anorectale, tous examens qui impliquent une pénétration anale. Parfois, j'en fais un psychodrame – que j'ai baptisé « proctodrame » –, surtout avec les enfants. L'enfant s'est fait expliquer la nature de l'examen. Il arrive, les mains sur le derrière, manifestement non désireux de subir l'examen. Il est mis en position sur la table d'examen, à genoux, les fesses à l'air. Mais au lieu de faire l'examen, je m'approche de son visage et lui demande gentiment s'il a peur. De la peur, je passe à l'alliance thérapeutique. Bien sûr, il n'a pas du tout envie de subir l'examen. Et j'acquiesce à son désir à lui. Parfois, je dois m'imposer en « chef », face à un parent qui, lui, veut que l'examen soit pratiqué sur l'enfant – au grand plaisir de celui-ci, ravi de s'être trouvé un allié chez le médecin. Souvent, ce simple jeu de rôle règle un problème de constipation opiniâtre quand il est purement fonctionnel, de l'ordre de la somatisation. Il ne règle évidemment pas le problème de famille sous-jacent, mais, dans certains cas, ne pas envahir le corps de l'autre est plus utile, au niveau médical, que de faire l'examen.

Fatemah, ou comment un médecin peut servir de laxatif

Elle est née en Orient. Après son mariage, elle émigre au Québec. Un de ses parents, interne dans un service de spécialité chirurgicale, me demande de la voir en consultation pour un problème de constipation. Je la reçois. Je ne conclus pas à un problème chirurgical, ni même organique. Mais, comme toujours, je fais un bilan extrêmement complet pour clore la boucle médicale et m'assurer que je ne rate pas un diagnostic de maladie organique. Fatemah revient, son bilan achevé. Elle a fait tous les examens que j'ai demandés, sauf… la proctoscopie, le lavement baryté et la manométrie anorectale.

« Je vous dirai pourquoi, quand nous serons seuls. »

L'étudiant sort.

« Quand j'avais huit ans, au Caire, mon grand-père m'a sodomisée. »

Puis, Fatemah me parle de son enfance et de sa vie amoureuse insatisfaisante.

Les semaines se passent.

Un jour, elle me dit : « Tes patientes doivent tomber amoureuses de toi, mais moi, je ne le ferai pas ! »

Quelque temps plus tard, je reçois chez moi une lettre cachetée de rouge, « personnelle ». Une vraie lettre de constipée. Les côtés et le rabat de l'enveloppe sont couverts de papier collant. Il faut couper aux ciseaux une entaille pour l'ouvrir. Une grande déclaration d'amour est enfermée dans cette enveloppe plastifiée comme un emballage-cadeau.

Quand Fatemah vient à son rendez-vous, elle est toute souriante. Ferme la porte. Se dirige vers moi, les yeux mi-clos. Il est évident pour elle que si elle est « tombée » amoureuse de moi, je le suis aussi… Le trajectoire de sa bouche est en ligne droite sur la mienne. Elle avance. Au dernier instant, je tourne la tête vers la gauche et je reçois donc un « beau bec » sur la joue. Fureur de Fatemah, qui part en claquant la porte.

Un jour, son cousin me demande un autre rendez-vous pour elle. Quand Fatemah entre dans mon bureau, elle est dans un autre registre. « Il faut que tu m'expliques ce qui se passe. Quand je t'ai posté ma lettre, j'ai déconstipé instantanément ! Quand je t'ai quitté, j'ai reconstipé ! Dès que j'ai eu le rendez-vous, j'ai déconstipé à nouveau ! Qu'est-ce qui se passe ? »

Nous voilà au-delà du transfert. Je lui dis en riant que ce n'est pas la première fois que je suis utilisé comme laxatif. Je la félicite de sa prise de conscience, de ses observations, de sa finesse. Je la remercie de sa confiance et d'être revenue me voir malgré le sentiment qui l'habite que je l'ai rejetée.

Elle entreprend un travail d'introspection sans plus jamais être constipée. Le long de son parcours, elle quitte son mari et déménage en Californie, maintenant dès lors le silence à mon égard.

Un an plus tard, je reçois une carte de là-bas. Fatemah est devenue agent de bord d'une compagnie aérienne basée dans ce beau coin d'Amérique. Elle me dit qu'elle est heureuse, qu'elle n'a plus de problème d'intestins, que j'avais raison.

Je n'ai pas eu d'autre nouvelle d'elle.

La peur du couteau, la peur du phallus, la peur de ce qui coupe sont relativement facile à comprendre, pourvu qu'on ait quelque peu des notions élémentaires de psychanalyse, et qu'on comprenne l'importance des symboles et de la communication non verbale dans le choix de nos croyances, nos idées, nos actions. Bien entendu, il ne suffit pas de « savoir » pour échapper au piège, et la compulsion à répéter toujours les mêmes erreurs est là pour nous rappeler sans cesse que ce qui compte, ce n'est pas de comprendre, mais de changer. Mais est-il possible d'imaginer d'autres formes, plus subtiles, d'abus symboliques ? Les relations humaines sont souvent teintées d'abus de pouvoir, et les relations entre les malades et les médecins ne font pas exception. Qu'on entende parler d'un « beau » cas, d'où le médecin retire un plaisir égoïste à résoudre un défi intellectuel ou technique, ou, pire encore, que le soignant parle de « mon » malade, où le corps de l'autre est chosifié et « capitalisé », et il est clair qu'il y a abus, si subtil soit-il. Mais, toute invasion du corps de l'autre, si cette invasion n'est pas faite de façon bienveillante, sans projection, neutre, peut être source de plaisir pour le médecin, même s'il n'en est pas conscient.

Sandrine m'est amenée par ses parents. Elle est constipée et incontinente. Sa maman se pose des questions sur sa possible contribution au problème. Son papa ne s'en pose pas. Il frappe sa fille quand elle salit ses culottes. Rien dans l'histoire ni à l'examen ne me fait penser à un problème de nature médicale ou chirurgicale. La maman de Sandrine n'est pas obsessionnelle comme celle qui m'a susurré un jour, d'une voix aigrelette et désagréable, à propos du problème de sa fille, identique à celui de Sandrine : « Quel dommage, docteur, qu'on ne puisse lui poser une petite porte que je puisse ouvrir et fermer à volonté ! »... Ma première prescription avait été de lui interdire, devant sa fille, qui m'en avait fait un sourire jusque dans les oreilles, de même seulement regarder le petit derrière de son enfant. Bien entendu, celui-ci étant protégé de tout envahissement anal maternel, la petite avait guéri. Je dis à Sandrine, me mettant à l'opposé de son père, que, moi, jamais je ne la forcerais à faire quoi que ce soit, et qu'elle a le droit de me dire non. Et je ne lui ferai jamais d'endoscopie.

D'autres façons d'envahir le corps de l'autre sont, de façon plus subtile, aussi de l'ordre de l'abus. L'utilisation de suppositoires, autant par prescription médicale qu'en médecine populaire autoproclamée à la maison, est beaucoup plus répandu en Europe qu'il ne l'est en Amérique du Nord, où, à toutes fins pratiques, seuls les suppositoires à la glycérine sont régulièrement utilisés pour traiter la constipation. L'Amérique du Nord n'utilise que les voies orales, sous-cutanées, intramusculaires, intraveineuses et les inhalations. Certains sujets, en atelier, vont parfois verbaliser un sentiment de trouble profond, à propos de ce qu'ils ont vécu, enfants, quand l'un ou l'autre de leurs parents leur mettait un suppositoire. Je crois pouvoir dire avec certitude que ce trouble persistant avec l'âge, il est un indice du plaisir pervers vécu par le parent qui fait cela à l'enfant « pour son bien ».

Marie-Madeleine, Fatemah, Geneviève et les autres, ont toutes gardé dans leur corps la signature de ce qu'elles avaient subi durant leur enfance. Nous ignorons encore aujourd'hui pourquoi les symptômes digestifs prennent une part si prééminente parmi toute la panoplie de symptômes, de signes, et de pathologie que l'instrument qu'est le corps souffrant peut jouer. Il y a longtemps que j'ai émis, dans une revue de gastro-entérologie, l'hypothèse qu'aux phases orale, puis anale, puis génitale du développement de l'appareil psychique, telles que conçues par Freud, devaient correspondre des traces corporelles, digestives, correspondantes. Si mon hypothèse est exacte, les malades qui souffrent de dysphagie et avalent avec difficultés, ou de reflux gastro-œsophagien et se plaignent de brûlements à l'œsophage et l'estomac, ou encore d'obésité, de boulimie, ou, à l'inverse, d'anorexie, devraient être moins évolués sur le plan de la conscience, ou avoir été traumatisés plus tôt dans leur petite enfance, que d'autres qui se présenteraient « seulement » pour un problème de constipation, de colopathie fonctionnelle ou de dyschézie, leur périnée étant spastique. Mais je serais simpliste d'adopter une pensée chronologique linéaire. Du derrière au devant, l'humain passe de l'analité à la sexualité *via* la génitalité, et là encore, dans une histoire de vie, les occasions abondent de subir des traumatismes. Vient tout de suite à l'esprit la métaphore de Freud de l'armée qui avance en territoire ennemi, est obligée de couvrir ses arrières à cause des partisans invaincus et n'arrive jamais à atteindre son but, faute de combattants. Mais la métaphore est trop guerrière pour être tout à fait appropriée. En dehors du système digestif, tous les appareils sont touchés. Beaucoup de femmes abusées se présentent d'abord chez le gynécologue pour des douleurs à la pénétration lors des relations sexuelles, ou des douleurs abdominales pendant ou après le coït. Ou alors, elles vont le voir parce qu'elles saignent trop, ou trop longtemps, ou en ayant trop mal. Pratiquement toutes sont hystérectomisées dès l'âge de trente ans, et l'utérus, examiné au laboratoire par le pathologiste, est toujours normal. Souvent, les douleurs intenses dont elles se plaignent, les amènent à demander « d'aller voir » ce qui se passe là-dedans, les conduisent à subir une laparoscopie, ou même une laparotomie, qui ne montrera pas les adhérences, ou l'endométriose (où les tissus des menstruations essaiment dans le ventre sans qu'on sache pourquoi) escomptées.

Parfois les symptômes digestifs alternent avec des troubles du rythme cardiaque. Comme ma formation m'amène à voir surtout des sujets qui souffrent de leurs intestins, je suis sûr que ma vision est biaisée, à propos du kaleïdoscope corporel présenté par les sujets abusés. Un de mes collègues, cardiologue, chercheur et aussi curieux de la vie que je pense que je le suis, a commencé à m'envoyer des malades régulièrement suivis en cardiologie. La raison de ces consultations est son observation que les malades qu'il m'envoie oscillent entre le cœur et le côlon, le cœur et les tripes. Quand le cœur va bien, la colopathie fonctionnelle fait des siennes. Quand le côlon se tait, c'est le cœur qui clame. Souvent, il s'agit de troubles du rythme cardiaque. Parfois, la problématique est gravissime. La première malade qu'il m'a envoyée avait une angine de Prinzmetal, pathologie des artères coronaires du cœur aussi grave que la maladie artérioscléreuse qui cause tant de crises cardiaques et de décès. Mais en l'occurrence, chez elle, ce ne sont pas des plaques d'artériosclérose qui causent l'obstruction. Ses artères sont tout à fait normales. Elles ont tendance à faire des spasmes, tout aussi dangereux. Spasmes de même nature que ceux du côlon des sujets qui souffrent de colopathie fonctionnelle. La malade est donc dotée d'une angine de Prinzmental, d'une colopathie fonctionnelle spastique, et d'un amant possessif et « emmerdeur ». Ce dernier point est ma « trouvaille ». Son amant lui « serre » la gorge. Il l'oppresse. Elle est oppressée dans son cœur et dans son côlon. Elle n'en peut plus. Elle rompt. Elle guérit. Du cœur et du côlon. Sans que ni le cardiologue ni moi ne sachions pourquoi, ni la physiopathologie

commune aux artères coronaires et aux fibres musculaires lisses de son côlon. Et cette autre malade, brillante et puissante de vie, qui a des troubles du rythme
cardiaque sévères. Elle pleure, à sa première visite, à
sa grande surprise, sur la mort de sa mère, pourtant
morte depuis près de vingt ans. Surgit alors sa terreur
de bientôt mourir, comme elle, à l'âge où elle, elle est
morte. Je suis sûr qu'elle ne mourra pas, et que passée
cette date anniversaire, elle deviendra ce qu'elle a
elle-même baptisé une « vieille dame indigne et
élégante ».

Abus sexuels, sensations et sensualité

Le rapport à la peau est étonnant et fait beaucoup
réfléchir quand on écoute attentivement le récit des
sujets abusés.

Marie-Madeleine aurait été brûlée vive par l'inqui-
sition, au Moyen Âge, comme sorcière. En effet, elle
ne souffrait pas quand elle touchait ce qui aurait brûlé
une femme normale.

Marie-Madeleine est au téléphone. Je n'en ai pas eu
de nouvelles depuis deux ans. Elle m'avait quitté,
« guérie », et je ne lui avais pas proposé de
rendez-vous.

– Pouvez-vous m'attendre ? J'ai besoin de vous
voir d'urgence.

– J'attendrai jusqu'à 18h30, pas plus tard.

Elle arrive à 18h15.

Elle entre dans mon bureau, toute énervée. Le front
tout plissé d'angoisse, elle se pince le haut du bras
gauche.

– Ça me fait mal quand je me pince !

– Moi aussi.

– Mais auparavant, je ne ressentais rien ! Je prenais
des chaudrons brûlants sans que cela me fasse mal !
Mes mains n'étaient même pas rouges. Mon mari était

incapable de les toucher, ou même, les laissait tomber !

Elle me raconte que son ancien amant lui a offert d'aller voir le festival des tulipes à Ottawa, tulipes plantées par l'entremise de la reine des Pays-Bas, en reconnaissance de l'hébergement qu'elle y a reçu durant la dernière guerre mondiale. À Ottawa, Marie-Madeleine a été incapable de refuser les avances de son ancien amant, et s'est laissée faire l'amour. Tout de suite après, elle l'a chassé. À sa grande stupéfaction, elle a retrouvé à la suite des sensations corporelles qu'elle ignorait. Elle sent son corps partout, maintenant, sauf les mains, les pieds, les seins et le périnée, qui restent, dans ses termes, « gelés ».

Je suis bouleversé de réaliser à quel point elle a été dissociée jusque-là entre sa tête et son corps. Elle sera la première à me le faire remarquer. Mais je découvrirai très vite que la plupart des femmes abusées sont endormies au niveau de leur peau. J'avais déjà démontré dans une étude scientifique, lors d'études de motilité anorectale, que non seulement elles ont des anomalies assez caractéristiques, comme l'anisme, qui les distinguent des sujets contrôles au niveau de la motricité, mais que leur rectum est relativement insensible. Leur tolérance entre sensation et douleur est fortement réduite. Elles sont « gelées ». À peine ont-elles une sensation rectale qu'elles y ont mal. Bien entendu, cela a un impact sur leur symptomatologie digestive.

« Tu en as de la chance ! Si tu avais vécu au Moyen Âge, un inquisiteur t'aurait piquée avec une aiguille et t'aurait brûlée vive comme sorcière, parce que cela ne t'aurait pas fait souffrir. »

Je lui fais la leçon d'histoire. Je lui raconte *La Sorcière* de Michelet. Je lui parle de la somatisation. Et de la dissociation vécue par tant de sujets abusés.

« Mais comment fais-tu pour te laver ? » Marie-Madeleine et moi, nous nous connaissons maintenant depuis vingt ans. Il y a longtemps qu'elle a insisté pour que je la tutoie alors qu'elle continue à me vouvoyer, comme le faisaient jadis les enfants avec leurs parents au Québec.

« Moi ? Je ne prends jamais de bain ! Seulement des douches. Et pas plus de quinze secondes. Ça presse. Puis, surtout, je ne me regarde jamais dans le miroir. C'est interdit. »

Ce jour-là, je me contente de prescrire à Marie-Madeleine un bain chaud quotidien d'une heure. Plutôt qu'un anxiolytique.

Quelque temps se passe.

Elle revient, un peu gênée de ressentir une sensation bizarre du côté du pubis. Je devine tout de suite.

– Tu ne t'es jamais masturbée ?
– Jamais ! C'est absolument interdit.
– Mais tout le monde le fait !
– Vous êtes un menteur !
– T'ai-je déjà menti pour quoi que ce soit ?

Un jour, elle revient, rougissante, gênée. Elle a maintenant cinquante-cinq ans, Marie-Madeleine. Elle se masturbe. Elle vient de découvrir l'orgasme. Elle commence à avoir des sensations intravaginales. Elle se demande si ces sensations sont normales. Elle veut mon avis. Maintenant, elle sent ses mains, ses pieds, ses seins, son périnée.

Marie-Madeleine commence à nouveau à avoir envie de rencontrer un homme. Elle en fait un portrait-robot. Comme une construction mentale. Elle va bien. N'a plus de symptômes. Elle cesse de venir me voir pendant plusieurs mois.

Elle reprend rendez-vous. Elle a fait l'amour. Elle est bouleversée. Son amant lui a fait un cunnilingus. C'est la première fois de sa vie. Elle a eu beaucoup de plaisir. Elle a trouvé cela très doux. Elle n'a pas eu mal à la pénétration. Pour la première fois de sa vie. Elle a eu des sensations inconnues. Qui l'inquiètent. Elle se croit anormale. Je la rassure. Elle est amoureuse. Elle qui avait peur qu'à cause de ce plaisir son mari veuille encore plus de sexe, elle a du plaisir. Elle aime faire l'amour.

Elle revient une semaine plus tard, en débâcle diarrhéique. Elle a eu une envie irrésistible d'aller retrouver son amant. Elle a suivi son désir. Elle l'a trouvé au lit, en train de faire l'amour avec une femme beaucoup plus âgée que lui. Il lui a demandé pardon. Elle souffre des peines d'adolescente. Elle se sent rejetée, comme elle s'est sentie rejetée de son père. Je tente d'en profiter. Je lui dis que puisque « l'autre » est beaucoup plus âgée que son amant, c'est un peu comme si elle avait trouvé son père au lit avec sa mère, plutôt que de se retrouver sodomisée par lui dans son lit à elle. Je lui fais voir qu'un verre peut être à moitié vide, mais qu'on peut aussi le voir à moitié plein. Je compatis à sa souffrance. Elle réalise fort bien les liens avec son enfance. Je tente de l'aider à trouver un processus de guérison des abus de son enfance à travers la peine du présent. Nous discutons de toutes les débâcles diarrhéiques que je lui ai connues et que je récapitule avec elle. Elle exprime énormément d'émotions. Elle part apaisée.

Marie-Madeleine n'est pas la seule femme que j'ai vue à avoir été « gelée » par le viol de son père, mais c'est celle qui m'a ouvert les yeux à ce sujet. Depuis ce jour-là, je pose systématiquement la question de la sensibilité cutanée. Bien entendu, qui dit peau endormie, dit misère sexuelle et misère de couples. La revictimisation des victimes d'abus sexuels dans leur jeune âge est quelque chose de bien établi maintenant. Viols répétés, brutalité physique, relations sexuelles non protégées avec toutes leurs conséquences médicales, y compris le sida, prostitution, sodomies forcées, grossesses tôt dans la vie, le lot de misères de vie des enfants dont l'amour a été violé, est effarant. Les âmes superficielles, malheureusement, fixent trop souvent leur attention sur le comportement sexuel « choquant » de ces jeunes, plutôt que sur la raison de ce comportement, qui est une tentative désespérée de se guérir.

Elle entre dans mon bureau, en status asthmatique aigu depuis deux semaines. Bourrée de médicaments, suivie tous les jours à l'urgence par son pneumologue, elle n'arrive pas à surmonter la crise.

Je la connais depuis un an. Elle n'a pas beaucoup d'*insight*, terme que les Nord-Américains, même francophones, utilisent pour parler de la conscience de soi, c'est-à-dire la capacité à se regarder faire, à se voir aller dans la vie, caractéristique d'un individu adulte et mature, plutôt qu'infantile qui vit ses instincts et ses projections sans regard second ni analyse *a posteriori*. Elle est divorcée. Son ex-mari a forcé leurs deux filles à avoir des relations sexuelles avec lui. Celles-ci ont mal réagi. Et fort. Dans ses mots à elle, elle m'a dit : « Y en a une qui aime ça, et y en a une qui en veut plus. »

Je la fais parler au milieu de ses râles. La colère monte à toute allure. Celle « qui aime ça » a récidivé. « Elle a encore une fois baisé avec n'importe qui. Un autre drogué violent. » Elle enrage sur sa fille qui ne veut pas devenir asexuée comme sa sœur, et qui tente – en vain – de se guérir des abus de son père à travers des rapports purement génitaux dénués de toute forme de respect et d'amour. Elle enrage. Elle hurle dans mon bureau. Elle retrouve son souffle au plus creux de sa rage. Sa respiration se libère. Quand elle achève sa crise, elle a récupéré de son état asthmatique aigu. Elle ajoute que le mal de ventre, que je connaissais, et qui était dû à une colopathie fonctionnelle, a lui aussi disparu.

Abus sexuels, identité et guérison

Ma grande déception, après avoir réalisé la grande fréquence des abus sexuels survenus pendant la jeunesse de nombreuses femmes, et d'hommes aussi, même si c'est à un moindre degré, souffrant de colopathie fonctionnelle, fut que toutes les catharsis, si intenses soient-elles au niveau de la libération paroxystique de leurs émotions, n'avaient aucun impact sur les symptômes d'appel qui avaient conduit à la demande de consultation. Pourtant, je savais depuis longtemps que la libération des émotions, chère aux thérapeutes adeptes du cri primal, ne suffisent pas si, pendant qu'elles se passent, il n'y a aussi une élaboration de type analytique, et un passage à la parole pour pouvoir enfin « nommer » les choses. C'est dire que l'intensité de la souffrance vécue par certaines malades, et revécues en ma présence, éveille ma tendresse, mon empathie, ma compassion, mais ne m'émeut guère, et sauf exception ne me fait pas basculer dans la sympathie, où le contre-transfert du soignant fait obstacle au processus de guérison du soigné.

Je reviendrai plus loin sur les troubles d'identité, identité masculine ou identité féminine, qui sont légion. Mais il me semble, et j'espère un jour pouvoir le prouver, que tous les sujets abusés sont profondément confus au niveau de leur identité. Bien sûr, l'immense majorité des filles se sont dit que si elles avaient été des garçons, elles n'auraient pas été abusées. Mais il me semble que les abuseurs sont tout aussi confus. On pourrait alors parler d'une alliance maudite entre abuseurs et abusés au niveau d'une misère existentielle où la différence entre un homme et une femme a été complètement gommée, l'abuseur ayant un rapport purement génital avec l'abusé, dans une gigantesque projection sur quelqu'un qui n'existe pas en tant que tel. Il utilise alors sa force physique, et les atouts du pouvoir conférés par l'âge, pour pouvoir forcer son passage à l'acte, et obtenir une décharge physiologique, qui lui sert d'emplâtre temporaire à sa propre misère. C'est ainsi que je peux comprendre, et seulement ainsi, que 10 % des enfants abusés deviennent des adultes abuseurs.

Lorsque ce questionnement sur soi, sur son identité, est enfin déclenché chez le sujet abusé, c'est alors que le symptôme – constipation, diarrhée, douleur abdominale – enfin se lève... L'enfant qui n'était pas autre que ses parents, qui en était un clone, une projection, ne pouvait pas, à l'époque des abus, reconnaître l'absence d'amour de ses parents à son égard, faute d'en mourir. Car sans différence, sans altérité, il n'y a pas d'amour de l'autre, il n'y a que l'amour de soi. Projeté sur soi déguisé en autre.

Masculin, féminin, maladie

Nous commençons aujourd'hui à comprendre les liens qui existent entre les troubles d'identité et les troubles digestifs fonctionnels. Un travail australien vient de nous apprendre qu'à symptomatologie digestive fonctionnelle égale, les femmes sont beaucoup plus cohérentes dans leur corps avec leur dire. Si elles se plaignent de constipation, par exemple, le radiologue qui mesure le temps de transit intestinal fera un diagnostic de constipation, avec des valeurs ralenties. Les hommes qui se plaignent de constipation, eux, au contraire, ont un transit digestif normal ! Les mêmes auteurs, dans cette étude, ont démontré que les femmes étaient déprimées et ravalaient leur colère, alors que les hommes étaient... hypochondriaques, chose qui avait toujours été reprochée par la profession médicale... aux femmes ! J'ai aussi démontré que les femmes « normales » avaient un transit digestif un peu plus lent que celui des hommes « normaux », mais que si les sujets volontaires nous disaient que le stress n'affectait en rien leurs intestins, qu'il ne causait ni constipation, ni diarrhée, ni mal de ventre, comme c'est le cas pour 75 % des gens, ce petit groupe de sujets normaux, parfaitement insensibles au stress, a un transit semblable, qu'ils soient de sexe masculin ou féminin, et ce transit est nettement plus rapide que celui des sujets « normaux » « stressés ». On peut alors poser la question de savoir si les gens qui font partie de ce dernier groupe répondent au stress en partie avec leur corps, s'ils somatisent. Les implications de ces différences, en termes de santé et de maladie, par rapport à l'identité masculine ou féminine, sont gigantesques.

Joyce McDougall a écrit que tous les êtres humains, au cours de leur vie, ont un travail de deuil à faire entre leur bisexualité psychique et leur monosexualité corporelle.

Le corps, c'est nous. La psyché, le mental, l'esprit, appelez cela comme vous voulez sauf l'âme, c'est nous aussi. Mais nous déformés, du poids de l'héritage des familles, du poids des attentes des parents, du poids de l'instruction et de l'éducation des parents et de l'école, du poids des consensus du temps de la société. Le corps ne ment jamais. Je l'ai dit. Je le répète. Il a toujours raison, même quand il est en porte à faux par rapport à ce que nous pensons. D'où l'importance essentielle d'interroger le symptôme, la maladie, pour en apprendre quelque chose et changer.

Sylvie entre dans mon bureau, extrêmement angoissée. C'est rarement le cas. Depuis un certain temps, elle est plutôt en eaux calmes.

Elle me pose des questions existentielles sur le sens de sa vie, sur le pourquoi de sa vie, sur le début de sa vie.

Je la regarde avec compassion, mais, sans analyser pourquoi, je me contente de la regarder en silence sans lui dire un mot. Elle me supplie de lui répondre, de lui donner réponse à ses questions. Les réponses qu'elle seule peut trouver. Elle repart aussi angoissée qu'elle est venue. Elle revient huit jours plus tard et

nous passons de nouveau une heure, où elle mono-
logue et je l'écoute en silence.

Quand elle revient, elle déborde d'agitation, va
s'asseoir sur une chaise, tremble comme une feuille,
commence à respirer vite. Je m'approche d'elle. Je lui
touche l'épaule.

« Sylvie, laisse-toi aller… ! »

Elle se met à crier et sangloter. Elle commence à
parler au milieu de ses pleurs et ses sanglots. À ma
grande surprise, elle se met à parler de la souffrance
qu'elle a vécue parce que sa mère voulait un fils et non
une fille.

J'avais déjà publié une étude qui, par un test
psychologique informatisé, avait démontré que les
femmes constipées avaient un profil de personnalité
tellement différent du groupe contrôle arthritique que
l'ordinateur, par analyse statistique discriminante,
pouvait reconnaître, sans rien avoir à sa disposition en
termes de données médicales, quelle femme du
groupe était constipée et quelle femme était arthritique, et ce, correctement, dans 97 % des cas. Entre
autres, les conclusions de l'étude démontraient que le
temps de transit intestinal, mesuré radiologiquement,
était en corrélation très serrée avec le niveau
d'angoisse, comme si la constipation en était une
manifestation, un miroir. Nous avions aussi démontré
que le groupe des constipées était plus hypochon-
driaque et plus hystérique que le groupe des femmes
qui souffraient de rhumatismes. Mais ce qui, à
l'époque avait attiré mon attention et m'avait beaucoup posé question, c'est que les femmes constipées
avaient un niveau de contrôle très élevé. Enfin, notre
étude avait démontré, de façon lumineuse, que les
femmes constipées étaient plus féminines que les
femmes arthritiques. Oh, j'entends déjà les critiques
me dire : « Bof, l'échelle masculin-féminin du test de
personnalité du Minnesota (MMPI, un test validé
dans de nombreux pays, depuis plus de cinquante ans,

et comptant 566 questions) est une échelle arbitraire, qui ne reflète que la culture du temps, et n'a pas de valeur absolue pour décrire ce qu'est un homme, ce qu'est une femme. » Critique tout à fait justifiée. Qu'est-ce fondamentalement un homme, en dehors de sa composante corporelle sexuelle ? Qu'est-ce que fondamentalement une femme, en dehors de ses seins et son tractus génital, et sa sexualité ? Mais c'est le même arbitraire culturel conventionnel que notre étude avait utilisé pour tous les malades. Et c'est avec les mêmes questions arbitraires qu'elle avait démontré que les femmes constipées étaient plus féminines que le groupe contrôle de femmes souffrant de rhumatismes !

Et voilà que Sylvie me hurlait, avec toute sa peine, que Sylvie, c'est aussi « s'il vit », et qu'elle avait, toute sa vie, senti que sa mère ne voulait pas une fille, mais un fils. Pleine d'agitation, elle me racontait ses tentatives désespérées pour jouer au garçon, pour être un « Tom boy », comme il est dit au Québec, pour être le faux fils de sa mère, afin de s'en faire aimer. Heureusement que le corps de Sylvie n'avait pas suivi, comme c'est le cas chez certaines femmes, dont le corps est virilisé à outrance, avec des épaules larges, des seins plats, des hanches étroites, de la moustache si fine soit-elle, des poils partout, et une pilosité pubienne qui remonte au nombril, laquelle peut d'ailleurs régresser jusqu'au mont de Vénus et devenir normale, horizontale, sans rasage, uniquement au cours d'une thérapie archaïque en profondeur, comme le cri primal. Non, le corps de Sylvie n'avait pas suivi. Elle ne mettait que des pantalons, mais elle était ravissante, avec un visage fin, des longs cheveux et une silhouette clairement de sexe féminin.

Sylvie achevait sa grande catharsis existentielle sur son identité de femme, et la mauvaise relation avec sa mère. Elle n'avait jamais réalisé que, à travers ses relations difficiles avec les hommes, elle était en quête de sa mère. Une mère avec un pénis, cela fait sauter tous les verrous de sécurité... Sylvie était maintenant affaissée sur son siège comme une poupée de chiffons. Elle avait l'air épuisée mais son teint s'était éclairé. Je continuai de la consoler, et en la réconfortant sur le fait que c'était elle qui avait raison, qu'elle était femme, et que son droit de femme était sacré et intangible, à ne pas sacrifier même pour être aimée.

CHAPITRE V

Des mots sur le silence

La communication non verbale est à l'œuvre dans toutes les rencontres humaines. Et chaque protagoniste de ces rencontres est pétri d'une histoire de vie personnelle, unique et différente de toutes les autres. C'est bien pour cela que si le médecin tente de seulement mesurer ce qui se passe dans le corps de « son » patient, pour pouvoir appliquer les principes de base de la médecine scientifique, fondée sur des mesures, il tente de transformer une relation entre deux sujets égaux et indépendants en une relation entre un sujet médecin et un objet malade. Bien entendu, l'objet se rebiffe. Dans tous les cas, au contraire, où le médecin reste humain et respecte l'humanité de l'autre, souffrant, en face de lui, un processus de guérison se met en branle, de par la rencontre entre deux individus, l'un voulant aider l'autre. Ils deviennent « reliés », malgré eux, et au sens religieux du terme.

Mais pour que le sujet malade s'autonomise, pour qu'il ne reste pas dans la dépendance de sa souffrance corporelle, qui le conduit à devenir dépendante d'un médecin, il faut qu'il apprenne à mettre cette souffrance en un langage qu'il s'entende lui-même articuler. Il lui faut donc apprendre à mettre des mots sur le silence, car le corps souffrant ne peut que chuchoter ces mots.

171

« C'est quand tu m'as laissée te frapper que j'ai réussi à m'ouvrir et m'exprimer pour la première fois de ma vie. » Elle a une colopathie fonctionnelle qui l'a beaucoup fait souffrir. Le gastro-entérologue qu'elle a consulté m'a demandé de l'accompagner à un niveau plus vital que scientifique. Elle a déjà fait une thérapie avec un prêtre, avec qui elle a fait d'immenses progrès. Ce choix était judicieux, car, petite, elle vivait dans un milieu familial si désespérément vide que, pour se sentir vivante, elle allait se faire tripoter par « le vieux monsieur » qui habitait dans la maison d'à côté. Jamais il ne l'avait forcée à quoi que ce soit. Plus tard seulement, son frère abuserait d'elle. Plus tard encore, une de ses sœurs l'emmènerait dans son lit avec son mari. Elle avait donc été sage de choisir un thérapeute dont l'état la protégeait relativement d'un passage à l'acte. Mais, bien entendu, elle était incapable, avec lui, de dépasser les défenses génitales qu'elle avait utilisées pour se sauver d'un profond sentiment d'inexistence. Et elle avait suivi une filière inconsciente pour apprendre à « nommer les choses », comme, très tôt dans notre relation, elle avait baptisé le processus qu'elle suivait. Cela se traduisait même dans l'enchaînement de prénoms : d'un homme qui s'appelait Gilles, elle était passée à moi, Ghislain, comme si souvent dans les chronologies amoureuses j'ai vu des séquences logiques de prénoms portés par les partenaires.

Je la vois encore au début de nos rencontres, le regard sombre et encoléré, le front intense, le corps tendu comme un arc.

« Je veux te frapper ! »

C'était son leitmotiv. Et de lever le poing.

« Je veux te frapper ! »

Je savais qu'une claque pouvait déclencher des torrents d'émotions contenues dans le corps. Lyne me l'avait appris, il y a longtemps. Elle aussi faisait écho et se voyait au masculin, en moi, par l'entremise de la seconde moitié de son prénom. Je lui avais tendu la main, paume en l'air, en lui disant : « Frappe ! », alors qu'elle me parlait calmement, trop calmement, de son ex-mari qui l'avait abondamment battue. Elle n'avait pas hésité et, du plat de la main, s'était déchaînée, pendant que je l'aidais à « dire » tout ce qui l'habitait depuis plusieurs années. Et tous ses symptômes avaient disparu.

« Je veux te frapper ! »

Je l'avais beaucoup frustrée en refusant, ce qui la forçait à parler plutôt que de seulement s'exprimer avec son corps. Puis, lorsqu'elle avait été un peu plus apprivoisée, j'avais un jour tendu la main, pour la retirer aussitôt quand je l'avais vue lever le poing. Nouvelle frustration.

« Pas le poing, lui avais-je dit. Ça me ferait trop mal. Avec le plat de ta paume. » Elle avait fait le compromis.

Reste une autre forme de dépendance, plus affective que somatique, avec le soignant.

J'ai déjà illustré, avec l'histoire de Fatemah, la manière dont un médecin peut servir de laxatif, la patiente guérissant de sa constipation quand elle le voit et redevenant constipée quand elle rompt la relation. Cela, c'est du transfert. La plupart du temps, tout se passe à l'insu du médecin et du malade. Il a été démontré que les sujets qui viennent se plaindre de constipation et disent, à la première visite, à leur médecin qu'ils produisent moins de sept selles par semaine, en produisent en réalité plus que ce qu'ils avaient déclaré si, à partir de cette première visite, ils notent minutieusement, chaque jour, quand ils vont à la selle. Et ce, donc, de façon prospective. Au contraire, les autres malades, qui disent déféquer au moins une fois par jour, c'est-à-dire plus de sept fois par semaine, produiront en fait autant de selles qu'ils le disent. Une explication possible à cette différence est que le malade a exagéré sa plainte pour apitoyer le médecin et l'entourage. Une autre est qu'à la première visite, le médecin a déjà parlé de l'importance de manger des fibres alimentaires, par exemple en insistant sur l'ingestion de fruits et de légumes, et de boire beaucoup de liquides. Mais une autre explication, probablement beaucoup plus plausible, est que dès qu'un médecin commence à « soigner » un malade, celui-ci se laisse prendre en charge et régresse dans une position infantile où le parent-docteur va pouvoir s'occuper de lui. Cela, c'est du transfert, un transfert aussi important et intense que sur le divan de l'analyste, mais sans l'analyse du transfert comme but thérapeutique. Or, le transfert n'a qu'un rôle palliatif, pas curatif. Si Fatemah n'était pas revenue après avoir rompu avec moi, elle serait restée constipée jusqu'au jour où elle aurait rencontré un autre être humain dont elle serait de nouveau « tombée amoureuse » et qui l'aurait, lui aussi, déconstipée. Mais Fatemah est revenue. Et elle a pu commencer à travailler sur ce qui se passait dans son corps quand elle rencontrait un autre qu'elle.

Ce travail implique la prise de conscience de tout ce qui a été vécu dans cette vie-ci et de ce que le milieu familial a apporté comme héritage ancestral. Il est clair que si un médecin demande à un patient qui vient le consulter pour un mal de ventre ce qui est arrivé à son grand-père, il passera pour fou. Et pourtant... On sait aujourd'hui que le côlon irritable s'apprend, comme l'alphabet... Des jumeaux et leurs parents ont été étudiés, et l'on a pu prouver que les jumeaux homozygotes, issus du même œuf fécondé, avaient plus de chance d'avoir tous les deux une colopathie fonctionnelle que les jumeaux hétérozygotes, issus de deux œufs différents, ce qui est un bon argument en faveur d'un élément génétique. Mais la probabilité d'avoir une colopathie fonctionnelle est encore plus

grande si un parent de jumeau a une colopathie fonctionnelle ! Et cela, c'est à l'antipode d'une argumenta-
tion génétique. Le poids de l'éducation est plus
important que celui de la nature.

Visites à domicile

Démêler les divers éléments de l'histoire de vie
peut se faire de différentes manières. Le vieux
médecin de famille qui faisait des visites à domicile
depuis trente ans avait des années-lumière d'avance
sur le jeune médecin spécialiste qui pratique en milieu
universitaire et ne sait pas où habite le malade qu'il
rencontre. C'est dire qu'un suivi à long terme apporte
une foule d'informations introuvables autrement,
comme je l'ai montré chez les sujets abusés que j'ai pu
accompagner pendant près de vingt ans.

— Où est Sherbrooke ?
— Où êtes-vous ?
— À l'aéroport de Québec.
— Qu'est-ce que vous faites là ?
— Mon agent de voyage m'a fait débarquer ici.

Pauvre monsieur. Il a confondu la ville de Québec
et la province de Québec !

— Qu'est-ce que je fais ?
— Ne vous inquiétez pas. Quelle que soit l'heure où
vous arriverez, je vous verrai. Vous allez prendre un
autobus, car il n'y a pas d'avion entre la ville de
Québec et celle de Sherbrooke. Les autobus partent
du centre de la ville. À demain.

Je sais qu'il sera en retard. Il n'y a plus d'autobus ce
soir. Il y a trois cents kilomètres entre Québec et Sherbrooke. Il est impossible qu'il arrive à temps pour son
rendez-vous à dix heures du matin.

C'est son médecin de famille qui m'envoie Hans. Il
m'a entendu donner une conférence sur les aspects
psychologiques et fonctionnels de la colopathie

fonctionnelle. Hans a très mal au ventre et personne n'a réussi à l'aider.

Le lendemain, Hans et sa femme sont au rendez-vous. À l'heure.

– Comment avez-vous fait ?

– Oh, j'ai pris un taxi.

Hans est riche. Très riche. Multimillionnaire. Mexicain. Il possède trois maisons. Une à Cancun, au bord de la mer. Une autre à Mexico. Une troisième à La Jolla, en Californie, près de San Diego. Aussi en bord de mer. Il déteste les États-Unis, que sa femme adore. Hans est un homme d'affaires prospère. Il vend ses produits au Mexique et aux États-Unis.

Son histoire clinique est classique. Il répond à tous les critères de Rome, utilisés pour poser un diagnostic de colopathie fonctionnelle. Il est plutôt constipé et a beaucoup de difficultés à évacuer les selles à travers son anus, qu'il trouve trop « serré ». Surtout, il a excessivement mal au ventre.

Comme toujours, je commence par faire un bilan organique extensif, incluant entre autres une évaluation radiologique de ses viscères abdominaux. Comme prévu, tous les examens sont normaux.

« Il a raison. Sa mère était une sorcière. Avant de mourir, elle l'a maudit. Elle lui a prédit qu'il dépenserait tout son argent pour soigner son mal de ventre ! » C'est sa femme qui vient de parler. Sa femme, porteuse d'eau, qui traîne le paquet d'examens radiologiques et les rapports des innombrables tests qu'il a subis.

Hans est Juif. Sa mère juive l'a maudit et l'a programmé à la misère somatique. Hans ne connaît rien à la réalisation automatique des prédictions. Il ne sait pas que le petit enfant qui l'habite essaie encore désespérément de se faire aimer d'elle en lui « faisant » un mal de ventre pour tenter de lui plaire.

« Il a raison. Elle ne l'aimait pas. » C'est encore sa femme qui le protège et prend son parti. « Quand il

176

était petit, l'Allemagne était très pauvre et avait été mise à genoux par les Alliés qui avaient gagné la guerre. Les oranges étaient rares. Hans avait deux frères, que leur mère lui préférait. Lui, il était son souffre-douleur. Un jour, elle a trouvé trois oranges et lui a donné la plus laide. Mais, sous la peau, c'était la plus belle. Voyant cela, elle la lui a arrachée et l'a donnée à un de ses frères. »

Pauvre petit enfant ! Je suis touché et attendri. Juif, dans les années 1930, en Allemagne. Et doté d'une mère juive destructrive. Et sur ce fond de souffrances affectives, il est bien vite persécuté. Il a commis le crime, tout à fait logique pour sortir de son enfance de petit juif mal aimé de sa maman juive, crime impardonnable, d'aimer une Aryenne. Il fuit l'Allemagne, débarque au Mexique sans un sou. Tout seul, il se bâtit un empire. Il ne dit pas un mot de son père.

Alors, comme il est riche et qu'il obéit à sa mère, comme tout petit enfant qui tente de lui plaire pour s'en faire aimer, il court le monde pour se faire soigner. Il a fréquenté tous les grands de la médecine officielle orthodoxe. Il a aussi tâté de la médecine parallèle. Il est allé voir les médecins philippins, et les gurus de la Suisse. Il est allé faire de l'hypnose. Pas chez n'importe qui. Il est allé à La Mecque, voir Milton Erickson lui-même, celui qui a créé l'hypnose sans hypnose, où tout se passe dans le non-verbal par l'entremise de la métaphore. Il a même tâté de la psychanalyse. Il a vu le grand Erick Erickson, celui qui a écrit sur l'amour. Il a fait une analyse avec quelqu'un qu'il traite de fou et que sa femme a menacé de poursuites judiciaires. Selon elle, l'analyste était tombé amoureux de son patient...

Je suis abasourdi. Je me sens tout petit devant pareil défi. Il a tout essayé. Et tout a échoué.

Noël approche. Hans est resté tout ce temps, avec sa femme, dans le plus grand hôtel de la ville. Ils décident de passer les fêtes en famille, puis de revenir pour continuer la batterie d'épreuves fonctionnelles qui visent à évaluer comment marchent ses côlon, rectum et anus.

« Je vous dois combien ? »

Celle-là, je m'y attendais. J'avais précieusement gardé toutes les fiches de visites et d'examens que je faisais, en les barrant d'un « gratuit ».

– Vous voulez dire l'hôpital ?

– Non, non ! Eux, je les ai déjà payés. Vous, je vous dois combien ?

– Rien du tout. Considérez que c'est un cadeau de la vie pour compenser vos misères.

– Je me disais que si vous m'aviez demandé plus de deux mille dollars, vous étiez un voleur !

– Manifestement, vous vous êtes trompé, puisque je ne vous demande rien.

J'ai trouvé la faille. Il n'a confiance en personne. Il est richissime. Les soignants qu'il a fréquentés n'ont vu que l'homme riche. Pas le petit garçon mal aimé. Pas l'homme qui a commencé à avoir mal au ventre quand il a appris la mort subite de sa secrétaire administrative, alors qu'il était en voyage d'affaires dans son pays natal.

– Savez-vous, docteur, combien j'ai déjà dépensé pour mon mal de ventre ?

– Je n'en ai aucune idée.

– Un million de dollars !

Ils rentrent chez eux. Et reviennent après les fêtes.

Ses difficultés à faire passer les selles à travers l'anus sont dues à de l'anisme. Hans entreprend une rééducation périnéale. Il souffre aussi d'une colopathie fonctionnelle. Il entre pour une dernière visite.

« Je veux une visite à domicile. »

Me voilà mis dans le rôle du bon vieux généraliste. Mais Hans habite à plus de deux mille kilomètres.

– Je fais des transformations dans ma maison. Je n'ai pas les moyens, présentement, de faire une visite à domicile.

– Ah, mais ce n'est pas ce que je vous ai dit. Je vous invite à Cancun, dans ma maison au bord de la mer, avec votre femme et votre petit garçon, pour passer quinze jours chez moi !

Cette fois-ci, c'est lui qui m'a pris par surprise. Je suis tenté par l'aventure. Quitter deux semaines l'hiver québécois, avec femme et enfant, pour passer deux semaines au soleil des Caraïbes… Et, en prime, le voir évoluer dans son milieu naturel… J'accepte. Il vient nous accueillir à l'aéroport avec chauffeur et limousine.

Quinze jours durant, il rivalisera d'attentions et de gentillesse pour me faire plaisir et pour choyer mon enfant qui barbote dans la piscine. Il est extrêmement attentionné pour mon petit garçon.

Il est dans son royaume.

L'armée de serviteurs ne va jamais se coucher avant les maîtres. Et ils sont les premiers à se lever. Une nuit, un chat se fait électrocuter dans un transformateur du réseau public d'électricité. Un homme reste debout une partie de la nuit à attendre la génératrice que Hans a fait venir pour redevenir autonome au niveau de l'électricité, et remettre en marche le système d'air conditionné. Au matin, c'est lui qui nous conduit pour visiter la région. Comme après une nuit normale. Sur la route, un petit animal traverse imprudemment. Le chauffeur accélère. Le tue. Hans n'a rien vu. Il n'a rien compris.

Nous mangeons à volonté des mangues extraordinairement juteuses de soleil. Jaunes vif. Cueillies dans les arbres à maturité. Impossible à trouver ailleurs. Comme il est clair que je me régale, il m'en donne encore plus.

Un soir, je l'entends hurler à l'étage. Sa femme descend quatre à quatre. Elle va se bercer dans un hamac au fond de son jardin. Je m'approche d'elle.

« Il déteste que je fume. Il fait une crise chaque fois que je touche à une cigarette devant lui. »

Elle ne me donne aucune explication. Il ne m'a jamais parlé de ce problème.

– Vous savez comment nous l'appelons ?

– ...

– Le petit Hitler !

Pauvre petit enfant identifié à son bourreau ! Je pense à mon ami Dan Bar-On. Professeur de psychologie en Israël, c'est lui qui m'a fait comprendre ce genre de dynamique psychologique. Juif, aidant les descendants des victimes de l'Holocauste, il a éprouvé le désir de retourner en Allemagne, où il avait vécu, pour interroger les descendants des bourreaux nazis. Il a été surpris de trouver chez eux la même misère affective. Il s'était attelé à un fabuleux travail de réconciliation entre descendants de victimes et descendants de bourreaux. J'avais bien deviné que les enfants des bourreaux étaient tellement honteux du comportement de leurs parents et tellement en colère contre eux qu'ils n'arrivaient pas à pleurer leur mort. Et que, de l'autre côté, les enfants des victimes étaient tellement tristes du massacre de leurs parents et solidaires de leurs souffrances qu'ils n'arrivaient pas, eux non plus, à se détacher de leurs parents et à faire face aux griefs et aux insuffisances subies que tous les enfants doivent traverser pour devenir des adultes matures, indépendants. Dan avait publié ses observations dans un livre qui nous avaient bouleversés, ma femme et moi, *L'Héritage infernal*. Il avait réussi à réunir dans un même groupe d'entraide descendants des bourreaux et descendants des victimes. Comme prévu, les Aryens avaient troqué leur colère pour la tristesse des Juifs. Ma femme et moi avions invité Dan et ce groupe extraordinairement touchant d'humanité au second congrès international sur le processus de guérison, à Montréal, en 1994 : « Le travail de deuil comme processus de guérison ». J'avais dit à Dan à quel point je le trouvais un bel être humain, et nous étions devenus des amis. Plus récemment, je lui avais écrit à propos de la guerre larvée au Moyen-Orient. En constatant le déséquilibre entre le nombre de morts palestiniens et le nombre de morts israéliens, à cause du troc entre roches et balles, je lui avais écrit que je trouvais que les Palestiniens étaient en train de devenir les Juifs des Israéliens. J'avais eu un peu peur de lui envoyer ce message et d'ainsi perdre cette précieuse amitié. À ma grande surprise, il avait abondé dans mon sens diagnostique. Il m'avait fourni une explication rationnelle au processus. Dan m'avait dit que pour survivre à l'horreur, la victime doit s'identifier en partie à l'agresseur. Les Juifs Allemands n'ayant jamais pu ventiler et exprimer leur rage sur les bourreaux nazis, ils restaient habités par cette colère, qu'ils déplaçaient et déversaient sur leurs vis-à-vis palestiniens.

« On l'appelle : le petit Hitler ! »

Pauvre petit Hitler ! Victime des nazis, par l'entremise de qui il avait perdu son amour de jeunesse et failli perdre la vie, réfugié dans un pays étranger, il se faisait traiter de nazi par sa femme, qui n'était pas Juive. Et de se comporter comme un petit tyran.

« Mon père n'a pas été très gentil avec moi. Il m'a punie de ne pas avoir choisi un mari de son choix. Quand je me suis mariée, il ne m'a pas donné de maison ! Il a donné à chacun de mes frères et de mes sœurs une maison quand ils se sont mariés ! » Elle est probablement dans son inconscient, sa préférée. Mais elle s'en sent rejetée. Et lui, il a singularisé cette fille tout comme sa mère à lui avait fait de lui son souffre-douleur. Peut-être attendait-elle une fille que Hans n'était pas. Peut-être que cela expliquait les rejets innombrables qu'il avait subis de sa part. Peut-être cela expliquait-il qu'il ne m'avait jamais dit un seul mot de son père. Mais alors, il avait, par rapport à sa mère, fait un progrès remarquable face à sa progéniture, puisqu'il avait pris pour cible une femme. Faute d'affronter sa propre mère. Curieuse forme perverse d'amour, mais dans l'hétérosexualité. Sa fille, d'ailleurs, avait l'air d'une vraie femme. Nettement plus femme que le restant de la famille embourgeoisée.

« Si vous êtes de nouveau invité à faire une conférence en Californie, venez nous voir à La Jolla. Vous verrez, c'est une très jolie ville. »

Je rentre de ma « visite à domicile » très impressionné par la richesse des informations obtenues quand on visite les malades dans leur tanière et très découragé par l'organisation de cette névrose familiale en toile d'araignée. Ou en vrai nœud de vipères. Son ventre me dit que non seulement il a été mal aimé, mais qu'il l'est toujours, et que son comportement ne fait rien pour guérir ses blessures. La « visite à domicile » s'achève sans qu'il aille mieux. Nous avons pris quinze jours de soleil. Mon petit garçon est ravi. D'une certaine manière, même si je comprends tellement mieux ce qui se passe, j'ai, moi aussi, profité de lui.

Quelques années se passent sans que j'aie des nouvelles de Hans.

Une nouvelle invitation m'arrive de Californie.

« Venez chez nous après. »

Sa femme y est depuis plus d'un mois. Elle peut y fumer à l'aise. Elle adore la Californie. Il déteste la Californie. Elle y va aussi souvent qu'elle le peut. Le tout dans le non-dit. Il prend l'avion pour San Diego et nous accueille à La Jolla.

La nuit, la villa se transforme en portion de ghetto. On ne peut pas ouvrir les fenêtres de la chambre sans déclencher l'alarme. Et quelle alarme ! L'atmosphère à l'intérieur est feutrée. Tout est dans un ordre impeccable. Il y a moins de domestiques qu'à Cancun, salaires aidant.

Je ne dispose que de trois jours après mon congrès. Le soir, nous jouons aux échecs. Il me fait une crise de colère monumentale. « Regardez votre fils. Regardez comme il se détériore ! » Je n'ai pas encore divorcé, mais il voit admirablement bien ce qui se passe, et il en voit l'impact sur le visage du petit. « Et ne venez pas me dire que je projette ! Je le sais, que je projette sur lui ! » Il ne m'a toujours pas dit un mot de sa relation avec son propre père. Comme d'habitude, dans ces cas-là, il ne me traite pas comme si j'étais son père, il projette sur Matthieu et sur moi. Il hurle sa rage, qui masque son désespoir. Cette nuit-là, je fais un cauchemar par rapport à mon père à moi. Nous partons aux aurores. Il descend tout penaud en robe de chambre. Il a l'air malheureux de sa grande crise. Je le rassure, mais je me sens un peu grognon. Certainement en contre-transfert. Mon cauchemar m'a éduqué mais ne m'a pas guéri de mon contre-transfert. Il m'en a seulement fait prendre conscience, à travers la violence de mon père et de Hans. Il me demande de lui faire parvenir copie des radiographies qu'il a passées dans mon hôpital.

Je traîne un peu à m'exécuter, à mon retour chez moi. Je finis par le faire. Le département de radiologie lui envoie une copie de ses films. Et la facture.

Je reçois une lettre outrée. Elle est écrite à la main. L'écriture est tremblante de colère.

« Vous n'êtes pas mon ami ! On ne fait pas payer ses amis ! C'est une honte de m'avoir envoyé une facture pour ces radiographies.

De toute façon, je n'ai plus besoin de vous. Je n'ai plus mal au ventre ! »

Je suis content.

Mais c'est trop beau pour durer. Hans n'a pas compris les liens entre son passé, sa famille, sa relation avec moi, avec mon petit garçon. Il n'a jamais pleuré son manque de mère. Son vide de père. Son déplacement. Ses innombrables projections.

Je suis content, mais convaincu qu'il n'y a eu qu'une ouverture dans ses défenses, dans sa cuirasse. Et qu'en étant l'objet de sa rage, j'ai servi de bouche-trou à sa souffrance psychique, ce qui l'a libéré temporairement de son mal de ventre.

Quelques années plus tard, je discute avec une amie pédiatre, gastro-entérologue, et Juive. À Buenos Aires, où elle pratique. Je lui raconte l'histoire. Je lui dis ma conviction que la rémission de Hans est plus palliative que curative. Je lui demande si je dois le contacter pour faire un suivi. Alors qu'il ne me demande rien. Elle me suggère de lui écrire. Ce que je fais. Ma lettre reste sans réponse.

Quelques années plus tard, j'apprends d'un collègue américain qu'il a vu Hans en consultation.

Hans a toujours mal au ventre...

Voilà donc une visite « à domicile » dont le contenu a pu être un peu élaboré par moi, sans qu'il soit malheureusement « perlaboré » par le sujet malade de son malheur, au-delà de sa compréhension et sa catharsis.

Même en pratique hospitalière, chaque visite, chaque rencontre, chaque examen peuvent être l'objet d'échanges où des bribes d'informations sont glanées pour composer le gigantesque puzzle de la vie de la personne en demande de soins. Bien entendu, le médecin aura besoin de noter les éléments de la vie du patient au fur et à mesure que celui-ci l'en informe, et il lui faudra du temps et beaucoup de patience pour se faire un portrait intérieur de qui est l'individu en face de lui.

L'entrevue de type analytique

Une façon un peu plus interventionniste de glaner les informations est l'entrevue de type analytique, fondée sur la relance associative. Je rappelle le fragment clé de l'histoire de Julie, cette jeune femme qui n'arrivait pas à se décider à se laisser opérer d'une fistule anale, et qui venait une fois de plus de me dire non après m'avoir laissé remplir les documents de demande d'examens.

– Il me donne de l'attention, dit-elle, en se tournant vers l'interne.

– De la tension ?

– Je ressens de la tension dans mon vagin.

Et de me raconter les avances incestueuses de son grand-père.

Ici, la relance associative, sous forme d'interrogation, à propos de l'attention et du respect de la non-compliance que je lui portais, était doublée d'un passage à un autre sens beaucoup plus profond, à travers une élaboration linguistique. Mais ce n'est pas toujours le cas. Il est possible de passer une heure avec un malade en disant seulement quelques mots de temps à autre, repris en écho de ce que le vis-à-vis vient de dire et qui nous semble important.

Au premier chapitre, j'ai évoqué l'histoire de Yolande. Un jour, elle jette une dizaine de feuilles sur mon bureau. Tourne les talons et sort. Je ne la connais que depuis quelques semaines. Elle souffre de la maladie de Crohn. Comme c'est de plus en plus souvent le cas, elle n'est pas venue me voir comme médecin. Elle a un médecin traitant. Un spécialiste très compétent. Elle est venue chercher un sens à cette maladie qui la mine et dont elle finira par être opérée par un autre chirurgien que moi.

Je m'attelle donc à la lecture de son document. Très vite, Yolande décrit comment elle a vécu les avances incestueuses de son père après la mort de sa mère. Je me prends à rêvasser devant la liasse de documents. Je pense à mon passé, à l'histoire tragique d'une femme sensible, profonde, intelligente, mais d'une rare violence tellement sa blessure était immense. Elle m'avait dit qu'après la mort de sa mère, son père se trompait souvent et l'appelait, elle, du prénom de celle-ci. Il l'avait aussi mise en charge de la gestion de leur vie quotidienne. Comme si, au-delà de la complicité qui les avait toujours réunis, il lui avait littéralement demandé d'être sa nouvelle compagne.

Un jour, nous étions à table. Elle parle intensément de sa mère avec une vieille tante, au bout de la table. Son front est tout plissé. Ses yeux dévorés d'angoisse. Son père, à sa droite, est manifestement agacé de la conversation.

– Mais enfin, qu'est-ce qui te prend ? Pourquoi toutes ces questions ?

– J'ai l'impression de ne pas vraiment savoir qui était ma mère ?

Il se calme. Elle recommence à poser des questions de plus en plus pointues à la vieille dame. Il devient de plus en plus énervé.

– Mais enfin, vas-tu t'arrêter ? Qu'est-ce que tu veux savoir ?

– J'ai l'impression que ma mère ne m'aimait pas.

Paf ! La gifle retentit d'une façon magistrale dans ce salon bourgeois parisien.

Elle se lève en hurlant, toutes griffes dehors, et se jette sur le vieil homme pour le frapper. Il se met à crier autant qu'elle, l'injuriant, la frappant. L'avocat qu'il est a perdu tout son calme. Ils sont aussi malheureux l'un que l'autre, sous cette carapace de rage. Sans la pratique de la génitalité, mais couple maudit et fusionnel. Père marquant, mère manquante, fille manquée…

« Ghislain, Ghislain, calmez-la, je vous en supplie ! »

C'est la tata qui parle… La cousine renchérit.

« Venez, mesdames, il reçoit un capital en retour, avec les intérêts. Il a semé le vent. Il récolte la tempête. Venez avec moi dans le salon à côté, le temps qu'ils règlent leurs problèmes. Vous n'avez rien à faire dans cette querelle. Ni moi. C'est leur histoire. Nous ne pouvons pas les aider. Seulement les accompagner. Pas régler leur conflit, ni leur histoire d'amour. »

Ils étaient venus nous joindre dans le salon, un peu plus tard. Calmes. Vaguement penauds de leur esclandre.

Mon esprit a dévié du texte que j'ai sous les yeux.

Elle avait dit : « Non ! » à son père. Il n'avait pas été plus loin que la demande. Il ne l'avait pas touchée. Il ne l'avait pas violée. Jamais il n'aurait été condamné en cour, puisqu'il n'avait commis aucun acte incestueux. Au Québec, une journaliste célèbre a été condamnée à payer des dommages et intérêts à un homme qui encourageait les pratiques sexuelles avec des enfants, sans les pratiquer lui-même, et ce parce qu'elle l'avait attaqué à ce sujet. Pourtant, le « péché » en pensée, en soi, indique une pensée un peu tordue, même si elle l'est moins que celle de celui qui se décharge de son angoisse dans l'acte.

Un père qui désire sa fille est un père incestueux. Même si d'aucuns s'en défendent en prétendant qu'il est « normal » qu'il y ait du désir sexuel entre parents et enfants.

Je continue ma lecture. Yolande relate la mort de sa mère.

« Elle était aux soins intensifs. Ce jour-là, je me suis levée de bonheur. Quand je suis arrivée aux soins intensifs, ma mère était proche de la mort. Ses yeux étaient fermés. Elle respirait avec difficulté. Nous n'avons pas pu nous parler… »

Son lapsus m'indiquait que son père l'avait choquée en lui manifestant son désir incestueux. Mais qu'elle était heureuse de se retrouver seule avec lui, après la mort de sa mère…

Toutes les femmes abusées que j'ai accompagnées se sentent coupables d'avoir été abusées. Cela m'a toujours paru stupéfiant et incompréhensible. Dans le cas de Josiane, l'inceste émotionnel n'avait dégénéré ni en abus ni en violence. Peut-être est-ce la raison pour laquelle son inconscient n'était pas assez enfermé dans un sarcophage pour qu'elle puisse m'écrire qu'elle s'était levée de « bonheur », plutôt que de « bonne heure », à la mort de sa mère. Je reste perplexe devant la culpabilité immense qui habite toutes les victimes d'abus. Peut-être n'est-elle pas la leur, mais celle de leurs agresseurs qu'elles ont incorporée.

Par rapport à une entrevue structurée, un interrogatoire quasi policier, l'entrevue de type analytique présente plusieurs avantages et quelques inconvénients. Le plus grand avantage est que cette entrevue est très peu invasive et agressante. Grâce à la relance associative, c'est le sujet malade qui parle quasiment tout le temps. Bien entendu, il ne parlera que des thèmes qu'il est capable d'aborder. En général seront toujours évités, au début, ceux portant sur la sexualité et la spiritualité. Face à une problématique mentale, psychique ou émotionnelle, le temps est relativement peu important. Mais lorsqu'il s'agit d'un problème physique, le temps dont dispose le sujet malade peut être limité si la maladie est grave. Passe encore pour un problème de constipation douloureuse ; mais si le sujet souffre d'un cancer… Peut-être faut-il, malgré tout, se débarrasser de ce sentiment d'urgence face aux malades en danger de mort.

Un autre avantage de l'entrevue de type analytique est qu'elle nourrit moins les liens transférentiels, où pourrait se jouer une issue différente et améliorée. Il est donc possible, sans traumatiser le sujet malade, de passer une heure avec lui, de se faire une opinion diagnostique, de la transmettre au médecin traitant et de ne jamais revoir le malade sans que cela cause les dégâts de l'abandon.

L'entrevue structurée :
au-delà de l'histoire de cas,
une histoire de vie

En dehors des informations glanées au quotidien et au fil des visites, en dehors de l'entrevue de type psychanalytique, éclairante mais laissant dans l'ombre les sujets les plus douloureux ou délicats, il reste au soignant une dernière façon d'apprendre qui est la personne en face de lui, une façon beaucoup plus invasive, plus chirurgicale, moins respectueuse, mais très efficace. Ce qui fait la médecine traditionnelle, c'est l'histoire de cas. Cela fonde la relation sujet (médecin)-objet (malade) qui est l'essence de la médecine scientifique. Mais celle-ci s'insère dans le cadre de l'histoire de vie. Celle du malade, bien sûr. Mais aussi celle du médecin.

Pour être complète et rejoindre la réalité, la science doit aller jusqu'aux noms propres. Et parfois les trouvailles « pathologiques » font défaut malgré la plainte. Lorsque toutes les données scientifiques pointent vers la normalité, le patient n'a plus alors, pour attirer l'attention, qu'un symptôme rattaché à son histoire de vie. Quant à l'histoire de vie du médecin, elle influencera son niveau de tolérance, à lui, lors de l'entrevue avec le patient qui est « normal ».

Il faut faire une mise en garde importante quand on parle de ce qui constitue la « normalité ». Une abondante littérature scientifique traite du triangle de l'intersection entre la courbe gaussienne de distribution des patients et celle des sujets contrôles. Les « plus anormaux » des sujets « normaux », ceux qui sont tout à fait à droite de la courbe, pourraient tout aussi bien être diagnostiqués comme les « moins anormaux » des sujets « anormaux ». Ce qui est ici extrêmement important, c'est de décider ce qu'on va faire avec le diagnostic. Si les conséquences d'un diagnostic « anormal » sont terribles, il faut redoubler de prudence. Par exemple, 50 % des sujets qui se sentent constipés sont considérés « normaux » par leur médecin. En effet, lorsque celui-ci mesure les temps de passage à travers le tube digestif, ils sont tout à fait semblables à ceux des sujets asymptomatiques qui servent de contrôles, et ce, malgré la plainte.

L'ENFANCE

Dans quel environnement le patient a-t-il grandi ? Quelle sorte de parents avait-il ? Quel âge avaient-ils à sa conception ? Combien de relations avaient-ils eues avant la rencontre dont il est issu ? Et après ? Quelle était le rapport de forces entre les parents, et entre les parents et les enfants ?

Le nombre d'enfants dans la fratrie, leur âge, leur sexe, le rang que le patient occupait par rapport à ses frères et sœurs sont des notions très importantes à connaître. Il semblerait, par exemple, que médecins, psychologues et soignants soient surtout recrutés parmi les premiers-nés. Et les artistes, parmi les cadets. Les cadets d'une famille se présentent souvent, quel que soit leur âge, comme étant les « bébés » de la famille, indiquant par là qu'ils ne sont pas tout à fait des adultes matures.

L'homme en face de moi est venu me dire qu'il s'était mis à resaigner du rectum. Je l'avais vu un an plus tôt, pour le même problème. Il était entré en rémission très rapidement. Un diagnostic de proctite ulcéreuse avait été posé auparavant. Un diagnostic tout à fait correct. Il avait été pris en charge par un gastro-entérologue qui l'avait bien traité. Nous savons que ce genre de maladie est beaucoup moins grave que la forme étendue qu'on appelle colite ulcéreuse ou rectocolite ulcéro-hémorragique. Nous savons aussi que l'histoire de la maladie s'accompagne souvent de nombreuses rémissions dites « spon-tanées » ou « idiopathiques ». Ce terme indique que nous, médecins, nous en ignorons les tenants et les aboutissements.

Mais il n'était pas venu me voir pour avoir une seconde opinion. Il était venu me parler de sa vie. Il voulait savoir ce qui l'avait conduit à être malade.

Nous ne nous étions vus que deux, trois fois. Et comme il n'avait plus de symptômes, il n'était pas revenu pendant près d'un an. Et là, il avait repris rendez-vous. Il avait de nouveau des pertes sanglantes, depuis près de six mois.

« Qu'est-ce qui vous est arrivé il y a six mois ? »

Il réfléchit. Il finit par me dire que sa femme et lui ont eu un enfant. Leur premier enfant. Un petit garçon.

Il m'intrigue. Je connais la confusion identitaire. Je connais la confusion fréquente entre le « devant » et le « derrière ». Je sais même que 60 % des pères québécois « tombent » malades à la naissance de leur premier enfant, comme l'a démontré un de mes anciens collègues, généraliste. Il a baptisé cela du terme de « syndrome de la couvade », par référence au rite moyenâgeux, où, à la naissance de l'enfant, c'était le père qui s'alitait pour présenter l'enfant nouveau-né à la tribu, alors que la jeune mère retournait aux champs.

Mais pourquoi diable faire une rechute de proctite ulcéreuse après la naissance de son premier fils ?

– Il y avait combien d'enfants chez vous, quand vous étiez petit ?

– Nous étions sept.

– Des garçons, des filles ?

– Quatre garçons d'abord, puis trois filles.

– Et où étiez-vous situé dans cette lignée ?

– J'étais le quatrième garçon.

Je me dis que les parents désiraient peut-être avoir enfin une fille…

– Vous êtes-vous senti attendu comme garçon ?

– Non ! Comme jumelles !

La réponse a fusé, limpide. Je viens d'avoir une ouverture éclairante sur sa problématique existentielle.

– Qu'est-ce que vous voulez dire ?

– Ma mère m'a toujours dit que le docteur lui avait dit qu'elle attendait des jumelles.

J'ai peine à croire qu'un médecin, dans les années 1960, ait pu dire pareille chose, alors qu'on n'avait pas encore les images par ultrasons de l'échographie pour savoir le sexe de l'enfant dans le ventre de sa mère.

En revanche, il vient de me dire que le fœtus de sexe masculin qu'il a été a passé neuf mois dans le ventre d'une mère persuadée qu'elle portait des jumelles. Enfin une fille, après trois garçons !

Une hypothèse se fait jour dans mon esprit. À la naissance de son enfant, il a sûrement dû se faire évincer, dans sa relation infantile avec sa compagne, de sa place de faux bébé-fille par un vrai bébé-garçon. Logiquement, dans une relation de couple inversée, faite d'un homme efféminé et d'une femme masculine, peu importe la qualité relationnelle, la vie sexuelle devait être fortement perturbée.

– Comment se passent les relations sexuelles avec votre femme ?

– Oh très bien ! Et très souvent !

Devant mon air surpris, il continue : « Vous savez, docteur, les femmes reprochent souvent aux hommes d'en vouloir trop. Trop de sexe. Eh bien, chez moi, c'est l'inverse. Ma femme en veut tout le temps. Elle n'est jamais satisfaite. Jamais rassasiée. Elle en veut tout le temps. Des fois, je lui dis qu'elle préfère mon pénis à moi ! »

Celle-là, je ne l'avais jamais entendue. Il a beaucoup de conscience, cet homme ! Mais du même coup, il me confirme mon hypothèse de travail sur leur relation : lui, c'est elle, et elle, c'est lui. « Oh oui ! Je dirais qu'elle est même macho ! Et elle dit souvent, avec satisfaction, qu'elle me trouve de belles qualités féminines. »

Ça y est, je commence à comprendre. Un homme, ça n'a pas de règles.

– Et quand vous faites l'amour, elle est toujours sur vous ?

– Toujours !

– Mais alors, cher monsieur, elle doit aussi adorer vous sucer…

– Oh pour ça oui ! C'est ce qu'elle préfère !

– Et avaler votre sperme…

– Comment savez-vous ?

– Et pendant qu'elle vous suce, ça doit lui arriver de mettre son doigt à travers votre anus…

Il rougit, bafouille, me répond un petit « oui » gêné.

L'échange n'aura pas duré plus d'une minute. Plus tard, après le départ du patient, le stagiaire qui assistait à cette entrevue me demande des explications. Je lui parle de la confusion d'identité de ce couple inversé. La femme virile. L'homme efféminé. Qui saigne du derrière, mais qui sait la différence entre faire le sexe et faire l'amour, et qui, confusément, a compris qu'il est un objet sexuel pour sa compagne, comme le sont si souvent les femmes pour les hommes à qui elles le reprochent. Je lui dis que ce genre de femmes, en profonde régression, comme dans un cri primal, confondent pénis et sein, comme sperme et lait maternel. Et que, bien entendu, malgré tous ses fantasmes, son doigt reste un doigt et non un pénis, et l'anus de son mari un anus, et non une vulve…

Toute cette histoire, je le rappelle, avait eu comme point de départ la réponse de cet homme qu'il était le quatrième garçon, qu'il était suivi de trois filles, et la question que je m'étais posée, en conséquence, de savoir s'il s'était senti accepté comme garçon. Dans une famille, où, jusque-là, il n'y avait « que » des hommes. Bien entendu, il était très ouvert pour m'avoir répondu du tac au tac qu'il avait été attendu comme « jumelles ». Lui restera, cependant, à travailler le fait que non seulement il a été espéré de sexe féminin, mais qu'il était attendu avec un double. Dissociation, dépersonnalisation, il devra travailler « l'autre » en lui.

La façon dont la maladie est reçue dans une famille va déterminer de façon marquée le comportement du futur adulte face à la maladie. Les enfants dont on ne s'occupe que lorsqu'ils sont malades auront tendance, dans le futur, à rechercher l'affection en étant malades. Au contraire, il y a des familles qui ne tolèrent pas la maladie, par peur de la mort ou du rejet. Les enfants issus de ces milieux deviendront stoïques.

L'expérience de la mort au début de la vie est cruciale, non seulement la mort d'un parent, mais aussi celle d'un autre membre de la famille qui était chéri. Nous savons, par exemple, la grande influence qu'a eue sur Dali la mort de son frère. Dali est un enfant de remplacement. Conçu après la mort d'un frère aîné, il se fait dire toute son enfance, par ses parents, à quel point celui-ci lui était supérieur. Une des dernières œuvres du peintre s'intitule *Portrait de mon frère mort*. Il s'agit d'une toile gigantesque, très floue quand on a le nez dessus. Qu'on s'en éloigne, et apparaît une espèce d'ombre à travers une vitre dépolie. L'âge à laquelle un patient a perdu un parent est aussi un facteur clé. Si une petite fille perd son père lorsqu'elle a deux ans et que sa mère n'a pas pris par la suite d'autres compagnons, elle peut éprouver des difficultés dans ses relations avec les hommes parce qu'elle n'a que très peu de représentations inconscientes d'une figure masculine dans sa mémoire.

Je connais Paule depuis près de deux ans, au cours desquels elle a beaucoup cheminé. Elle souffre toujours de sa colopathie fonctionnelle. Elle a remis en question le lien qui la retient à son mari. Elle se pose beaucoup de questions sur le désir et la passion qu'elle estime n'avoir jamais vécue. Je lui ai prêté un livre dont le thème central est la passion, sous forme d'un roman.

Elle revient. Elle a lu le livre. Mon livre, sorti de ma bibliothèque. Elle est muette. Elle ne sait plus quoi dire. Elle a l'air débordée. Je me traite de chirurgien sauvage. Je me dis qu'un psychanalyste dirait que j'ai fait un passage à l'acte chirurgical de mon contre-transfert. Elle a l'air souffrante. Je ne me sens pas très fier de moi. Elle est en face de moi. Muette dans sa solitude et sa détresse.

« Voulez-vous me tourner le dos ? »

Je tente de jouer au psychanalyste.

« Non ! Je veux vous voir ! »

La réponse est claire, franche, sans hésitation.

Je pivote, sans réfléchir, sur mon fauteuil à bascule. Je fais demi-tour. Lui tourne le dos. L'horreur ! En faisant l'inverse du psychanalyste, je lui ai remis tous les pouvoirs ! Non seulement elle ne dit toujours rien, mais j'ai perdu tout le contrôle analytique que me donnait la collection des données non verbales !

Elle reste dans le silence total. Et moi aussi. Pendant plus d'un quart d'heure. Les quinze minutes, je crois, les plus longues de ma carrière. Je ne suis pas encore assez proche de mon inconscient pour suivre ses associations, comme peuvent le faire les bons analystes. Qu'est-ce qu'elle peut bien penser ? Qu'est-ce qu'elle va faire ? Me suis-je, une fois de plus, mis dans une position d'objet, dans le but de séduire, de plaire, de lui donner l'illusion qu'elle a tous les pouvoirs ? Ou est-ce justement cela, aimer, donner tous les pouvoirs pour qu'elle puisse enfin exprimer librement tout ce qu'elle a été obligée de refouler ?

Je tombe presque à la renverse dans mon fauteuil à bascule. Elle a mis ses bras autour de mon cou. Je suis en déséquilibre désagréable. Je recule un peu. Elle met sa tête sur mon épaule droite.

– Qu'est-ce que vous ressentez ?

– De la tendresse.

– De la tendresse de vous pour moi, ou de moi pour vous ?

– De moi pour vous !

Il est loin le temps où elle exprimait son désir sexuel pour moi et naviguait dans sa vie à partir de sa frustration. Moi aussi, je ressens pour elle une immense tendresse dans cet instant de profonde intimité.

À nouveau, sans réfléchir, je fais demi-tour. Nos yeux se rencontrent. Instantanément, les siens s'emplissent de larmes. Elle se met à sangloter avec une voix de toute petite fille. Elle me parle comme elle a parlé à son père, mort sous ses yeux quand elle avait quatre ans. J'oublie tout de ma vie, tout de ce qui m'entoure. Je suis là, avec elle. Je vois le jus d'orange qu'elle a donné à son père dans l'espoir de lui sauver la vie, et qui lui ressort par le nez. J'accompagne son immense détresse, sans dire un mot, et sans quitter ses yeux de mon regard. Je ne vois pas filer le temps…

Elle sort épuisée.

Du jour au lendemain, les symptômes de sa colopathie fonctionnelle disparaissent – comme par magie. Elle quitte son mari. Change de métier. Devient artiste. A une promotion sociale fabuleuse.

Au lieu de venir me voir tous les huit jours, dans un rituel tissé de dépendance, elle commence à espacer ses rendez-vous. Deux semaines. Trois semaines.

Un jour, elle vient me dire au revoir. Elle se sent profondément guérie. Elle me remercie. Elle n'a plus besoin de moi. Symboliquement, je lui remets le cahier de mes notes personnelles, les poèmes qu'elle m'a composés, les lettres qu'elle m'a écrites et tous les documents qu'elle m'a remis et qui ne sont pas dans son dossier médical.

Il s'agit de sa vie. La sienne.

Les hypothèses au sujet des conséquences d'incidents de nature sexuelle durant l'enfance sont généralement fondées sur une conception adulte de la sexualité. Elles peuvent ne pas être applicables aux enfants chez qui des incidents sexuels « mineurs » peuvent provoquer le même impact que d'autres incidents sexuels « majeurs ».

Enfin, l'attitude parentale envers les habitudes intestinales de leurs enfants n'est pas neutre sexuellement. Les mères sont plus gênées avec leurs fils, et les pères avec leur fille ! Toutes les fonctions d'excrétion peuvent donc prêter à des formes d'abus qui sont plus de l'ordre symbolique.

Le niveau d'éducation que les parents ont donné à leurs enfants sera déterminant leur vie durant. Mais de nombreuses personnes confondent « instruction », un processus purement intellectuel qui vise à mémoriser l'information, avec « éducation », un processus beaucoup plus global qui implique des attitudes, des émotions, des croyances. La civilisation occidentale produit des êtres humains surinstruits et sous-éduqués. Certains parents désirent que leurs enfants les surpassent au chapitre des réalisations ; inversement, certains parents ne peuvent pas tolérer que leurs enfants réalisent ce qu'eux-mêmes n'ont pu faire. Cette information est importante, car des patients peuvent, à cause de cela, vivre en situation de stress chronique, qui découle de leur passé. Quoique « adultes », ils paraissent immatures, marqués du sceau de leur enfance. Quand on dit de certains vieux qu'il sont retombés en enfance, en fait, ils ne font que montrer ce qui a toujours été là, et apparaît à la suite de l'usure du contrôle dû au vieillissement, et de l'accumulation des égratignures que causent les traumatismes inévitables inhérents au fait de vivre. Cela se note dans les dossiers quand le médecin écrit que le malade paraît son âge, paraît plus vieux que son âge, ou, au contraire, plus jeune que son âge.

Il est crucial de connaître le genre d'éducation sexuelle que le patient a reçue. Une abondante littérature psychosomatique et psycho-analytique lie désordres fonctionnels et organiques à certains traits de la vie amoureuse et sexuelle. Bien qu'une éducation sexuelle un peu plus formelle ait été développée récemment en Occident, l'éducation non verbale à ce titre est bien plus importante que tous les « cours » de sexualité qui ont pu être donnés à l'enfant. Le début des menstruations peut être une expérience extrêmement douloureuse pour une fille dont les parents auraient préféré avoir un garçon. Poser des questions sur la manière dont le début des menstruations a été vécue éclaire beaucoup la dynamique du sujet malade. Était-elle prévenue ? Est-ce que cela s'est bien passé ? A-t-elle eu mal ? Lui a-t-on fait la fête, ou a-t-elle dû se cacher, surtout des hommes de la famille ? J'ai, dans une étude scientifique, démontré que les femmes constipées étaient plus féminines que les femmes arthritiques qui composaient le groupe contrôle. Bien entendu, la définition de la féminité relève d'un arbitraire culturel. Mais à arbitraire égal, une analyse informatique démontre une différence importante entre les femmes qui ont mal au ventre à cause d'un problème de constipation, et les femmes qui ont mal à leurs articulations.

Il est également très important de connaître le type d'éducation religieuse que le sujet a reçue. Certaines personnes utilisent la religion pour fuir leurs problèmes personnels.

Cette patiente a un problème de constipation somme toute assez banal. Pas bien grave.

Elle est mariée à un ministre protestant. « Elle » n'est pas vraiment elle-même. Elle parle de la vie avec des formules toutes faites. Bref, elle est dotée d'un surmoi haut comme l'Himalaya. Elle pense sa vie au lieu de la vivre.

Chaque fois que je lui dis quelque chose qui est en désaccord avec ses principes et ses valeurs, j'attrape un « Christ a dit que… ».

Pour moi, travailler avec la résistance d'un sujet, c'est se laisser emporter par elle comme un fétu de paille, sans offrir d'obstacle, mais dans la conscience aiguë de ce qui se passe et se dit à chaque instant.

Je puise dans ma mémoire d'adolescent. Je renoue avec mes cours d'apologétique, dans le collègue catholique que je fréquentais. Nous parlons religion pendant quatre mois. Plus un mot sur la constipation. Manifestement, elle ne connaît pas la différence entre spiritualité et religiosité.

Et un jour…

« Docteur, vous savez ? Je commence à me demander si je n'ai pas utilisé ma religion pour ne pas voir les problèmes que j'ai avec mon mari… »

Il y a des familles, où toute forme d'émotion est bannie. Il est étonnant d'entendre dire par tant de patients qu'ils n'ont jamais vu leurs parents se tenir par la main, s'embrasser ou embrasser les enfants ! Une patiente me disait n'avoir vécu que des « baisers programmés ». Celui du matin, celui du retour du travail, celui du coucher. Ah oui ! Celui de Noël ! Et nous savons aujourd'hui que la combinaison d'être habité d'émotions pénibles et de ne pas les exprimer est ce qui caractérise les gens qui ont une personnalité de « type D », personnalité qui expose à un grand risque de développer des problèmes de santé physique. Plusieurs patients ont tendance à répéter dans la vie les mêmes gestes qui les ont heurtés. Cette compulsion de répétition, bien connue en psychanalyse, est une tentative de guérison, ce qui sera le cas si les répétitions sont discutées et se modifient. Combien d'enfants se sont fait crier dessus quand ils pleuraient, ou n'ont appris à se mettre en colère qu'en pleurant ! Très souvent, trop souvent, l'enfance n'est pas alors le mirage idyllique auquel certains vont se raccrocher, soit en refoulant leurs mauvais souvenirs, soit en gommant les émotions pénibles qui y étaient associées. Au contraire, il s'agit bien plus d'une vallée de larmes, qui n'attendent que la levée du barrage pour s'écouler.

L'ADULTE EN DEMANDE

Personne n'a vécu d'enfance parfaite, où il était permis de demander et de recevoir sans avoir à donner en échange, avec une lente émergence de l'être vers l'autonomie, l'altruisme et le respect des autres. Un secret infaillible pour savoir où l'enfant se cache encore en nous est d'être sur le qui-vive pour savoir quand nous donnons et quand nous recevons. Adultes, nous donnons. Enfants, nous recevons. Pire, nous allons prendre ce que nous voulons recevoir et vampirisons les autres.

Souvent, la vie professionnelle joue un rôle crucial chez le sujet malade qui vient nous voir. Il est donc fort important de s'enquérir du genre de travail fait par le patient, incluant son niveau de performance et de revenu. Le pouvoir du patient à influencer son environnement et le niveau de créativité qu'il peut atteindre sont des facteurs importants. Pour plusieurs personnes, travailler est un mal nécessaire, ayant pour but d'assurer la survie. Toutefois, dans les sociétés d'abondance, les gens commencent à rechercher le bonheur au travail. Cette attitude est pleine d'influences culturelles. Un travail créatif et générateur de plaisir sera générateur de maintien de la santé. À l'inverse, la perte brutale d'un emploi, ou l'obligation de faire un travail détesté, génèrent le mal-être, mal-être qui peut se manifester seulement dans le corps quand la personne n'a pas pu apprendre à s'exprimer en toute liberté et que le mal-être devient chronique.

Enquêter sur la vie amoureuse et sexuelle du patient est une chose excessivement importante. Les médecins doivent être à l'aise avec leur propre sexualité pour faire cela. Depuis la libéralisation des mœurs en Occident, il est devenu possible de comparer les partenaires qui se succèdent. Je demande donc souvent aux malades de « coucher » sur papier leur chronologie amoureuse. Ainsi, on peut rechercher les différences et les similitudes entre les différents partenaires, l'amélioration de la qualité de la relation, les raisons de la rupture. Même les prénoms et les noms de famille sont porteurs de sens. Il est important de savoir qui a initié la rupture. Un sujet qui a été abandonné s'est vu obligé de passer par un processus de deuil, beaucoup plus douloureux que le passage par où va cheminer la personne qui a gardé le contrôle, initié le changement et imposé la rupture. Mais vivre un processus de deuil favorise la maturité. On sort grandi et plus autonome d'une perte imposée à condition d'avoir réussi à perlaborer la perte présente en fonction des insatisfactions du passé. Faire l'expérience d'une rupture peut être terriblement plus douloureux que de perdre un être cher par la mort, car celle-ci peut être attribuée à des causes externes de l'ordre de la fatalité. Au contraire, une rencontre, comme une rupture, se joue toujours à deux. Il serait infantile d'attribuer toute la responsabilité à l'autre.

Un homme de cinquante ans consulte pour constipation et pour des douleurs anales intenses. Une investigation organique extensive ne révèle aucune anomalie. Son histoire de cas révèle qu'il a adopté, avec sa femme, une fille qui vit maintenant au loin.

– Et pourquoi avoir adopté un enfant ?
– Ma femme ne pouvait pas avoir d'enfant.
– Et pourquoi ne pouvait-elle pas avoir d'enfant ?

– Elle ne peut pas avoir la pénétration, docteur...

Ainsi, en trente ans de « mariage », cet homme n'avait jamais eu de relation sexuelle « à cause » du vaginisme de son épouse...

Il aurait été très facile de manquer cette information vitale en omettant de questionner le couple sur les raisons de l'adoption et en ne demandant pas pourquoi l'épouse ne pouvait pas avoir d'enfant.

Les symptômes associés à la vie amoureuse et sexuelle doivent être recherchés. Par exemple, les femmes qui souffrent du syndrome du côlon irritable, sont sujettes à avoir des douleurs abdominales durant et après les relations sexuelles. Donc, à l'inverse, si une patiente constipée souffre de douleur abdominale, il est utile de demander si elle éprouve de la douleur durant ou après la relation sexuelle : une réponse positive permet de s'orienter vers un diagnostic de côlon irritable.

La connaissance de l'environnement social dans lequel le patient vit procure aussi d'importantes informations. Les gens ont tendance à créer un environnement qui reflète leur « moi intérieur ». Le médecin qui fait des visites à domicile, comme je l'ai décrit avec l'histoire de Hans, a une chance unique d'observer le patient dans son milieu, récoltant maintes informations sur la « scène » où les patients jouent leur maladie, entourés de leurs partenaires.

Découvrir qui est le partenaire du patient, quels enfants il a, est une façon indirecte de mieux le connaître. Quelquefois, un homme d'apparence sereine vit avec des personnes en proie à des difficultés émotives ou physiques considérables : cela indique que sa sérénité n'est que contrôle – habituellement trahi par ses fonctions corporelles. Nos proches nous reflètent, nous font miroir.

Nous passons une partie considérable de notre vie à dormir. Ce n'est pas du temps perdu. Beaucoup de choses se passent durant notre sommeil. Des études faites sur des sujets soumis à la torture indiquent combien un manque de sommeil peut être néfaste pour la santé. Il est donc important de questionner le patient un peu plus en détail et ne pas se contenter de simplement demander : « Dormez-vous bien ? » Le patient a-t-il des difficultés à s'endormir ? S'éveille-t-il durant la nuit ? Quelle est la durée de son sommeil ? Les besoins en sommeil sont variables et probablement indicatifs du bien-être du patient. Par exemple, les patients déprimés dorment beaucoup plus que les patients maniaques. Il est aussi important de savoir si les patients parlent ou marchent durant leur sommeil car cela suggère qu'ils pourraient avoir une forte tendance hypnotique. S'enquérir des rêves peut être très révélateur. Joyce McDougall, a étiqueté certains patients comme étant des « normopathes ». Ils sont hautement fonctionnels mais sans émotion. Une de leurs caractéristiques est qu'ils n'ont aucun souvenir de leurs rêves. C'est une observation clinique courante que les patients, affligés de maladies psychosomatiques, rapportent moins de rêves durant leur psychothérapie. Pourtant, nous rêvons tous, chaque nuit. Même si nous ne nous en souvenons pas. Par exemple, une étude a consisté à réveiller des patients faisant des crises d'asthme nocturnes. Lorsque nous rêvons, des phénomènes physiques surviennent. Les hommes ont une érection. Les yeux ont des mouvements rapides, appelés REM, pour *Rapid Eye Movement*. Les asthmatiques nocturnes sont différents en termes de rêves. Lorsqu'ils sont réveillés en plein milieu de leur rêve, tel que diagnostiqué à l'observation d'un tracé REM sur l'électro-encéphalogramme, ils se rappellent avoir rêvé aussi souvent que les sujets contrôles, mais peu d'entre eux se souviennent du contenu du rêve. Le terme « rêve blanc » a été suggéré pour décrire le phénomène d'avoir la sensation vive d'avoir fait un rêve mais sans se souvenir de son contenu. Ces patients utilisent moins de mots et forment des phrases plus courtes que les sujets contrôles auxquels ils sont comparés, lorsqu'ils racontent un rêve. Ainsi, ils ne se souviennent jamais d'avoir été en train de rêver lorsqu'ils sont réveillés par une crise d'asthme. Tout cela suggère une forte répression du contenu onirique, indirectement remplacé par une réponse somatique. Soit le rêve, soit le symptôme corporel. Une forme de censure inconsciente, car le rêve pourrait déranger. Ce qui a fait joliment dire à Joyce McDougall qu'une problématique psychosomatique était un rêve qui n'avait pas été fait. Ou qui n'a pas été remémoré.

Les patients souffrant d'un syndrome du côlon irritable ont un sommeil anormal. La nuit, ils rêvent plus que les sujets contrôles auxquels ils sont comparés, et qui, eux, n'ont pas de côlon irritable. Comme l'auteur d'un de ces travaux l'indique, ces trouvailles, inévitablement, suscitent la question de savoir si le syndrome du côlon irritable ne serait pas la conséquence d'une fonction anormale du système nerveux central plutôt que d'un désordre de l'intestin. Une maladie « mentale », bien plus que « physique ». Mais essayez de transmettre cette information à la première visite d'un colopathe, et celui-ci ira vite voir un autre médecin... D'ailleurs toute suggestion « psy » a quelqu'un qui somatise au niveau digestif dégage une odeur de souffre... J'ai, jadis, fait passer un test de personnalité à une centaine de colopathes vus de façon consécutive. Un quart n'est jamais revenu me voir ! Un autre quart est venu me demander de leur lire le rapport du test. Je leur ai lu le rapport informatisé, puisqu'il s'agit de répondre par oui ou par non à cinq cent soixante-six questions. Ils ne sont pas revenus ! Chose surprenante, ceux qui sont revenus avaient plus de psychopathologie que les autres. Étaient-ils plus « malades » dans leur tête, ou tout simplement plus lucide sur leur problématique existentielle ?

Les rêves peuvent être très traumatiques. Par exemple, durant leur psychothérapie, les sujets asthmatiques rapportent fréquemment des cauchemars durant lesquels ils sont soit étranglés ou noyés.

Les rêves « normaux » sont remplis de symboles, déclenchés par les événements du quotidien. Ils sont très révélateurs de « l'agenda secret » du patient qui consulte pour un problème fonctionnel.

Finalement, certains rêves indiquent une censure intense de matériel réprimé. Leur contenu est complètement neutre, comme un enregistrement vidéo d'événements récents. Je les ai d'ailleurs baptisés « rêves vidéos », car on dirait l'enregistrement verbatim et sans imaginaire de ce qui s'est vécu la veille. Ces rêves sont souvent étiquetés rêves « opératoires ». Ils indiquent que quelque chose d'important est caché dans le passé et émerge sous la forme d'une dysfonction corporelle ou d'une maladie, apparemment sans relation avec la vie quotidienne.

RÊVES ET SCHÉMA CORPOREL

Il y a longtemps que je sais que la représentation mentale du corps est erronée. C'est ce qu'a bien dit Mahmoud Sami-Ali dans son livre *Corps réel, corps imaginaire*. Mais le sujet est complexe. Il serait trop facile de dire que la mémoire du corps n'est pas anatomique mais symbolique. Certains sujets sont si proches de leur corps qu'ils en rêvent, et que leur rêve reflète la réalité.

Dominique entre en salle d'endoscopie. C'est elle qui a pris rendez-vous. Je ne l'ai pas vue depuis six mois. La proctoscopie que j'ai faite à ce moment-là était normale.

« J'ai de nouveau rêvé que la tumeur était revenue. »

Dominique est la seule personne que j'aie jamais connu qui rêve qu'elle a une récidive de tumeur villeuse, quand elle en a une. Une tumeur villeuse est une sorte de polype, souvent trouvée au niveau du rectum, et qui a un potentiel de cancérisation très élevé.

Il y a quelques années, elle avait fait un cauchemar. Elle était dans la ferme de ses grands-parents maternels. La scène, bucolique, est agréable. Il y a beaucoup de verdure. Elle regarde une grange. Une porte permet aux tracteurs de rentrer. Machinalement, elle se passe la main gauche dans ses longs cheveux blonds. Ils tombent par poignées. Elle se réveille en sursaut, le front moite, persuadée qu'elle a un cancer. Elle se réveille en associant d'emblée perte de cheveux et chimiothérapie pour cancer. Elle prend rendez-vous chez le chirurgien qui lui a enlevé un polype du gros intestin dix ans auparavant. Elle a une tumeur villeuse du rectum, bas située, presque à l'anus. Il l'opère. La tumeur est bénigne. Les suites de l'intervention sont faciles. Les examens subséquents normaux.

Quelques mois se passent.

Elle refait le même cauchemar. Identique. Elle accourt chez son chirurgien. Elle a une récidive. Il lui fait faire une radiothérapie. À la suite, elle fait une proctite radique, une inflammation sévère du rectum à cause des rayons. Un gros ulcère est extrêmement douloureux. Il me transfère la malade. Je l'accompagne plusieurs mois, en la traitant pour l'ulcère radique. Elle finit par guérir. Lentement.

Encore quelques mois plus tard…

Elle refait le même cauchemar. Toujours identique. Elle a de nouveau une récidive. À la ligne dentée, cette zone du rectum juste à la jonction du canal anal. Je l'opère. Les suites opératoires sont faciles. Plusieurs examens de contrôle sont normaux.

Et la voilà six mois plus tard, me disant qu'elle a de nouveau rêvé.

« Cette fois, le rêve est différent. Je suis ici, avec vous, en salle de proctoscopie. Vous venez de me faire l'examen. Vous me dites qu'il y a de nouveau une récidive, mais qu'elle est toute petite. » Comme d'habitude, elle n'a aucun symptôme. Aucune perte de sang ou de mucus. Aucune douleur. Aucun faux besoin de déféquer.

J'ai hâte de faire l'examen. De savoir…

Elle a une récidive.

Minuscule. Du côté gauche, la lésion mesure cinq par cinq millimètres. Du côté droit, il y a un petit point rouge de deux millimètres de diamètre.

Nous échangeons sur sa capacité à être si proche de son corps. Je lui dis que lorsqu'on rêve de quelqu'un, c'est qu'on communique avec lui. Je ne lui dis pas que je pense que de rêver de moi, transformer son cauchemar, en rêve où elle est avec moi et ne perd plus ses cheveux en famille, c'est une manipulation de transfert. Je l'amène à parler de son enfance et sa famille.

Elle parle du suicide de son frère favori, qui l'a beaucoup fâchée. Il s'est injecté une dose mortelle de drogue. Tous ses frères sont suicidaires. Elle est la seule fille. Je lui dis, qu'à un niveau inconscient, développer un cancer est une forme de suicide involontaire. Je lui dis aussi qu'un demi-verre peut être vu comme à moitié vide, mais aussi comme à moitié plein. Je lui parle du concept des « nostalgiques de l'état d'ange » mis de l'avant par Marie-Claude Defores pour décrire ces sujets qui, faute d'un environnement à qualité humaine adéquates, ne se sont pas bien incarnés à la conception. J'en ai déjà longuement parlé. Je lui dis qu'il serait possible de concevoir que pour une de ces nostalgiques, faire un cancer pourrait théoriquement être une tentative de risquer sa vie pour enfin s'incarner, pour ne plus être un simple objet, un simple tableau, comme me le disait Jacques, dans l'histoire que je racontais plus haut, et que je lui répète. Elle parle un peu de sa famille. Elle n'a pas du tout l'air inquiète.

Je l'opère.

Mes échanges avec Willy Barral, Marie-Claude Defores, Didier Dumas, Anne Ancelin Schützen-berger, m'ont fait aborder un nouveau monde. Un peu comme Alice au pays des merveilles. Celui de l'image inconsciente du corps.

Tout le monde semble d'accord pour dire que le schéma corporel représente vraiment le corps au niveau mental. De ce point de vue, Dominique est tellement proche de son corps qu'elle « sait » quand il est malade, et elle se conte alors une petite histoire.

L'image inconsciente du corps, semble-t-il, se situe dans l'interface entre l'analysant et l'analyste. Celui-ci peut alors voir des images, ou avoir des sensations corporelles qui font sens pour l'analysant quand elles sont verbalisées. Comme si l'analyste captait un message non dit, non montré transmis par l'analysant.

Cela existe, cela va sans dire, dans la vie réelle, en dehors de toute thérapeutique.

« Chéri, chéri, on va faire un accident ! »

J'ouvre les yeux. La route tourne à gauche. Je fais un brusque mouvement du volant. Décharge une bonne dose d'adrénaline. Transpire. A quelques palpitations. Ouvre la fenêtre dans le froid de l'hiver. Sauvés. Elle nous a sauvés de la mort, et du ravin où je m'apprêtais à dévaler.

Après une longue journée, je m'étais endormi au volant.

Ma compagne était couchée à l'horizontale dans la voiture. En dessous du niveau des vitres. Elle dormait.

Elle rêvait que nous avions un accident, et le cauchemar l'avait réveillée...

PHOBIES ET OBSESSIONS

Il est toujours utile de savoir si un patient souffre de phobies, comme la peur des rats, serpents, souris, araignées, la terreur des hauteurs, de la noirceur, des grands espaces. Les patients souffrant de telles phobies sont hystériques. Nous savons qu'un haut niveau d'hystérie est commun chez les sujets constipés.

Quelques indices d'une personnalité anale, avec un comportement obsessionnel, sont retrouvés chez les patients qui sont très avares, ou qui ont l'habitude de répéter certains gestes, tel que ouvrir ou fermer la porte de leur voiture ou de leur maison à répétition, vérifier si la cuisinière est bien fermée, si la porte est bien fermée à clef. Certaines personnes veulent que tout soit en ordre, alors que d'autres vivent dans le désordre. Demander un calendrier défécatoire peut, à l'occasion, donner l'indice d'une personnalité obsessive, anale et « constipée ».

Un de mes collègues, le docteur Alain Watier, a demandé à une malade d'annoter la fréquence et la consistance de ses selles pendant trois mois.

Elle revient avec une belle boîte fermée d'un joli ruban.

Il ouvre la boîte. Elle contient une dizaine de pages où la dame a noté méticuleusement le récit calligraphié de ses habitudes intestinales.

Il ne lit pas les documents. Sans les regarder, il les jette à la poubelle. Lui rend la jolie boîte et le joli ruban.

Elle enrage. Part en claquant la porte.

Et guérit de sa constipation.

Aller plus loin et plus fort dans la névrose du

patient revient à commander celui-ci et l'inciter à réagir à l'inverse de ce qu'il fait d'habitude.

« C'est magnifique ! »

Il a noté le nombre de secondes que ça lui a pris pour déféquer. L'heure exacte, à la minute près, où il est allé à la toilette. La feuille n'est pas dactylographiée, mais elle a été recopiée de façon très appuyée et calligraphiée. Les lignes horizontales et verticales sont tirées à la règle.

Je lui demande de continuer l'exercice durant deux mois, en rajoutant le nombre de morceaux de selles et leur consistance.

Il s'exécute.

« Maintenant, je vais vous demander quelque chose de très important et de très compliqué. Vous allez me faire un code de couleur de la palette d'émotions que vous connaissez. Chacun a la sienne. Par exemple, moi je prendrais le rouge pour la colère, et le noir pour la tristesse. Puis, vous allez continuer l'exercice que vous faites si bien depuis quatre mois. Mais attention, avant de mettre vos notes chaque fois que vous allez à la selle, vous vous interrogerez sur vos sentiments ! Quelle émotion ressentez-vous à ce moment précis ? Vous consultez votre code de couleur, et c'est de cette couleur que vous écrivez cette note. Je m'attends, si vous êtes toujours triste, que votre calendrier défécatoire dégage une impression de noir, par exemple, si c'était mon cas. Avec une touche de rouge, par exemple, si de temps à autre, vous réagissez à votre dépression par un bouillon de colère.

Faites-moi cet exercice durant quatre mois. C'est très important pour votre mieux-être. »

Il revient quatre mois plus tard avec une montagne de documents. Il me supplie de cesser l'exercice. Cela lui prend tout son temps. En fait, il n'a plus de temps pour faire autre chose. J'accède à sa demande.

Il guérit.

Il est intéressant de demander aux patients de raconter leur plus ancien souvenir qu'ils ont en mémoire. Généralement, empreint d'une très forte signification émotionnelle.

– Quel est votre plus vieux souvenir ?

– J'ai six mois. Ma mère m'abandonne à l'orphelinat. J'ai le souvenir d'une ombre qui s'en va. Je pleure. Je m'accroche aux barreaux de mon berceau.

Elle est venue me voir pour un problème de constipation chronique. Notre première rencontre a été intense. Nous sommes restés ensemble près d'une heure et demie. À la fin, nous ne parlions plus de constipation mais de spiritualité et du sens de l'existence. Contre-transfert aidant, j'étais sorti du bureau, plié en deux de mal de ventre, qu'elle avait aussi. Une heure plus tard, j'avais eu un épisode unique de débâcle diarrhéique qui m'avait soulagé.

Quelques visites avaient suffi pour qu'elle cesse d'être constipée.

Son mari s'était alors mis à avoir de la diarrhée. Elle me l'avait amené pour que je le soigne. En cours d'examen, j'avais trouvé une hypertonie anale sévère. Pour lui faire comprendre le problème, je lui avais traduit cela en langage vernaculaire, en lui disant qu'il me faisait comprendre pourquoi les Québécois parlaient des « Ti-culs ». Il m'avait soufflé, en me répondant du tac au tac : « C'est la preuve ! »…

Lui aussi, il avait guéri très vite.

Puis leur enfant avait commencé à avoir de la diarrhée. Et cela m'avait inquiété sérieusement. Il avait des ulcères dans la bouche, ce qui me faisait penser à une maladie de Crohn.

Je commençais à me sentir mal à l'aise au milieu de cet envoûtement familial, où chacun se passait la balle, dans un non-dit absolu.

Muriel était une femme intense et passionnée. Elle était une enfant adoptée, comme je l'ai dit plus haut.

Elle était passée d'une relation hypergénitalisée à une relation asexuée. Son premier homme et elle faisaient le sexe tout le temps. Le sexe. Pas l'amour. L'intensité du plaisir avait éveillé la violence de l'homme. Elle avait finalement rompu quand il s'était mis à courir derrière elle, une hache à la main.

Au contraire, les relations sexuelles étaient très rares avec son mari, qu'elle aimait. Celui qui avait le derrière serré, et en disait que « c'était la preuve »...

L'enfant, dieu merci, n'avait pas de maladie de Crohn.

Muriel revient me voir en urgence. Elle a une colite de Crohn fulminante, gravissime. Elle est hospitalisée.

Un jour, elle m'avoue avoir prié le Seigneur d'épargner la maladie de Crohn à son fils, et la lui donner à elle à la place...

Nos échanges, au-delà du domaine médical, devenaient difficiles, pénibles, pleins d'éléments transférentiels, de part et d'autre. Les zones de conflits s'articulaient sur les liens entre sexualité et spiritualité, sur sa difficulté à ce que le Verbe se fasse Chair. À l'époque, je n'avais pas encore entendu parler des nostalgiques de l'état d'ange. J'ignorais encore l'impact de la conception, la vie intra-utérine, la naissance sur le devenir du corps et de l'être humain. À aucun moment, Muriel n'a réussi à dépasser cette image, à l'âge de six mois, quand sa mère l'abandonnait à l'orphelinat.

Avec le temps, la gravité des problèmes dus à la maladie de Crohn s'estompa. Elle était bien suivie dans son milieu. Je n'en avais des échos que de temps à autre. Les problèmes de sexualité avec son mari restaient inchangés.

Puis, un jour, ils eurent un terrible accident de moto. Elle faillit y perdre la vie. Elle en resta lourdement handicapée sur le plan physique. Il la quitta. Elle guérit de la maladie de Crohn.

C'était il y a longtemps... Je ne connais pas la suite de cette histoire.

Dans le cas de Muriel, à qui j'avais demandé quel était son plus vieux souvenir, elle avait annoncé la couleur de la problématique d'emblée : l'abandon marquait sa vie, ponctuée de tentatives pour y compenser, au lieu de le pleurer.

Voici deux autres exemples de « plus vieux souvenirs ».

« J'ai huit ans. Je marche le long d'un ruisseau. Tout d'un coup, je me souviens. Je ne suis pas la fille de ma mère. J'ai été adoptée. D'un coup je me rappelle des circonstances.

Je cours chez ma mère. "Tu n'es pas ma mère !" lui dis-je. "Mais si !" rétorque-t-elle. "Non ! Tu mens !" Je lui raconte tout. Elle est sidérée.

Depuis, elle a peur de moi. Elle m'appelle : "La sorcière" ».

Et d'aborder la relation difficile avec sa mère.

Et cet autre exemple :

Il a quatre ans. C'est la guerre. Ses parents le regardent manger une banane. Sa première banane. C'est la guerre. La Croix-Rouge suisse a réussi à trouver des bananes pour les petits enfants de ce pays occupé. Ses parents le regardent avec amour et envie. Son père, surtout, me dit-il.

Et de parler de son père autoritaire qui assumait des fonctions maternantes.

Le toucher, agent thérapeutique

Je ne vais pas répéter ici tout ce que le corps envoie comme messages. J'ai parlé longuement dans le premier chapitre de ce que nos sens captent. Les messages non verbaux, s'ils sont contradictoires avec les mots, sont, en ce qui me concerne, toujours plus collés à la vérité, à la réalité, à l'âme, que ce que la pensée, fut-elle extrêmement sophistiquée, peut en élaborer.

Je voudrais par contre évoquer un peu plus en détail sur ce que le toucher peut révéler.

Quand on parle de « toucher quelqu'un », on peut faire d'emblée différentes interprétations, où la linguistique peut nous orienter. Au sens strict du terme, toucher veut dire établir un contact physique avec un être animé ou inanimé. Se profile pourtant derrière cette forme de communication corporelle une connotation sexuelle que le langage populaire québécois exprime particulièrement bien par rapport aux autres dialectes de la langue française. Quand une femme y dit : « Mon père m'a touchée », elle ne dit pas qu'il l'a prise affectueusement dans ses bras, mais qu'il a commis l'inceste. Mais le sens le plus profond du terme signifie que la personne a été rejointe émotivement. Cela implique *de facto* une participation de l'inconscient.

J'ai raconté plus haut comment Lyne s'était ouverte quand je lui avais offert de me frapper. Intuitivement, car je n'avais jamais fait cette expérience, je ne l'avais jamais lue, personne ne m'en avait jamais parlé, j'avais perçu que de la laisser me frapper, sans que je rentre dans une bagarre physique avec elle, allait immanquablement la renvoyer aux coups que son ex-mari lui avait fait subir. Elle avait bien visé, et ce sans réfléchir. La claque avait été cuisante, du plat de sa main au plat de la mienne. Tellement aiguë que j'avais dû amortir les coups suivants. Le toucher est le seul sens qui ne peut être que bidirectionnel : il est impossible de toucher quelqu'un sans être touché. Même quand le toucher est violent. Même quand ce sont des coups. Lyne était, elle aussi, habitée par la violence que son ex-mari projetait sur elle. De lui offrir de la projeter sur moi sans la retourner avait transformé l'équation violence-violence, banale au quotidien, ou celle de la violence subie, en violence-toucher. Et cela avait déclenché chez Lyne un processus de guérison.

Le toucher a deux dimensions, celle de la tendresse et celle de la sexualité. Après avoir consommé la sexualité, on se rend compte qu'il y a autre chose.

Judith présente sa peinture au groupe. La toile mesure deux mètres par un mètre cinquante. Elle représente un énorme arlequin. Judith a choisi comme modèle, en ombre chinoise, Charlotte que j'ai opérée deux fois d'une maladie de Crohn. Les frères de celle-ci se sont suicidés par arme à feu. Elle m'a dit qu'à la première rencontre, je lui avais cassé la tête, mais que cela avait été pour elle comme une seconde naissance. De tout le groupe, Judith a choisi, sans rien connaître d'elle, la femme qui a fait le plus long chemin dans la conscience. L'arlequin de Judith, opérée inutilement à sept reprises pour des douleurs abdominales, est d'une grande beauté et plein de fantaisie et de gaieté.

« L'objet que je préfère, c'est le parapluie. »

Judith a peint un petit parapluie rouge et vert sous le sexe de l'arlequin.

« Ouin, il ne va plus mouiller. »

C'est une participante du groupe de peinture qui vient de parler.

Éclats de rire général.

Judith est venue me voir pour un problème de douleurs abdominales sévères et de constipation qui durent depuis de nombreuses années. Elle a été vue par d'innombrables généralistes et spécialistes, y compris plusieurs chirurgiens, pour enfin m'être envoyée en consultation par une femme, en pratique de médecine de famille.

Le bilan organique, extensif, de Judith est parfaitement normal, bilan que je fais même si elle vient de subir une intervention chirurgicale pour explorer son ventre. Et cela sans que rien n'y soit trouvé. Très rapidement, j'ai soupçonné qu'elle avait été abusée sexuellement, parce que la motricité anorectale mesurée en manométrie supporte ce diagnostic. Elle est incapable de contracter l'anus au toucher rectal. Elle a une insensibilité rectale. Le volume maximum d'eau qu'elle peut tolérer dans un ballonnet placé dans celui-ci est cent soixante-dix millilitres, ce qui est normal. Mais elle ne sent rien avant que cent trente millilitres n'y aient été injectés. Elle a donc un niveau de sensibilité très pauvre, et une faible tolérance entre sensation et douleur. Elle a de l'anisme comme Lyne : au lieu de relaxer le plancher pelvien aux efforts défécatoires, elle contracte vigoureusement l'anus. Comme elle ne dit rien d'elle-même, sauf pour ses symptômes physiques, je l'envoie faire de la rééducation périnéale avec une femme. Très vite, celle-ci se sent découragée, manipulée. Même agacée. Malgré le tableau clinique et biologique, Judith nie de façon répétée avoir été abusée sexuellement ou physiquement.

Durant une colonoscopie, faite dans le gros intestin, elle se plaint de douleur vaginale, se reprend et dit que la douleur est dans le ventre. Sur la base de l'investigation, je conclus à une colopathie fonctionnelle. Je lui parle de la grande incidence d'abus sexuel qu'on retrouve dans le passé de ce type de patientes. Je lui fais part de mon découragement et mon incompréhension face au tableau clinique et psychologique qu'elle présente, étant donné qu'elle nie toute histoire du genre. Alors que nous sommes sur le pas de la porte qu'elle s'apprête à franchir, elle me dit alors – enfin – que, oui, elle a eu des problèmes, et que lorsqu'elle était enceinte de son deuxième enfant, sa mère a eu des relations sexuelles avec son mari ! Plus tard, elle me confiera que sa mère la battait souvent jusqu'à son mariage, et qu'elle la déshabillait de force avant de le faire. Elle me dira aussi que sa mère a eu des relations sexuelles avec certaines de ses amies. Elle me dira enfin que son père la désirait et avait fait des propositions à sa meilleure amie. Finalement, avec beaucoup de peur de se faire juger, elle me dira que le médecin qu'elle voyait pendant qu'elle était mariée avait eu des relations sexuelles avec elle. Elle considère cette liaison comme importante, même si elle a été déçue de ne pas y trouver de plaisir physique. Elle dit aujourd'hui que c'est « grâce » à cette relation insatisfaisante qu'elle a pu sortir – avec beaucoup de souffrance – d'une relation tout aussi insatisfaisante avec un homme constamment en double liaison, découvrir l'orgasme, découvrir un début de santé, et commencer à grandir.

L'art-thérapeute, qui anime l'atelier avec moi, se lève et demande à Judith quelle blessure a son arlequin au bras gauche. Judith se met à trembler. Elle montre sur son propre bras, exactement au même endroit que sur sa peinture, une cicatrice, séquelle d'une chirurgie pour ostéomyélite, qu'elle a subie à l'âge de 3 ans. Elle m'avait raconté que c'était son père qui l'avait conduite à l'hôpital, car sa mère venait d'accoucher d'une fille. Elle avait eu très peur d'y être abandonnée. Judith se met à pleurer. L'animatrice s'approche d'elle et lui prend le bras droit, à l'endroit où, sur l'arlequin, on voit ce qui pourrait être interprété comme la trace d'une main verte. Judith a un mouvement de recul dans tout son corps. La peur s'installe dans ses yeux. L'animatrice lui demande si elle a été battue. Judith se met à raconter l'histoire de sa vie au groupe.

« Je ne crois pas qu'elle ait voulu me tuer. Elle me détestait. Ça a commencé à l'adolescence. »

Pourtant, elle avait dit tout au début de sa prise en charge, à la deuxième visite, qu'elle avait été bien traitée jusqu'à son mariage. Celui-ci, à l'âge de dix-sept ans, avait suivi de peu le divorce de ses parents. Elle avait même dit que son père était dur et froid et qu'elle était plus proche de sa mère. Quelques mois plus tard, pourtant, elle avait dit qu'elle devait souvent défendre son père quand sa mère courrait avec colère derrière lui avec de l'eau bouillante ou avec un couteau. L'art-thérapeute se dirige vers un petit meuble et allume une bougie. Elle la met dans un bougeoir, que tient l'arlequin au bout de sa main droite. Judith y a peint une bougie déjà allumée. « Regarde tout l'espoir qu'a ton arlequin. »

Je demande à Judith si elle veut parler de sa relation avec les médecins. Elle regarde l'art-thérapeute avec inquiétude, me regarde, la regarde à nouveau. Ses yeux semblent me dire : « Ne me demande pas ça. » En bredouillant et avec beaucoup de circonvolutions, elle raconte ce qu'elle a vécu avec moi. Durant une seule consultation, elle n'a pas cessé de me parler de son désir de faire l'amour avec moi. Je lui avais répondu que non seulement, je ne ressentais aucun désir mais que mon corps n'envoyait aucun message qu'il soit attiré. Elle avait alors ajouté que, moins un homme la désirait, plus elle le désirait. Je lui avais dit qu'il était donc sans danger d'aller au bout de son désir. La semaine suivante, elle m'avouait avoir perdu tout désir en sortant de mon bureau et qu'elle avait réalisé à quel point elle avait souvent fait l'amour uniquement pour être tenue dans les bras d'un homme avec tendresse. L'art-thérapeute la rassure en lui disant qu'on n'est pas responsable de son désir, et que le corps ne ment jamais. Judith se met à pleurer, entre spontanément en transe hypnotique et revit devant le groupe médusé une scène où elle a trouvé sa mère en train d'embrasser son mari. Elle revit ensuite des scènes de violence extrême, où sa mère la traite de putain.

Plus tard, durant le même atelier, Judith fera la première colère que je lui connaisse. Cette colère m'est adressée, mais elle parle à une participante de style « superwoman ». Celle-ci est très cérébrale. Elle a déclenché chez moi un contre-transfert négatif, intense, que je traduis en l'interrompant constamment. Judith fait une colère immense, crie au peintre de me forcer à me taire, et par son choix de langage, perd toutes ses bonnes manières.

Les études du temps de transit colorectal faites par le radiologue sont normales dès le début de nos rencontres. Elle le resteront toujours, comme chez Lyne, mais Judith a été beaucoup plus loin dans le lâcher prise émotionnel. Ses douleurs abdominales cessent d'être quotidiennes. Elle a de rares jours de paix, sans douleur. Elle réalise que les relations sexuelles avec son amant marié déclenchent des douleurs abdominales, alors qu'avant, elle faisait l'amour pour calmer ses douleurs. Elle réalise sa difficulté à dire non à un homme, sa sensation d'être traitée, sexuellement, comme une chose, bien qu'elle ait une capacité extraordinaire à se déchaîner dans l'orgasme. Enfin, elle prend conscience de sa dissociation entre deux hommes : un confident qu'elle aime sans désir et sans sexualité, et son amant, dont elle ne se sent pas aimée, mais avec qui elle jouit de plus en plus. Elle recommence à travailler, pour la première fois, depuis longtemps.

Judith, réalise alors que les multiples interventions chirurgicales qu'elle a subies ont suivi de près la relation qu'elle a eu avec son médecin traitant.

Judith, pour un temps, cesse de demander – et surtout d'obtenir – des laparotomies exploratrices inutiles. Celles-ci avaient souvent lieu durant les vacances de ses médecins traitants. Elle décontrôle émotivement, tellement, qu'elle est vue par une psychiatre en urgence. Celle-ci, découvrant que Judith exige de moi des visites quotidiennes comme « récompense » parce qu'elle ne s'est pas fait opérer pendant mes vacances, l'hospitalise. À sa stupéfaction, Judith se convainc elle-même du lien psychosomatique en devenant asymptomatique du jour au lendemain. Ses soignants l'encouragent, durant deux semaines, à exprimer sa rage à mon égard. Ce qu'elle commence à faire.

Judith se met à osciller entre névrose et psychose. Elle est de plus en plus souvent hospitalisée en psychiatrie. À d'autres fois, ses symptômes corporels frôlent un paroxysme. Parfois, elle a un discours médicalisant, que j'écoute d'une oreille distraite, en essayant d'entendre la musique et la physique des mots qu'elle utilise pour parler de ses symptômes. Parfois, au contraire, elle a des crises de rage subites envers moi. Plusieurs fois, elle me prend par surprise. Une fois, elle me donne des coups de pied, une autre, elle me griffe. Je lui dis que je refuse dorénavant une autre « biopsie de peau ». Enfin, et surtout, elle touche parfois, après des accès de colère, à des plages de détresses indicibles et très touchantes, où elle fait des débuts de prise de conscience et de mise à distance de son passé. Dans ces périodes, elle commence à réaliser à quel point sa voix prend des tonalités de toute petite fille.

À travers tout ce cheminement, elle commence, pour reprendre ses mots, à « se voir aller » et à découvrir l'altérité indispensable à toute forme de relation, et au bonheur. Elle n'est pas encore libre, mais comme le petit-fils de Freud qui jouait au *fort-da*, elle a commencé à rompre la relation malade-médecin, et la reprendre un peu plus loin, avec plus de conscience de ce qui se joue.

L'histoire de Judith soulève plusieurs questions.

Ici, ce n'est pas la colère ou la violence physique, qui a été le moteur de guérison, comme cela a été le cas chez Lyne, où c'était peut-être un substitut sexuel. On sait que violences physiques et violences sexuelles sont intimement liées. Ici, c'est le désir, dans un sens beaucoup plus freudien qui a fait pivoter les choses. Il y a toujours transfert, mais cette fois la relation a commencé à devenir transnarcissique. Le point tournant a été le désir sexuel de Judith à mon égard, exprimé, mais inassouvi. Le transfert est un mécanisme de défense pour ne pas voir le passé, une pure illusion, où personne n'existe parmi les six protagonistes (la malade, le docteur et les quatre parents). Avant cette rencontre, la chirurgie avait littéralement servi de « tombeau du souvenir » pour reprendre la belle expression d'Hubert Van Gijseghem qui fait équivaloir l'inceste père-fille à un meurtre symbolique. Et cette chirurgie avait suivi le passage à l'acte de son « bon » médecin, compatissant, mais confondant désir et amour. Nous sommes donc dans un processus psychanalytique, où, à travers des moyens de communication non verbale, les « maux » de ventre prennent conscience qu'ils sont des « mots ». La violence physique – une forme de toucher – cette fois a suivi – et non précédé, comme c'était peut-être le cas avec Lyne – le désir sexuel, et elle a été dans le sens malade contre le médecin, plutôt que l'inverse, comme ce fut le cas avec son premier médecin.

Le toucher sème souvent la controverse, le recul, la dénonciation, la marginalisation et même le sentiment d'une profonde solitude. Cette solitude est créée par des émotions trop longtemps refoulées. Lorsqu'on refuse de laisser libre cours aux émotions, on essaie de passer outre comme si de rien n'était. On accumule alors un certain nombre de besoins, de manques, qui finissent par être oubliés par notre conscient. Puisqu'une émotion est un phénomène psychosomatique, elle doit nécessairement comporter une composante psychique et une autre corporelle. Le toucher, stimulant le corps, permet le réveil corporel et, indirectement, l'éveil psychique. La manifestation émotionnelle qui en découle est d'autant plus intense qu'elle met en évidence un besoin, un vide qui ne peut plus être nié. De ce contact avec la réalité résultera parfois la libération d'un sentiment de profonde solitude. C'est la fuite de cette solitude qui fait refuser le toucher et toute forme de contact physique, corporel, même au niveau d'une tendresse sans désir ni convoitise.

Toucher et être touché sont des besoins fondamentaux. Ils sont nécessaires pour prendre contact avec le milieu qui nous entoure, pour délimiter notre individualité et encore plus pour parvenir à une connaissance et une acceptation de notre entité avec ses dimensions intellectuelle, émotionnelle, corporelle, sexuelle, et spirituelle. Des gestes aussi simples qu'être bercé, embrassé, exploré par la palpation, le contact physique en lui-même, sont essentiels pour parvenir à ces fins.

Le peu de publications disponibles sur le sujet et la connotation péjorative qui y sont associés reflètent bien l'ambiguïté du toucher. Si dans certains cas précis, il prend une signification sexuelle, le toucher est primairement affectif. Parce que la sexualité est un domaine tabou, mal connu, mal exploré, mal apprivoisé, on y fait pourtant référence, souvent à tort, pour qualifier de « sexuel » tout ce qui est inhabituel, tout ce qui nous est inconnu. L'inconnu fait peur. Les gens ont peur de se toucher par crainte de sexualité. Il faut alors faire référence à la théorie freudienne qui ramène tout à la sexualité, ou à la théorie jungienne qui pense qu'il y a une autre conception. Au nom de cette crainte, on bannira, ou, à tout le moins on limitera nos démonstrations physiques d'affection.

L'ambiguïté du langage provient du fait que la démonstration d'affection et la relation sexuelle sont placées sur un même axe. Il existe même une échelle reflétant le manque de discernement entre faire l'amour et le toucher affectif. Monsieur Froëlish, dans un livre sur l'entrevue médicale, a gradué cette échelle de 0 à 11, 0 étant l'évitement, 1 à 3, les démonstrations d'affection et 11, la relation sexuelle ! Sur la même échelle ! Il est absolument indispensable, pourtant, de faire la distinction entre les deux formes de toucher et de placer sur deux axes différents le toucher affectif et la relation sexuelle. Socialement handicapés par le manque d'affection, plusieurs tenteront, inévitablement sans succès, de combler ce besoin, ce vide, par une rencontre des sexes. L'exemple le plus frappant est le taux aberrant d'agressions sexuelles. Si la société reconnaissait le besoin d'être touché, si elle acceptait les contacts affectifs, elle agirait à la source même du problème et protégerait d'innocentes victimes. Il faut chercher ici quel est l'impact sur le devenir de l'enfant d'un modèle occidental de parents, qui est profondément marqué par l'héritage judéo-chrétien. On a dit, très justement, que l'inceste était beaucoup plus fréquent chez l'homme que chez l'animal, et on peut dire tout aussi bien que les rôles respectifs de la mère et du père sont radicalement différents chez l'animal et chez l'humain. Si, comme au début du XXe siècle, et comme cela continue encore à se faire dans certains milieux, pays et cultures, on dissocie la mère de la femme, le père de l'homme, on créera des parents qui vivent dans la mésentente sexuelle chronique mais font des enfants, et ceci non pas par amour mais par devoir. Immanquablement, les qualités parentales seront gommées et les frustrations des géniteurs iront s'assouvir dans le produit qu'ils auront engendré, ou ailleurs. Ce faisant, le toucher des parents, essentiel à la croissance des petits, deviendra sexualisé ou absent. La relation père-mère-enfant deviendra donc sexualisée, avec des préférences parent-enfant variables suivant les sexes. C'est ce qu'on a démontré quand on a étudié le développement du petit face à la modestie, la nudité et les fonctions d'excrétion. Au-delà de la sexualité, le poids relatif de la mère et du père seront différents face à la fille ou au fils. On a démontré que le toucher, dans une situation de laboratoire, ralentit le rythme cardiaque des sujets de l'expérience. Il reste pourtant à apprendre quel est l'impact, non seulement physiologique mais global sur la personne, de la qualité du toucher, et des attitudes, conscientes et inconscientes qui sous-tendent le geste. On peut donc s'attendre à ce qu'un toucher libidineux ou agressif accélère le pouls, alors qu'un toucher plein de tendresse puisse l'apaiser et le ralentir.

Les implications médicales de la prévalence des abus sexuels deviennent évidentes, quand on apprend la quantité d'interventions chirurgicales inutiles pratiquées sur des sujets abusées, et ce, dans l'ignorance totale du traumatisme par le médecin traitant. J'ai dit plus haut que le taux aberrant de chirurgies inutiles chez les femmes abusées sexuellement ne pouvaient amener qu'à conclure à la dimension phallique d'un bistouri, activement recherché par un sujet en quête de guérison du passé.

L'utilisation thérapeutique des mains *via* le toucher apparaît comme un acte humain universel. C'est pour cette raison que dans notre société civilisée, on échange des poignées de main. On serre donc la main des malades avant, et après l'entrevue. Tout comme on le fait dans la vie quotidienne, avant et après la rencontre. Cette utilisation des mains doit faire partie intégrante du processus thérapeutique mis de l'avant pour rétablir un équilibre de santé chez tout être souffrant. Non seulement le toucher est accessible à tous mais en plus, il ne nécessite ni frais ni ordonnance. Bien que ce geste soit fondamentalement important, il semble qu'il soit oublié dans cette ère scientifique à cause de notre adulation pour la robotisation. On dirait presque que certains voudraient inventer des machines pour ne plus avoir à toucher les patients. Notre main s'est transformée en gant métallique mécanisé, électronique. Bref, à l'heure des scanners, de l'ingénierie génétique et de la technologie croissante des actes médicaux, le toucher comme agent thérapeutique offre peut-être une complémentarité plus humaine et plus fondamentale. En nous faisant prendre conscience que notre moi ne s'arrête pas à l'apparente frontière de notre peau, le toucher nous ouvre une porte vers d'autres questionnements sur la nature des liens qui nous unissent entre humains.

Lorsque Henriette me consulte, elle va avoir quarante-six ans. Elle m'a vu discuter à la télévision d'une approche globale de la médecine. D'emblée, elle est « délinquante », puisqu'au lieu d'appeler l'hôpital ou ma secrétaire, elle m'appelle chez moi pour me parler de sa peur d'avoir un cancer du côlon. Délinquance pour délinquance, je lui fais d'emblée, avant tout rendez-vous, une colonoscopie. L'examen normal calme sa cancérophobie.

Lorsque je la vois, enfin, en consultation régulière, elle a les mains glacées. Elle ne me parle plus de sa peur du cancer mais de douleurs abdominales. Celles-ci ont débuté six ans auparavant, au moment du décès de sa mère. Elle avait aussi des céphalées, toujours suivies de débâcles diarrhéiques. Dès qu'elle a commencé à voir un psychanalyste d'obédience jungienne, ses maux de tête ont cessé. La mort de sa mère coïncidait avec des difficultés conjugales. Elle enchaîne sur son enfance, en parlant de son malheur d'avoir toujours voulu être ce qu'on voulait qu'elle soit. Elle dit avoir eu des difficultés avec son père, avoir adopté son comportement, et fait un énorme lapsus en disant qu'elle s'est mariée très jeune, à huit ans. Finalement, elle rajoute qu'elle est quatrième de quatorze enfants et qu'être malade lui procurait des avantages puisque, dit-elle, c'était la seule façon d'avoir de l'attention : « Quand je faisais de la fièvre, je délirais et ma mère restait près de moi. » Elle est secrétaire dans un hôpital, mais termine des études de psychologie. J'apprends qu'elle parle en dormant, se souvient de ses rêves et a déjà été somnambule. « En vous voyant à la télévision, j'ai eu un feeling. Je me suis dit : si jamais j'ai quelque chose, c'est par ce médecin-là… J'ai toujours pensé que mes malaises étaient reliés à des problèmes psychologiques. »

Je lui refais une colonoscopie pour vérifier que les pétéchies rectales vues la première fois étaient bien un artefact technique dû au lavement évacuant très concentré en ions salins. Ce jour-là, elle parle de sa douleur abdominale au passé. Elle me dit : « C'était mon problème, maintenant ça brasse émotivement. » Toute l'évaluation organique, extensive, ramène des résultats négatifs. Et la malade de m'expliquer : « Quand vous m'avez pris la main entre vos mains à la fin de notre deuxième rencontre, il s'est passé quelque chose. » Je n'avais pas noté au dossier que j'avais fait ce geste. Je ne m'en souvenais pas. « Cela a déclenché beaucoup d'instrospection chez moi, j'avais l'impression d'une présence à côté de moi. J'ai réalisé que c'était une projection. J'ai eu des accès de rage épouvantables. »

– La rage sur quoi ?

– De ne pas avoir été aimée dans mon enfance. La rage sur mon thérapeute aussi. Il a été brusque. Il ne me serre jamais la main. Je me suis sentie rejetée. J'ai toujours été une enfant modèle. J'ai, très jeune, saisi ce que les autres attendaient de moi. Même en thérapie, j'étais une enfant modèle.

Pour la première fois, Henriette me parle de sexualité. Elle a eu de nombreux amants, tout en restant mariée avec le même homme. Elle a cessé d'en avoir à partir du moment où elle a éprouvé du désir pour son thérapeute. Elle me rajoute le détail inhabituel d'être multi-orgasmique avec son mari, mais d'être incapable de l'embrasser. Toutes les nuits à 1h20 du matin, elle se réveille en sursaut dans l'angoisse. C'est l'heure à laquelle un de ses amants s'est tué dans un accident de voiture. Son mari, pense-t-elle, n'est pas au courant de ses aventures. Il lui est resté fidèle. En fin d'entrevue, sur le pas de la porte, en me serrant la main après avoir reçu la date de son prochain rendez-vous, elle me dit que lorsqu'elle avait quatorze ans, le mari de sa sœur l'a agressée sexuellement. « C'était comme un inceste. »

Lors de sa dernière visite, elle dit ne plus avoir peur d'avoir un cancer. Son angoisse a presque disparu. Elle n'a plus l'impression de présence dans la chambre, ou de choses sur le mur. Elle dit avoir vécu toute seule un épisode quasi psychotique. « Dans une énorme angoisse et beaucoup de souffrances, j'ai pris conscience que je n'avais jamais compté pour personne. Une grosse bibite, une sorte de pieuvre ou d'araignée est sortie par mes yeux, a été projetée sur le mur avec du sang au milieu. Puis elle a disparu. J'ai senti un grand vide après. Ensuite, je me suis sentie libre. »

Henriette a les mains très chaudes en me disant au revoir pour la dernière fois. Elle a décidé de faire une maîtrise en psychosomatique. En tout, nous ne nous sommes rencontrés que cinq fois.

Cette histoire relate l'analyse d'un transfert, et la rencontre de la patiente avec son vide intérieur, étape essentielle à son processus de guérison. J'imagine, puisque je ne suis pas psychanalyste, que la mort sanglante de l'araignée est de l'ordre de ce qui est convenu d'appeler le noyau psychotique.

Le premier contact avec Henriette a été anal. Tous les éléments discutés par Patricia Feldman sont capitaux à cet égard. En effet, Henriette était phobique. Elle voulait être rassurée qu'elle n'avait pas de cancer du côlon. Elle savait qu'il fallait, pour cela, faire une colonoscopie. J'ai répondu à sa demande à un niveau hystérique et sexualisé. Mais, inconsciemment, j'ai pris ensuite, en clinique, sa main dans les miennes, dans une démarche beaucoup plus proche de la tendresse, de sentiments archaïques et du vide central à l'hystérie, sous-jacent au niveau érotique. Le toucher, sexualisé d'emblée au niveau de l'érotisme anal, a été ramené par moi, par pure intuition, à un niveau infantile qui a permis le déblocage de la problématique.

Il semble qu'ici, la relation a été au-delà du transfert, d'emblée, ni dans la violence physique, ni dans le transfert classique.

Henriette, contrairement à Lyne et Judith, avait déjà fait tout un cheminement dans son intériorité. Elle avait un thérapeute, sur qui elle était en transfert érotique, puisque sa présence avait fait cesser la promiscuité qu'elle avait avec ses nombreux amants. Mais ils semblaient arrêtés dans un « cul »-de-sac et elle s'est peut-être servie de moi pour délier ce lien sans en créer un autre. Si j'avais simplement remplacé son psychanalyste, elle aurait enjambé le vide entre deux hommes, ce qu'elle n'a pas fait. Comme elle était forte de toute son expérience, elle a pu affronter ses monstres intérieurs, métaphoriquement. Sa guérison et son départ suggèrent une rupture avec le passé.

Le toucher, ici, a été vraiment thérapeutique. En effet, il n'était pas du tout sexué, et c'est ainsi qu'elle l'a vécu. La société devient de plus en plus au fait des relations malade-médecin qui peuvent déraper dans la sexualité. Elle y réagit par une approche légale et policière, correcte, mais inadéquate car trop superficielle et faisant l'économie de la compulsion de répétition. Les sujets abusés dans le passé semblent se promener avec une étiquette sur le front qui dit : « Abusée abusable ». Ils cherchent dans le médecin guérison du passé mais tendent à garder un comportement séducteur comme moyen de fuir la mémoire. Or, ce passé est clairement sexualisé. Dans bien des cas, il y a eu abus. Nous ignorons aussi quel impact la sexualisation de la fonction de défécation par les parents peut avoir sur la santé future de l'enfant. Il n'est pas rare, durant une colonoscopie, d'entendre une malade parler du comportement maternel invasif pendant leur phase d'apprentissage à la continence. Invasion de thermomètre titillant, de suppositoires, de lavements, ou de façon plus orale de laxatifs. Ainsi, cette mère qui dit de son enfant incontinent : « Quel dommage qu'on ne puisse lui poser une porte, que je puisse ouvrir et fermer à volonté »... ! Double inceste que celui de la mère, avec ce que certains analystes appelleront « pénis anal », puis plus tard du père avec un vrai pénis... L'inceste mère-enfant est plus rarement pratiqué réellement que l'inceste père-enfant, mais il existe, et avec des dégâts doublement terribles, car il y a confusion d'identité sexuelle. On peut aussi fantasmer à un niveau encore plus primitif, archaïque et psychotique, quand on découvre que certains vibrateurs sont mis sur le marché avec des têtes interchangeables, dont une mammaire, et ils sont bien sûr noirs, de la couleur du deuil, de la mort et du meurtre.

Henriette parle aussi du gain secondaire de la maladie qu'obtiennent certains malades. Enfant, elle ne recevait de l'attention que lorsqu'elle était malade. Nous sommes ici au-delà de la sexualité, dans le sentiment d'existence. Pour peu que les malades soient paranoïaques, ils vont poursuivre les médecins pour mauvais traitement. Comme j'en ai parlé plus haut, on sait par exemple que les sujets qui se plaignent de constipation mais ont des temps de transit colorectaux normaux, tels que mesurés par le radiologiste, ont beaucoup plus de psychopathologie que les vrais constipés qui ont un ralentissement évident du temps de transit des matières à travers le côlon, utilisent plus de psychotropes, et poursuivent plus les médecins.

Le médecin, face à cette attaque en règle, est terrifié à l'idée d'être poursuivi pour inconduite sexuelle, ou pour incompétence médicale. Il va alors avoir tendance à adopter une conduite « professionnelle ». On a dit de celle-ci qu'il s'agissait souvent d'un anesthésique visant à ne rien ressentir. Et pourtant, en psychosomatique, c'est l'inconscient qui fait loi, et Jung a bien dit que ce qui compte dans la relation soignant-soigné, c'est seulement ce qu'on est vraiment.

Quant à la peur d'être pris en flagrant délit de désir, le médecin peut aller jusqu'à préconiser l'abstention totale de tout contact physique, et même de faire attention en serrant la main comme je l'ai lu dans une publication médicale en provenance de la partie anglophone du Canada ! Mais nous sommes tous en manque de tendresse. Dans des études expérimentales, il est démontré que même les ratons préfèrent la tendre chaleur à la nourriture ! Les malades, qui n'ont jamais reçu de tendresse, pensent que c'est normal. Quand ils consultent, ils n'en reçoivent pas en dehors de la palpation mécanique de leur corps, l'invasion de celui-ci par des aiguilles et des tubes dans tous les orifices, et même l'exploration de leur ventre par des bistouris. Qui va alors leur apprendre à se nourrir de tendresse dans la vie et comment ?

Henriette a déjà été somnambule. Elle rêve de son amant mort, à l'heure de son décès. Peut-être commence-t-elle là à toucher un niveau de communication transpersonnelle réminiscente de la relation mère-enfant ? Et, alors, en touchant sa main, en la prenant entre mes deux mains, j'ai servi très brièvement de support à une projection de bonne mère, dont elle s'est débarassée dans sa catharsis quasi psychotique, où elle a analysé toute seule son transfert jusqu'au paroxysme.

Le toucher fait partie de l'humanité.

Trucs et astuces :
créativité et processus de guérison

Toute référence rigide à un concept théorique de la vie est vouée à l'échec, car cela ne devient plus qu'une pensée sur la vie, une idée de la vie, plutôt que la Vie elle-même. Aux étudiants en médecine, nous tentons donc de montrer que l'empathie, c'est bien plus que la sympathie, que soi et l'autre, ce n'est pas la même

230

chose, que la compassion, empreinte de détachement, ce n'est pas la fusion ou la symbiose avec le malade qui vient nous voir. Et cela est tout aussi vrai pour ce qui existe et se trame au sein des relations amoureuses, où « je t'aime » ne veut pas dire, comme c'est si souvent le cas, « j'aime ce que tu m'apportes », ou pire « je m'aime en toi », mais je t'aime dans ton unité et ta différence.

Chaque rencontre humaine, y compris en médecine, devrait donc être une ouverture, puisque l'autre est un Autre différent de tout ce qui peut nous rester en mémoire de toutes les rencontres antérieures, notre vie durant. Bien entendu, il est rare que nous soyons ainsi totalement présents à une rencontre. Nous faisons souvent référence au passé, à une expérience, un apprentissage, une connaissance. Nous reste alors la nécessité de nous ajuster dans le dialogue qui s'instaure, renoncer à « savoir », et être assez souple que pour explorer une terre inconnue.

Ceci dit, ce n'est pas le nombre de techniques et d'approches, ni le nombre d'hypothèses de travail qui fassent défaut pour débuter un processus de communication avec quelqu'un. Voici donc quelques exemples qui illustrent différentes manières d'aborder un être humain. La liste est loin d'être exhaustive. Il y en a d'autres, et j'en apprendrai toute ma vie, à chaque nouvelle rencontre. En plus, ce que nous apprenons de la physique quantique commence à ressembler étrangement à ce que disent les ésotéristes, en ce sens qu'il y a sûrement une conscience qui dépasse, et de beaucoup, ce que l'esprit et la science peuvent nous apprendre de la réalité. La plasticité et les multiples possibilités de la conscience renvoient alors aux toutes aussi nombreuses possibilités du corps qui s'expriment, formant un tout vital, exposé aux champs morphogénétiques conceptualisés par le physicien Rupert Sheldrake.

La communication non verbale est considérablement enrichie si le soignant demande au sujet qui demande de l'aide de lui faire un dessin. C'est tellement facile avec les enfants ! Mais cela l'est aussi, de façon surprenante, bien plus qu'on ne pourrait le croire, avec des adultes. La chose la plus simple est de demander au patient de faire son autoportrait. Les sujets très « cérébraux », très intellectuels, très froids, peuvent ainsi parfois ne dessiner qu'une tête ou bien, ils vont dessiner des corps flottant dans l'air, sans que les pieds ne soient bien plantés sur le sol. On peut aussi demander de faire un dessin de la famille. Les gens dessinent les choses qu'ils ne sont pas capables de dire, ou dont ils n'ont pas conscience. L'art-thérapie est une approche qui valorise ce mode de communication et l'a beaucoup étudié. Dans une famille où le dialogue fait défaut, les bouches des personnages sont fermées. Parfois, les personnages sont fermés à tous les sens : ni yeux, ni oreilles, ni nez, ni bouche. Et dans les familles qui sont vides de tendresse, où les câlins se font rares, les enfants vont dessiner des sujets sans mains. Une étude scientifique a démontré qu'il était possible de faire un diagnostic d'abus sexuel à partir des dessins que l'enfant va faire. Il est quasi impensable de demander à un enfant s'il préfère l'un ou l'autre de ses parents. Mais lorsque l'enfant dessine sa famille, il dit tout. Telle fillette s'est dessinée entre son père et sa mère. Elle a mis son père à sa droite, du côté masculin, et sa mère à gauche, du côté féminin. Mais… elle s'est dessinée aussi grande que son père, et elle a dessiné sa mère toute petite par rapport à eux ! Parfois les parents sont côte à côte, parfois, au contraire, ils entourent leurs enfants comme dans une famille équilibrée qui protège les enfants. Les liens familiaux sont donc relativements faciles à décoder de ce point de vue, seulement à regarder la position des personnages. Bien entendu, il n'y a pas de limite à la créativité des êtres humains. Chaque dessin apporte son lot de surprises. Le soignant peut aussi demander d'autres types de dessins, comme « Faites-moi un dessin de votre dernière maladie », ou « Dessinez-moi le cauchemar que vous venez de me raconter ».

COLLAGES

Les collages sont une variante intéressante à utiliser. Dans ce cas, je demande à chaque membre de la famille de se munir d'une feuille à dessin de la même taille, et de se dessiner, chacun pour soi, à l'abri des regards indiscrets. Ensuite, après avoir découpé le dessin qu'ils ont fait d'eux-mêmes, ils les collent tous sur une feuille commune familiale, de la même taille que les feuilles individuelles.

Mimi arrive avec son collage.

Elle a une maladie de Crohn.

Quand je l'ai rencontrée, elle enrageait ses médecins traitants, tellement elle était non compliante, rebelle à toute forme de contrôle de son traitement. Son gastro-entérologue ne voulant plus la voir, elle est venue me consulter. J'avais un peu joué au chat et à la souris avec elle, car elle manipulait tout le monde, et ses parents, d'une certaine manière, dansaient comme elle sifflait. Je m'étais donc sciemment laissé manipuler par elle, un temps, pour, subitement, sortir ma main de fer de mon gant de velours, le jour où il était devenu nécessaire de lui installer un tube de gavage dans l'estomac. Elle n'avait pas réussi à me faire plier. Le tube avait été installé. Elle avait beaucoup pleuré ce jour-là, et elle avait commencé à me respecter.

Mimi, ce jour-là, arbore un sourire de triomphe. Elle me montre le collage. Son père est à peine plus grand qu'elle, sa mère, est gigantesque. Elle les écrase tous les deux de sa taille.

« On l'appelle Germaine, dit Mimi. Elle gère et elle mène ! »

Mimi commencera ce jour à prendre une certaine distance face à sa mère. Mais elle aura encore beaucoup de moments difficiles à vivre avant de pouvoir prendre son envol et se détacher de ses parents. Son premier amant, difficile mais important, meurt en prison, par meurtre ou par suicide. Elle aura à subir une exérèse complète de son côlon, son rectum et son anus, rendue nécessaire par la gravité de sa maladie. Enfin, sa mère fait une tentative de suicide juste avant que Mimi ne la quitte pour aller étudier la mode à Québec.

Ce jour-là, elle prend conscience que sa maladie, maintenant en phase d'accalmie depuis longtemps, était le lien qui maintenait ses parents ensemble.

« Pff, dit-elle. Ce sont leurs problèmes ! Moi, j'ai assez payé de ma maladie pour qu'ils ne se quittent pas. Je m'en vais faire mes études. »

CÉRAMIQUE ET PLASTICINE

Patricia Feldman a imaginé utiliser la construction d'objets en céramique pour aider les enfants constipés à entrer dans un processus de guérison. Pédiatre et gastro-entérologue, mais ayant fait en parallèle à ses études de médecine un cursus complet d'études en Beaux-Arts, elle a eu l'idée de faire jouer des groupes d'enfants constipés, rebelles à toute forme de traitement médical classique. Sous la surveillance de psychologues qui ne faisaient que des observations, sans aucune intervention, ils jouaient à travailler de leurs mains avec de la terre glaise brune. La métaphore anale est évidente, la terre renvoyant aux matières fécales, et les mains au sphincter anal, mais dans une approche beaucoup plus élaborée sur le plan psychique. Deux phénomènes se sont produits. Bien sûr, une dynamique de groupe s'est créée. Une émulation créative s'est établie entre les enfants. Ils ont, par exemple, inventé un jeu. Un nouveau jeu. Ils ont créé un concours pour déterminer qui… pèterait le plus fort ! Un deuxième élément était beaucoup moins social mais beaucoup plus analytique, beaucoup plus profond, beaucoup plus personnel. Sur la base de son histoire de vie, chaque enfant a façonné des objets qu'il a fait cuire dans le four à céramique. L'un ne cessait de fabriquer des cuvettes de toilettes vides. Il a déconstipé le jour où il a rempli la toilette d'un gigantesque étron. Un autre fabriquait des baignoires. Vides aussi. Un jour, il y a mis un minuscule fœtus. À chaque construction d'une nouvelle baignoire, le fœtus grandissait. Sa tête a commencé à sortir de la baignoire. Puis, il a déconstipé quand il a reconstruit une autre baignoire vide, avec le bébé nouveau-né à côté. La métaphore, inventée de toutes pièces, sans aucune aide ni suggestion, est évidente : cet enfant s'était recréé une vie intra-utérine. Un autre enfant a guéri subitement après avoir construit un tobogan : il a lâché prise !

Il n'est pas facile de trouver partout un four à céramique. Parfois, ce l'est, dans certaines institutions, où sont placés des enfants sortis de milieux pathogènes.

Steve est en institution.

Il est très constipé. Il souille ses vêtements. Les cache dans des tiroirs.

« Votre petit protégé m'a fait une scène quand il est venu au département de radiologie pour y avoir le lavement baryté que vous lui aviez prescrit. Il hurlait. Il se débattait. Je lui ai imposé des limites. Il a vu qui commandait ! Son côlon est trop gros et trop long, mais il est normal. »

Nous sommes sur le parking de l'hôpital, en fin de journée, prêts à rentrer à la maison. Le radiologue qui me parle me suivait. Il m'a appelé pour me parler de Steve.

Mon sang fait un tour un peu plus vite.

« Merci, mon cher collègue. Vous savez, mon petit protégé n'a pas eu la vie très facile. Il avait un grand frère, qui l'enculait régulièrement. Celui-ci était le protégé de sa mère, qui était au courant, et laissait faire les abus sexuels sans intervenir. Steve, quant à lui, était le protégé de son père, qui aurait bien voulu empêcher les abus. Malheureusement, dans cette famille, la mère dominait le père, qui n'avait rien à dire. Heureusement, une plainte à l'égard de cette famille a été déposée auprès de la Division de la protection de la jeunesse, qui a privé les parents de leur droit de garde, et placé l'enfant en institution. Il est probable que cet enfant, dans son imaginaire, a confondu la canule que vous avez utilisée pour faire votre lavement baryté avec le pénis de son frère. Excusez-le de son côté irrationnel et très émotionnel. Il est loin d'être guéri de ces traumatismes, et je commence à peine de le connaître. »

Mon collègue rougit violemment, bredouille quelques mots d'excuses, et parle de mes patients « difficiles ».

Rendu prudent par cette expérience, je minimise le nombre de tests et d'examens invasifs chez cet enfant, et je tente de l'apprivoiser.

Je l'emmène faire un « proctodrame ». C'est ainsi que j'ai baptisé un psychodrame d'un genre particulier, où je mets l'enfant en situation d'avoir une proctoscopie. Il faut bien faire un examen du rectum, n'est-ce pas, chez un enfant qui fait des fécalomes.

Steve est à genoux sur la table de proctoscopie, les fesses à l'air. Je vais m'asseoir à l'autre bout. Je mets mon visage en face de lui. Les yeux dans les yeux. Steve tremble comme une feuille. Je le fais parler. Non, il ne veut pas l'examen. Je fais durer un peu la négociation. Bien décidé à ne pas faire l'examen.

Finalement, je propose un marché à Steve. Qu'il me fasse donc des objets en céramique, et je le dispenserai de l'examen. Il accepte.

Steve revient après s'être exécuté. Il m'a construit un soulier. Il m'a aussi construit un nez, cassé à ras du visage. Vu sous un certain angle, ce nez est extrêmement phallique. Ce que Steve me dit, c'est que son frère et leur mère l'ont castré et traité comme une femme. Il est trop frustre pour que je fasse la moindre analyse. Je le remercie avec effusion. Je lui dis qu'en échange, je le verrai la prochaine fois en clinique externe, là où il sera tranquille et certain que je ne mettrai rien dans son derrière.

Pour la première fois, Steve défèque dans la toilette. Mais ce ne sera qu'une lueur d'espoir. Il rechute très rapidement. Je le ramènerai en salle d'endoscopie à plusieurs reprises, mais jamais je ne lui ferai cette proctoscopie qu'il craignait tant d'avoir.

À travers ce processus, il commence à faire des crises de colère. Les intervenants de son institution sont extraordinairement adéquats avec lui. Ils ont compris, comme moi, ce qui se passe. Tous les moyens sont bons pour aider Steve à sortir sa colère, pour le consoler quand il pleure, pour, au-delà de ces catharsis intenses, l'aider à s'exprimer. Matelas à frapper, oreillers à taper sur n'importe quoi, tableaux recouverts d'une feuille de papier sur laquelle il est invité à dessiner le visage de ceux qui l'ont blessé, puis à y jeter des sacs remplis de haricots. Steve va mieux.

Il finira par guérir.

Mais beaucoup de parents n'ont pas accès à un atelier de céramique. C'est pourquoi j'ai commencé à prescrire l'utilisation de la plasticine qu'on trouve dans tous les magasins de jouets. La plasticine présente un avantage sur la céramique en ce sens qu'elle existe dans une pallette de couleurs beaucoup plus vaste que seulement la couleur brune des matières fécales. C'est Goethe qui a écrit le premier traité des couleurs. Les couleurs que nous portons disent aux autres nos états d'âmes. Si le noir réfère à la mort et au deuil non résolu, si le blanc réfère à la folie ou à la mort d'un enfant, si le rouge réfère à la colère, il n'y a pas de code absolu. Il faut donc que chaque sujet nous informe de son code de couleur à lui, nous dise ce que chaque couleur veut dire pour lui. Il sera alors plus facile de décoder des objets en plasticine.

Il sera aussi possible de décoder un calendrier défécatoire, coloré d'une palette d'émotions. Quand un sujet est constipé ou se plaint de diarrhée, ou alterne entre les deux, il est courant de lui demander de remplir un calendrier de ses « habitudes intestinales ». Généralement, cela se fait sans instruction particulière, autre que de mettre une petite croix le jour où il défèque, ou plusieurs si ses selles sont trop fréquentes. Mais il est possible aussi de demander au départ un code couleur des émotions qu'il connaît. Peu importe le code ce qui devient important, c'est de demander au sujet d'annoter ses selles en utilisant le code couleur de l'émotion qu'il vit dans cette période-là. Ainsi se met en branle un processus de prise de conscience du lien entre somatisation et stress, et d'une structuration cognitive de ce qui bouleverse l'individu.

Les parents de Sandrine me l'emmènent, parce que, elle aussi, est constipée et perd ses selles.

Sandrine a six ans.

Tous les essais médicaux, de type laxatifs, médicaments, comportements vis-à-vis de la toilette, ont échoué.

Réponse du papa : une claque sur les fesses quand Sandrine se souille.

Réponse de la maman : elle se pose des questions sur la dynamique familiale.

L'évaluation médicale me fait conclure à un problème fonctionnel.

Je regarde Sandrine, en m'agenouillant pour ne plus la dominer de mon mètre quatre-vingt-dix.

« Moi, je ne te forcerai à rien. Il suffira que tu me dises non pour que je t'écoute. »

Je ne regarde pas son papa en lui disant cela. Je ne le reverrai d'ailleurs plus jamais à un autre rendez-vous, car il n'accompagnera plus sa fille à l'hôpital. Sa mère a l'air intriguée.

« Sandrine, veux-tu aller acheter de la plasticine et me construire des objets ? »

À sa deuxième visite, Sandrine a construit une série d'objets multicolores. Je ne vois pas de sens aux couleurs. Elle s'est couchée à la droite de son grand-père maternel. En travers de leurs ventres, elle a mis un lit. Et elle m'a couché dans le lit ! Le bac, dans lequel nous nous trouvons contient aussi un serpent, son chien et la niche du chien.

« Le lit et moi, nous devons être tellement lourds sur ton petit ventre ! »

Sandrine m'enlève du lit. Enlève le lit. Je lui flatte la bedaine.

« Ça doit être plus léger là dedans ! »

C'est la seule fois que j'aurai un contact physique avec Sandrine.

« Nous devrions immortaliser cela ! Tu vas aller au département d'audiovisuel, là où il font les photographies. Tu leur demanderas de faire des diapositives. D'abord de ce que tu m'avais apporté. Ensuite, après que tu nous aies enlevé, le lit et moi, de votre bedaine, à ton grand-papa et toi. »

Sandrine rit et s'en va faire ses photos. Que j'utilise depuis pour parler en conférence de l'approche systémique de la constipation, approche qui implique les parents dans le processus de guérison.

Troisième visite.

Nous sommes en salle d'endoscopie. Sandrine y vient pour que j'examine son rectum. Elle a les mains sur les foufounes, terme argotique québécois qui parle du derrière, et non de la foufoune française qui parle du devant. Il est manifeste qu'elle ne veut pas qu'on y mette quoi que ce soit.

– Sandrine, tu te souviens de ce que je t'ai dit ? Je t'ai dit que moi, je ne te forcerais à rien. Le veux-tu, l'examen dont l'infirmière t'a parlé, et que je m'apprête à te faire ?

– Non !

La réponse est claire, précise, sans la moindre ambiguïté.

« Je n'ai qu'une parole. Une promesse est une promesse. Je ne ferai pas l'examen. »

Sandrine part rayonnante.

Quatrième visite.

Sandrine est toujours aussi gaie.

Elle n'est plus constipée !

Elle m'apporte un dessin. D'une marguerite blanche… Sur ses pétales, elle a écrit : « Je t'aime… Monsieur Devroede… »

Sandrine est guérie.

La maman de Sandrine fait de la diarrhée !

Cette fois, celle-ci a compris. Elle me demande si elle peut prendre la relève de sa fille. Elle a besoin de parler.

Sandrine accompagnera sa maman pendant six mois. Le temps qu'elle aussi, elle guérisse…

LE PICTODRAME

« Yoyo ! »

C'est ainsi que mon plus jeune fils, qui l'adorait, l'appelait quand il était tout petit.

Jeanne est devenue une femme resplendissante de beauté. Le teint basané, elle vient de rentrer du Mexique. Son nouveau conjoint est tout prêt. Ils ont l'air vraiment heureux.

Pourtant, elle a bien failli mourir il y a dix ans, à l'aube de ses vingt-sept ans.

« Nous avons ici à l'urgence, une jeune femme qui a une appendicite aiguë typique. »

Mon interne me décrit une histoire tellement classique que je lui donne rendez-vous au bloc opératoire. À l'époque, nous ne disposions pas encore de l'écho de l'abdomen pour confirmer un tel diagnostic.

Je fais une minuscule incision en regard de l'appendice.

Qui est tout à fait normal.

Pas encore inquiet, je déroule la fin de l'intestin grêle. Je n'y trouve pas de diverticule de Meckel, qui est un résidu embryonnaire qui s'infecte à l'occasion.

Je vois quelques gouttelettes de pus. Il y a une péritonite. J'élargis l'incision.

Ce doit être une salpyngite, une infection des trompes de l'utérus.

Normales.

Là, je commence à m'énerver.

Je soulève le ventre aussi bien que je peux à travers la petite incision que j'ai faite.

Non ! Impossible ! Pas à son âge !

Je grimace.

Elle a un cancer du côlon sigmoïde, du côté gauche. Il est perforé. D'un petit orifice au milieu de la tumeur sort du pus et un peu de matières fécales.

Elle est foutue.

Pas à son âge !

Je sais que les statistiques de ce genre de présentation, extrêmement rare, d'un cancer du côlon, démontrent un taux de mortalité de cent pour cent en dedans de six mois. J'en ai vu deux dans toute ma vie. D'innombrables minuscules métastases poussent partout dans le ventre, conséquence de l'implantation de toutes les cellules cancéreuses que la tumeur primitive perforée a déversé dans le ventre.

Le traitement chirurgical est très complexe. Jeanne passe à travers assez facilement. La tumeur est réséquée, sans que je ne voie de lésion résiduelle à l'œil nu. Elle subit une radiothérapie après la chirurgie.

Jeanne a été mise au courant de la situation. Je ne lui ai pas dit qu'elle allait mourir. Je n'en sais rien. Je ne connais que les statistiques. Elle n'est pas une statistique. Mais je l'ai prévenue qu'elle est en danger de mort.

Mes paroles à ce sujet semblent lui être passées à cent lieues au-dessus de la tête. Jeanne n'a pas peur ! Elle fait semblant de rien, en plein déni.

Mais elle se pose beaucoup de questions sur sa vie. Elle est malheureuse en ménage. Et elle aussi, elle a été abusée sexuellement quand elle était jeune. Elle se confie de plus en plus à moi. « Tu viens chercher les ombrages » me dit-elle joliment un jour.

Je lui offre de participer à un atelier de pictodrame, qui se donne dans la région.

Le pictodrame est un outil de communication extraordinaire, mis au point par un peintre parisien, André Elbaz. Juif, il a fait des œuvres poignantes sur la Shoah. Extrêmement sensible et humain, il a inventé une technique de communication qui marie peinture, ombres chinoises et théâtre.

Le groupe se réunit en résidence, ce qui permet d'intensifier énormément la densité et la qualité des échanges entre les participants. Dès le petit déjeuner, par exemple, les rêves de la nuit sont partagés avec le groupe.

Le peintre choisit son modèle parmi le groupe et le place derrière une toile gigantesque de deux mètres par un mètre cinquante. J'en ai parlé en racontant l'histoire de Judith et son arlequin. Derrière le modèle, un puissant projecteur amène le modèle en ombre chinoise sur la toile. Le peintre en dessine les contours, après avoir fabriqué la peinture à l'eau avec des pigments de son choix et de la colle, pour que la trace reste permanente. Chaque participant fait son ébauche de peinture, à tour de rôle. Puis chacun se retire dans son coin pour achever son œuvre.

Je m'étais convaincu, il y a longtemps de la puissance de l'outil pour faire parler l'inconscient. Nous étions en France, en Val-de-Loire. Je voulais peindre mes parents et moi, qui les quittais pour émigrer aux États-Unis. J'avais donc choisi trois modèles. Plus tard, en laissant mes mains aller avec les pinceaux sur la toile, j'avais réalisé que j'avais peint inconsciemment un quatrième personnage : un petit garçon accroché à chacun de ses parents de ses deux mains tendues vers le haut… Il faut dire qu'à l'époque, je n'avais pas encore rêvé que je disais au facteur que je n'habitais plus en Belgique, mais au Québec, en lui donnant la bonne adresse… Vingt-cinq ans d'Amérique du Nord avant que mon inconscient ne se décide à franchir l'Atlantique et sectionner le cordon ombilical… !

Dans un pictodrame, il y a d'innombrables variables à observer. Comment les participants construisent-ils leur cadre et y attachent leur toile. Seuls ? Aidés d'autres personnes ? Se faisant servir par d'autres ? Déjà là, plein de transferts se nouent. Les cadres sont peints de couleurs différentes. Le choix de couleur par les participants est un élément à noter. Bien entendu, les choix de modèles parlent énormément des relations des participants entre eux. Et la couleur choisie pour faire le contour des ombres chinoises, elle aussi, est un indice d'une piste potentielle à suivre.

Puis, les artistes présentent, chacun à leur tour, leur œuvre au public. Une fois terminée la description de ce qui se voulait d'être représenté, les questions fusent du public. Souvent, il est facile de reconnaître, sous l'apparence des choses voulues, comme une image en filigrane, comme un négatif, une image entre les images, qui fait sens à un niveau beaucoup plus inconscient. Nommer les choses, à ce stade, devient crucial, étant acquis le fait qu'il vaut toujours mieux

243

que le sujet « trouve » les choses plutôt que de se les faire montrer.

La peinture peut aussi « sortir » de la toile, en la faisant jouer par les protagonistes indiqués, peintre et modèles, qui réalisent un psychodrame. La dynamique du groupe s'intensifie au fur et à mesure de l'analyse des toiles.

Le pictodrame, tel que créé par André Elbaz est vraiment une technique de communication fabuleuse. Bien entendu, comme je l'ai dit et le redis, la technique ne suffit pas. C'est la qualité de la communication qui est l'essentiel. Et le tout repose sur certains concepts théoriques de la relation, que ce soit l'hypnose, la *gestalt*, ou la psychanalyse. L'issue va différer suivant les participants et suivant les thérapeutes.

Nous sommes dans un ancien couvent. Perdu dans les bois, à quelques kilomètres de la frontière américaine.

Jeanne a décidé d'y participer.

Personne, dans le groupe, réuni pour faire de la peinture et s'exprimer à travers l'art et la créativité, ne sait à quel point elle est en danger de mort.

« Qui commence ? »

Après un moment d'hésitation, une jeune femme se lève. Jolie, sensible, intelligente. Elle a déjà fait un atelier de pictodrame avec l'animatrice du groupe. Je l'ai baptisée « la sorcière ». Elle sait des choses qu'elle n'est pas sensée savoir.

Je vois Céline, donc, se lever, et partir dans le coin des accessoires. Elle y prend trois matelas, qu'elle empile derrière la toile. Puis elle regarde le groupe pour choisir son modèle.

« Jeanne, veux-tu venir te coucher sur ces matelas ? Je veux peindre ma mère morte »

Mon sang se glace. Ce n'est pas vrai ! Elle sait ! Comment sait-elle ?

Je regarde Jeanne. Comme d'habitude, elle ne

bronche pas. On dirait qu'elle n'a ni compris ce que Céline lui demande de jouer, ni à quel point cela reflète sa problématique à elle.

La nuit se passe.

Le lendemain matin, Jeanne arrive en courant de l'extérieur. Elle tombe dans mes bras en sanglotant.

« Qu'est-ce qui t'arrive ? »

Péniblement, elle reprend son souffle.

« J'aime visiter les cimetières. J'ai été voir celui du couvent. J'ai vu mon nom sur une tombe ! » Elle recommence à sangloter.

« Viens, allons voir à nous deux... »

Nous ne retrouvons pas la tombe qui porte son nom.

« Tu sais, personne ici ne sait quel danger tu cours ! Nous sommes ici pour faire de la peinture et communiquer ! Nous ne sommes pas à l'hôpital. Et le secret médical, c'est quelque chose de sacré ! »

Elle décide de se confier au groupe de femmes qui se sont réunies pour cet atelier. Elles la consolent avec force câlins et tendresse, qui, je sais, lui ont cruellement fait défaut quand elle était petite, alors qu'elle aussi, elle était abusée sexuellement.

Quelques mois se passent. Je ne la vois plus, au point de commencer à m'inquiéter de son sort.

Entre-temps, un fils nous est né. Nous cherchons une gardienne. Nous mettons des annonces dans le journal local. Personne ne se présente. Jusqu'au jour où... Jeanne vient frapper à notre porte. J'hésite un peu à accepter sa demande d'emploi. Elle insiste. Nous acceptons.

Et je réalise à quel point, non seulement c'est une nounou adorable, mais qu'elle projette intensément sur ce petit garçon, avec qui elle joue, qu'elle aime, qui le lui rend bien, et la baptise « Yoyo ».

Elle est là, dans le supermarché, devant moi. Toute belle. Raymond que je connais aussi est un peu plus loin.

Cela fait des années que je ne l'ai pas vue. Je sais qu'elle a divorcé. Je sais qu'elle a animé un groupe d'entraide d'enfants qui avaient survécu à un cancer. Un jour, elle était venue me revoir. Juste pour me présenter Raymond.

Elle a réussi à défier les statistisques.

C'était il y a dix ans.

En mémoire de ma jumelle morte

« Bonjour Rodrigue ! »

Je croise dans la rue de Magog le seul psychanalyste de la région. Nous sommes à la pointe Merry, à la tête du lac Memphrémagog. Cette superbe étendue d'eau s'étire sur près de cinquante kilomètres jusqu'aux États-Unis. Le soleil est radieux. Le ciel est bleu comme en Toscane. L'eau est couverte de voiliers. Le lac, large de deux kilomètres, s'ouvre sur de vastes horizons.

Après les salutations d'usage, les questions sur les familles, les métiers, la vie, je ne peux m'empêcher de lui poser la question qui me brûle les lèvres.

– Comment va madame R ?

– Très bien ! Elle n'a plus jamais eu mal au ventre !

Quelle histoire extraordinaire !

Revenons trois ans en arrière.

Madame R vient me voir après qu'on lui ait ouvert le ventre, pour aller y chercher la cause de douleurs chroniques et intenses. Par acquis de conscience, je fais toute une série de tests qui s'avèrent normaux. Elle a une colopathie fonctionnelle.

Nous commençons à aborder sa vie. Elle est orpheline de mère. Son père prend énormément de place dans sa vie, lui en laissant trop peu pour qu'elle puisse aller vers d'autres hommes que lui. Elle a bien tenté, un temps, d'aller vivre en Italie avec un bel Italien qu'elle a rencontré en voyage, mais la relation n'a pas marché. Elle est rentrée au Québec.

Un jour d'inspiration créative, j'invente une technique dont je n'ai jamais entendu parler.

« Faites-moi donc un dessin qui illustre votre mal au ventre. Puis, vous rangez ce dessin. Un autre jour, vous faites un autre dessin de vous, mais sans mal de ventre. »

Je n'ai pas trop réfléchi à ce que je lui disais de faire. Cela s'est plutôt imposé à moi.

Elle revient rayonnante un mois plus tard.

– C'est drôle, dit-elle, je n'ai plus mal au ventre.

– Depuis quand ?

Elle réfléchit un moment.

– C'est bizarre... mais oui... c'est depuis que j'ai fait mes dessins !

Elle me les montre.

Au lieu de se dessiner avec ou sans mal de ventre, elle n'a dessiné qu'un ventre ! Faut-il que cette douleur représente quelque chose d'essentiel pour elle ! Que sans douleur, elle se sente inexistante ! Il n'y a aucun personnage. Elle est une « personne » !

Pour illustrer son mal de ventre, elle a pris des rubans de couleur noire, illustrant le deuil de sa mère, qu'elle n'a manifestement pas terminé. Elle y a aussi mis des fils de couleur rouge, que je fantasme associé aux filets de sang durant l'exploration de son abdomen, où le chirurgien n'a rien trouvé. Elle a planté de nombreuses aiguilles dans le ruban noir. Je me souviens qu'elle m'a dit que ses douleurs étaient souvent si vives qu'elles ressemblaient à des piqûres.

– Et quand avez-vous fait vos dessins ?

– Il y a trois semaines...

Elle semble réfléchir.

– Mais attendez... mais oui ! Elle me voit feuilleter son dossier pour remonter le temps...

– Mais oui ! Je me souviens ! J'ai fait ces dessins le jour de mon anniversaire de naissance !

Elle s'en va, interloquée.

À la visite suivante, elle revient toute tendue.

« Je n'ai plus mal au ventre ! Faire vos dessins m'a guérie. Il me faut entreprendre une psychanalyse ! Depuis que j'ai réalisé que j'avais fait ces dessins le jour de ma date de naissance, je fais énormément de rêves et de cauchemars, alors qu'auparavant, je ne me souvenais jamais de mes rêves. Mais il y a plus ! Je ne vous avais jamais dit que j'avais une sœur jumelle. Elle est morte à la naissance. La plupart de mes rêves me parlent d'elle. Connaissez-vous un psychanalyste ? »

Je m'empresse de prendre mon téléphone.

« Merci Rodrigue de me donner de si bonnes nouvelles ! »

Madame R m'a fait beaucoup réfléchir. Ce qui l'avait poussée à faire ces dessins le jour de son anniversaire devait relever d'une conscience confuse que la mort de sa jumelle et de leur mère était capitale dans les mécanismes causant ses maux de ventre. Mais je pensais aussi que de se dissocier en un être souffrant et en un être guéri avait dû jouer un rôle hypnotique. En effet, dans l'hypnose traditionnelle, une des façons d'amener le sujet à entrer en transe est d'induire une dissociation. Il y a de nombreuses façons de le faire. Par exemple, compter de un jusqu'à dix, et, en cours de route, annoncer que quelque chose va se passer à dix.

Nous sommes dans une salle de cours de l'hôpital.

Je suis avec un dentiste, et son ami omnipraticien. Nous sommes en train de faire un exercice pratique de notre cours d'hypnose, qui porte sur l'utilisation de la dissociation pour induire la transe.

Il fait frais. Nous sommes en plein été. Nous traversons une période de canicule, mais l'air conditionné fonctionne à merveille. Il fait frais et sec. La déshumidification est impeccable.

– Je ne veux pas de ton induction avec tes cercles

de couleur et ta maison vide où il faut descendre les escaliers pour retrouver les araignées du sous-sol !

Il simplifie un peu...

– Fais-moi autre chose !

C'est mon cobaye, le dentiste, qui parle.

– Ferme les yeux. Détends-toi. À chaque inspiration tes paupières deviendront plus lourdes... Chaque fois que tu avales ta salive, tu sentiras un bien-être et une torpeur t'envahir... Tu te laisseras aller sans peur...

Ça y est. Il a fermé les yeux.

– Fais attention à ton corps. Passe en tête tous les endroits de ton corps qui touchent un objet. Promène ton cerveau dans ton dos qui est appuyé à la chaise... Tes fesses sur le siège... Tes pieds sur le sol... Tes mains sur les cuisses...

Il semble se détendre sans peur. Sa respiration prend de l'ampleur.

– Concentre-toi sur ta respiration... Ça respire tout seul. Nous n'avons pas besoin de commander la respiration, sinon nous pourrions mourir dans notre sommeil. Écoute-toi respirer... Observe l'ampleur de tes inspirations... Sens ton ventre se soulever quand tu emplis d'air tes poumons...

Il semble vraiment parti.

– Je vais compter de un jusqu'à dix... Un... Deux...

Je m'adapte et compte chacune de ses inspirations.

– Quatre... Cinq... À dix, quelque chose de surprenant va arriver... Neuf... Dix... Te voilà aux jardins Butchart à Victoria, en Colombie Britannique.

Je me mets à décrire ces jardins que je n'ai jamais vus... Son ami omnipraticien sourit. C'est lui qui m'a parlé de la beauté de ce site qu'il a visité avec son ami dentiste, pendant que nous sirotions un café durant la pause...

« Regarde ces arbres... ». De mémoire, je décris ce que son ami m'a dit.

À ma grande surprise, je vois apparaître trois

gouttes de sueur sur sa lèvre supérieure. Moi, je n'ai pas chaud.

« Pff… qu'est-ce qu'il fait chaud dans ce pays ! »

D'un coup, il se met à ruisseler du visage. La sueur dégoutte par terre. Il rit. Il sait que ce n'est pas normal.

Quand je suis à bout de mémoire, je recompte de un jusqu'à dix, en le prévenant qu'à dix, autre chose arrivera.

Il est, me dit-il, de son propre cru, au Cirque du soleil, au Québec. Avec sa femme et sa fille. Il me décrit la scène qu'ils voient tous les trois.

« Il fait nettement plus frais dans ce pays ! »

Il cesse de transpirer.

Après l'exercice, il s'avère qu'il faisait une chaleur torride aux jardins Butchart quand ils les avaient visités. Je l'ignorais. Son corps, lui, s'en souvenait…

D'autres façons existent pour qu'un individu dissocie son esprit. D'ailleurs, nous vivons tous et toutes de brefs moments de dissociation. Qui n'a pas réalisé subitement, au volant de sa voiture, sur une autoroute déserte, qu'il est presque rendu à destination ?

Ce que madame R m'a appris, c'est que demander à un patient de faire deux dessins, l'un avec, l'autre sans le problème présenté, c'est une façon de l'aider à se dissocier, pour que son inconscient puisse se mettre à l'ouvrage.

Je me mis à explorer ce nouvel outil.

Évangéline est Française. C'est la première fois que je la vois. Nous avons d'emblée un échange facile. Je n'ai pas à la convaincre qu'elle est son corps autant que son esprit. Elle le sait. Elle me raconte sa vie en France. Elle est issue de générations de femmes abusées sexuellement. Elle a rencontré son mari, tôt dans sa jeunesse, mais elle ne se sentait pas prête à vivre avec lui. Elle aussi a été abusée. Elle monte sur Paris, où elle apprend à s'en guérir à travers une vie sexuelle déchaînée. Quand elle se sent apaisée, elle va rechercher son grand amour, quelques années plus tard. Ils se marient et immigrent au Québec.

Mais elle a très mal au ventre. Et il est clair à l'histoire, et au récit de tout ce qui lui a été fait et prescrit, médicalement parlant, qu'elle a une colopathie fonctionnelle. Je fais quand même le chirurgien carré et obsessionnel, et je prescris tous les examens nécessaires pour étayer mon diagnostic. Mais j'anticipe un peu sur la suite, et contrairement à mes habitudes, dès la première visite, je lui demande de se dessiner avec et sans mal de ventre. Je l'encourage aussi à continuer la thérapie qu'elle suit avec une psychologue depuis qu'elle est arrivée au Québec, il y a huit ans.

Le jour de sa proctoscopie, elle m'envoie un fax, tôt le matin.

« Ceci tiendra lieu d'examen.

Vous êtes un drôle de bonhomme, et je suis une drôle de bonne femme, mais depuis que je vous ai vu, je n'ai plus ni constipation ni mal de ventre. Cela tient de la magie et vous êtes un shaman. Vous m'avez confirmé ce que je croyais, c'est-à-dire que mes symptômes étaient reliés aux abus sexuels que j'avais subis. Et à ceux que ma mère et ma grand-mère avaient subis. Et vous m'avez conforté dans le chemin que je suis avec ma thérapeute.

Voulez-vous m'appeler à l'heure prévue pour mon examen ? Je ne viendrai pas. »

Telle était l'essence de son message.

Le fax était accompagné de ses dessins.

Le dessin qui représente la douleur montre un personnage en fil de fer. Sans mains. Sans pieds. Le visage est rond. Sans yeux. Ni bouche. Ni oreilles.

Au niveau du ventre, elle a dessiné une gigantesque spirale. C'est le seul élément qui fait sens dans son dessin. Elle ne sait pas que Françoise Dolto décrit ce dessin comme la première représentation du désir et de la vie que peut faire un petit enfant.

Quand elle se dessine sans mal de ventre, elle représente une jeune femme en robe. Une légende dit : « Vous voyez ! Il y a des cheveux ! »

À l'heure de son rendez-vous, je l'appelle.

Elle est contente. Moi aussi. Nous ne nous sommes vus qu'une fois ! Elle me demande si elle doit faire tous les examens que je lui ai prescrits. Je lui demande pourquoi elle les ferait, puisqu'elle est devenue parfaitement asymptomatique.

« Je caresse un rêve, avec mon mari. Celui de partir faire le tour du monde en voilier avec nos enfants. Puisque je suis guérie de mon enfance, je crois que c'est ce que nous allons faire. Merci, docteur ! »

C'était il y a plusieurs années. Je n'en ai pas eu de nouvelles depuis.

Le silence du diable

Le silence de l'analyste peut être respectueux, angoissant, communicateur, ou agressif.

C'est un ami kinésithérapeute, à Paris, qui me l'envoie.

« Il m'a dit que vous êtes un expert en maladies du côlon. Je souffre d'une rectocolite hémorragique. »

Elle me parle de son gastro-entérologue, à Bordeaux. Ce qu'elle m'en dit me paraît tout à fait adéquat et reflète une grande compétence. Je lui demande de venir me revoir à Paris, et de se munir de tous les documents qu'elle a accumulés au cours de son suivi.

Je la revois lors d'une autre visite en France. Son dossier est impeccable. Ce que je lui dis.

Je ne sais pas pourquoi, je me mets à la regarder fixement dans les yeux. J'entre spontanément en transe. Ce n'est pas un « truc », une « astuce », ou une « technique ». Cela m'arrive, ce jour-là, tout à fait spontanément. La qualité de l'air ambiant devient différente. Il devient scintillant. Je me sens très proche d'elle. Je ne pense à rien. Je suis là. Intensément présent. À son service.

Elle se met à sursauter. Me regarde fixement. Elle a des expressions dans les yeux que je ne peux pas interpréter. En fait, je crois que je ne pense même plus. Je suis là. Tout cela passe très vite, mais cela dure un quart d'heure.

Le phénomène s'arrête.

– Puis ?…

– C'est incroyable ! Vous êtes devenu borgne. D'abord, l'œil gauche. Puis, l'œil droit. Puis, j'ai vu le diable !

Me voilà rendu le diable. Celle-là, ça ne m'était jamais arrivé !

– Puis le diable a disparu et j'ai vu mon père !

Ça oui, ça va mieux, je connais…

– Puis, mon père me jetait par terre, me donnait des coups de pieds, me marchait dessus… Mais il m'aime mon père !

– Mais madame, je n'ai rien dit ! Pas un mot !

C'est la première fois de ma vie que je rencontre quelqu'un qui soit incapable de projeter sur moi, sans que la projection ne rebondisse comme un boomerang, et qu'elle n'en prenne conscience instantanément. Le rêve, quoi !

J'opte pour l'autohypnose, volontaire cette fois. Je me mets en transe. À chaque visite. À son service, sans penser. Je ne la vois qu'une dizaine de fois. Elle rentre en rémission totale ! Même les biopsies rectales qui sont pratiquées sur elle redeviennent normales ! Jamais je n'oserais publier une telle évolution dans une revue scientifique. On me traiterait de menteur. Ou on me dirait que c'est l'histoire naturelle de la maladie. Pourtant, elle avait une histoire chronique et constante depuis huit ans, et tout son gros intestin était affecté ! Pourtant, c'est moi qui ai montré, il y a trente ans, à la communauté scientifique, que le risque de cancérisation chez ce genre de malade était considérable ! Et mon article, paru dans une revue scientifique prestigieuse, portant sur six cents malades, bourré d'analyses statistiques sophistiquées, fruit d'un exercice pratique du cours de statistique sur l'analyse actuarielle du devenir à long terme, au cours de mon diplôme de maîtrise en physiologie et en statistique, tient toujours la barre du temps ! Il dément la généralisation faite par mon professeur de physiologie à la clinique Mayo, le docteur Charles Code, à savoir que la durée de demi-vie des connaissances médicales n'est que de sept ans : trente années plus tard, les résultats de mon travail ont été confirmés plusieurs fois, et jamais démentis !

Quand elle prend congé en me remerciant, je la préviens tout de même qu'elle doit continuer son suivi médical. Et de lui résumer mon étude.

Un an plus tard, lors d'un autre voyage, elle revient me voir. Littéralement elle me demande la « permission » de faire un enfant ! Décidément, elle n'est pas tout à fait sortie de son transfert... Je lui dis que je n'ai pas de légitimité pour lui répondre, qu'elle est une femme libre de ses choix. Elle semble satisfaite de ma réponse.

Je ne la reverrai plus jamais.

Ce fut là, je crois, une des premières expériences, impossible à reproduire volontairement, qui m'a convaincu profondément que nous ne sommes pas que des choses, du matériel, et que sous la surface se trame un univers, souvent à notre insu. Appelez cela l'âme, baptisez cette vision de spirituelle, parlez de la mort de l'ego ou de ce qui est au-delà de l'ego, pour moi, cela ne fait aucune différence.

Je n'avais, à cette époque, jamais entendu parler de psychologie transpersonnelle.

« Vous présidez le comité scientifique du congrès. Nous vous invitons gracieusement à participer à l'atelier de respiration holotropique™ que nous organisons avant le congrès. »

Le TM, c'est pour la respiration brevetée, « Trade Mark »...

« La respiration quoi ? » Le TM me fait rire au téléphone...

Je n'avais jamais entendu parler du terme. Mais j'avais lu, il y a longtemps, le livre *La rencontre de l'homme avec la mort* de Stanislas Grof, qu'il avait écrit avec Joan Halifax.

Nous voilà donc réunis, plus de deux cents participants, par groupe d'une dizaine de personnes sous la supervision d'un cothérapeute pour chaque groupe, le tout sous la supervision du docteur Grof.

Nous choisissons un partenaire ou une partenaire. L'un va respirer, l'autre l'accompagner.

« Étendez-vous sur le matelas.

Fermez les yeux sous le masque.

Détendez-vous. »

Suit une induction qui pourrait servir en relaxation aussi bien qu'en hypnose, qui vise à ce que l'individu « entre » dans son corps, et toutes les parties de celui-ci en contact avec le matelas, au lieu de continuer à penser ou réfléchir.

Herbert Benson, cardiologue à l'Université Harvard a bien démontré que ce genre de technique a des effets physiologiques bénéfiques. Baisse de la tension artérielle, diminution du rythme cardiaque et du rythme respiratoire, diminution des besoins de consommation d'oxygène. Le corps se met au ralenti, plus paisible. Les malades diminuent leurs besoins de somnifères.

Puis vient la commande de respirer.

Alors, là, c'est la première des surprises.

Grof avait fait beaucoup de découvertes avec le LSD, à l'époque où il était encore permis de l'utiliser. Il avait observé des prises de conscience stupéfiantes chez des sujets proches de la mort. Il avait aussi noté que si dans ce genre d'état second déclenché par le LSD, les sujets étaient exposés à de la musique, ils étaient comme conditionnés, puisque, plus tard, sans LSD, cette musique-là les reprécipitait au même endroit de leur psyché, dans le même état d'esprit.

Quand le LSD avait été interdit, Grof avait tenté d'utiliser l'apnée, trop angoissante pour la majorité des sujets. J'en avais fait l'expérience dans un atelier de groupe fait dans une piscine chauffée à 37 degrés. Un des exercices consistait à se mettre sur le ventre à la surface de l'eau, expirer lentement l'air de ses poumons, se laisser couler jusqu'à se coller au fond de la piscine, relativement peu profonde, face à terre, les bras en croix. L'expérience consistait à laisser monter l'angoisse reliée à l'asphyxie, et ne remonter à la surface que lorsqu'elle devenait intenable. Expérience dramatique, impressionnante, inoubliable. Expérience capable de déclencher des dissociations importantes et des régressions intenses vers de vieux souvenirs d'enfance. Mais aussi expérience très difficile à gérer pour un thérapeute.

Grof avait donc décidé de passer à l'inverse, et de demander aux sujets d'hyperventiler. Intensément. Profondément. À un rythme le plus rapide possible. Cette expulsion rapide du dioxyde de carbone dans l'air expiré conduit, rarement dans ces circonstances, à une tétanie due à la chute de calcium, parce que le sang devient trop peu acide. Ou, au contraire, et c'est plus souvent le cas ici, le sujet dissocie.

En même temps, une musique assourdissante est jouée. Elle est choisie par l'animateur, et, bien sûr, c'est un élément clef. Le choix des airs dépend de la personnalité de celui qui en fait la sélection. Souvent, au départ, la musique est très scandée, très primitive. Il est possible d'entrer en transe de cette manière, comme le font les Gilles du carnaval de Binches, en Belgique, qui scandent le sol de leurs sabots de bois pendant une semaine. Des musiques primitives africaines sont souvent choisies et se prêtent fort bien à l'exercice. Mais tous les types de musique peuvent être choisis. Et, en dernière analyse, la « reconnaissance » d'un sens émotionnel à un air donné dépend des états d'âme de chaque individu. Clairement, il s'agit d'un processus de l'ordre de la musicothérapie.

« Bon voyage ! »

Et le voyage dure cinq heures. L'accompagnant qui est à côté sert d'ange gardien pour protéger l'individu, comme le ferait une bonne mère veillant sur le sommeil de son enfant. Il veille à ce que le sujet ne se blesse dans ses mouvements aveugles, et ne quitte pas la surface du matelas.

Ce jour-là, naïf, sans expérience, sans m'être prémuni en lisant sur le sujet, je suis sorti de cet exercice cassé en mille morceaux, en larmes, inconsolable. Pourtant, j'étais dans une phase de ma vie où je me croyais enfin entré en eaux calmes. Pire, je touchais mon entourage aux larmes. Même le thérapeute assigné s'était avéré incapable ni de m'accompagner, ni encore moins, de m'aider.

J'étais sorti de cet atelier extrêmement impressionné par la technique. Mais très en colère contre ces thérapeutes, capables d'ouvrir un être humain avec un bistouri de l'âme, mais incapables de faire travailler cet être avec le matériel émergeant de l'inconscient. J'avais fini, plus tard, par trouver une psychanalyste et une psychothérapeute capables non seulement de déclencher des catharsis, mais d'aider les sujets à « nommer » les choses.

Clairement, j'avais découvert là un mode de relation transpersonnelle, au-delà de l'ego. Il m'avait appris plus d'humilité et forcé à m'aventurer dans l'inconnu moins pensable.

Il est évident que ce genre de technique ne peut être utilisé volontairement dans un cadre hospitalier. Mais nous y voyons souvent des exemples spontanés d'hyperventilation, qui peuvent être bénéfiques pour le patient.

Je ne l'ai vue qu'une fois. J'ai oublié son nom, son prénom, jusqu'à son visage. Je n'ai rien fait pour elle. Elle s'est guérie toute seule.

Un gastro-entérologue de Québec me l'envoie pour un problème de constipation opiniâtre.

Elle prend rendez-vous. Comme elle vient de loin, que c'est l'été, elle loge dans la maison des étudiants, vide à cette époque de l'année. La nuit l'angoisse. Elle aboutit à l'urgence en pleine crise d'hyperventilation. Elle y perd connaissance. Calmée, elle retourne à Québec sans me voir.

Elle reprend rendez-vous.

Elle s'inscrit à ma clinique. Me voit déambuler. Quand c'est son tour et que je l'appelle, elle n'est plus là. Elle est rentrée à Québec.

Troisième rendez-vous.

Enfin, je la vois !

Elle est rouge de confusion.

« Excusez-moi, docteur. Je ne sais pas ce qui m'arrive. Je suis guérie. »

Elle prend congé.

Autre histoire. Même scénario.

Sa mère la pousse en chaise roulante. Elle y est affalée, la tête basculée sur le côté. Elle est toute jeune. Vingt-cinq ans. Peut-être trente.

Elle allait me voir en consultation. Mais elle a été conduite à l'urgence en crise aiguë d'hyperventilation. Elle a reçu de l'Ativan en intraveineuse qui l'a assommée.

Elle ne peut pas soutenir la moindre conversation. Je dis à sa mère de revenir huit jours plus tard.

La semaine suivante…

Je suis en consultation.

J'entends hurler dans la salle voisine.

Un toc toc timide à ma porte. L'étudiant.

« On dirait que tu as besoin d'aide. »

Un oui timide.

Je vais voir à côté.

La jeune femme de la semaine dernière est en pleine crise d'hyperventilation. Je la force à maintenir ses yeux ouverts. À ne pas quitter mes yeux du regard. Je parle sans arrêt. Je la force à rester présente par mes mots. Elle finit par se calmer. Je lui dis de respirer à mon rythme.

Elle a clairement une colopathie fonctionnelle. Elle a été violée et en est encore traumatisée. Nous échangeons. La conversation porte autant sur sa vie que sur son corps.

La semaine suivante, elle me dira que ses symptômes ont disparu. Bien entendu, elle ne fait qu'entreprendre son cheminement psychique.

Certains sujets, à travers des expériences émotionnelles intenses, entrent spontanément en transe, sans la moindre induction hypnotique, et encore plus sans la moindre intention. Parfois, alors, quelques mots appropriés suffisent.

Sylvie, encore elle.

Elle a fait le deuil du fait que sa mère attendait un fils quand elle est née.

« C'est pas correct. J'ai le goût de me jeter dans vos bras. »

Je ne réponds pas.

La semaine suivante, pour la première fois, elle ne se présente pas, et ce, sans prendre la peine d'annuler son rendez-vous.

Un mois plus tard, elle appelle.

– Excusez-moi. je me suis trompée de date de rendez-vous !

– Sylvie ! Depuis le temps que tu viens toutes les semaines ! Tu veux te jeter dans mes bras, puis tu ne te présentes pas… ?

Elle arrive toute énervée.

– Vous vous rendez compte ! Tout le temps où je me suis trompée sur la date de mon prochain rendez-vous, j'étais tellement constipée ! Je vous appelle, vous me donnez rendez-vous et je déconstipe tout de suite ! Mais il y a mieux ! Cela fait trois ans que je viens vous voir. Et cela a pris trois ans pour que je prenne conscience que chaque fois que je viens vous voir, je ne suis plus constipée dans les deux, trois jours avant ma visite, et que ma première visite à l'hôpital, c'est pour aller déféquer dans une toilette !

Elle est extrêmement agitée.

– Mais vous vous rendez compte !

Elle se met à respirer plus vite. Subitement, elle se met à pleurer. Ferme les yeux. Cherche mes mains. S'agrippe à mes poignets.

– J'ai peur !

Rompant le silence, elle me parle d'une porte toute noire, qu'elle vient de voir apparaître.

– Je n'arrive pas à l'ouvrir !

– Peut-être est-ce un tunnel !

Elle y entre. Y chemine. Pleure. Son périple durera une heure.

– Je ne trouve pas la sortie. Il fait tout noir !

– Peut-être y a-t-il une lumière au bout de ton tunnel ?

Au bout de longs instants…

– Je vois la lumière ! Il y a une petite fille dans la lumière !

– La petite fille me tend les bras ! Je ne suis pas capable ! Je ne suis pas capable !

Elle s'accroche à mes poignets à me faire mal.

Elle sanglote.

– Sylvie, fais-toi confiance !

Elle me lâche d'un coup. Saute à mon cou. Dépose sa tête sur mon épaule gauche. Elle y reste une demi-heure dans le silence absolu.

Elle se redresse. D'un air hébété. Elle sort de sa transe.

– Je n'ai jamais été capable de faire cela avec mon père…

Le travail de deuil de cette souffrance sera intense, pénible et bref. Elle aura passé d'un père sans tendresse pour sa fille, à un oncle incestueux avec qui elle a son premier orgasme, plusieurs amants âgés où elle découvre la culpabilité, puis un autre, plus âgé et plus violent, qu'elle alterne avec un amant plus jeune et peu sexué. À travers ces deux hommes, elle passe à moi avec qui elle vit le désir de fils de sa mère, et le manque de tendresse de son père. Pour finir, guérie, après avoir fait le deuil de sa famille.

Je ne l'ai jamais revue, après sa guérison, elle non plus.

Parfois j'aimerais savoir comment elle s'est mise à vivre après ce travail de deuil. Parfois, la vie me fait un cadeau, comme lorsque je croise un homme, tout à l'heure, au supermarché local.

« Bonjour, docteur ! Vous me reconnaissez ? »

Bien sûr que je le reconnais. Il faisait partie d'un groupe de sujets recrutés parce qu'une compagnie pharmaceutique avait fait un contrat avec nous pour étudier les effets d'un nouveau médicament sur la colopathie fonctionnelle.

– Bien sûr que je me souviens de vous ! Vous avez vécu un moment pénible pendant que votre femme dépérissait. Et vous faisiez la navette entre Magog, tout près de l'endroit où j'habite, et Granby où vous travailliez… Comment allez-vous depuis sa mort ? C'était quand encore ?

– Cela fait un an et demi.

– Vous semblez mieux. Votre teint, votre sourire. La flamme dans votre regard.

Il a l'air rajeuni.

– Ça a été très difficile !

Un voile passe dans ses yeux. Il est encore en train de faire son deuil.

– Vous avez encore de la peine.

– Oui, mais ça va mieux. Je suis toujours seul.

De me le dire dans ces mots veut dire qu'il

commence à se faire à l'idée que sa vie va continuer à se développer.

J'ai bonne mémoire.

J'emmène mon fils cadet au cinéma avec son petit copain. Nous faisons une pause « restauration rapide » car ils rentreront tard.

Un homme, de race noire, dans la trentaine, se penche vers nous, restés dans la voiture pour nous faire servir au volant.

– Bonsoir docteur !

– Michel !

C'était il y a vingt ans. Michel, adolescent, adopté, était en crise. Avec un problème d'encoprésie majeure. Il était très constipé, faisait des fécalomes immenses de selles dures ramassées dans son rectum, et souillait ses sous-vêtements. À l'époque, il était déjà apprenti dans le milieu de la restauration, à faire des frites dans une échoppe sur le bord de la route. Je me souviens de problèmes familiaux, mais j'en ai oublié les détails.

– Tu vas bien ?

– En pleine forme ! Vous êtes passé dans ma vie à une période critique. Vous m'avez beaucoup aidé. Heureusement ! Ma mère, plus tard, s'est enlevé la vie, mais je n'en ai pas été affecté. Mon père est toujours le même. Il n'a pas changé.

Il me dit qu'il est là pour aider au « démarrage » de l'entreprise. Qu'il gère un magasin dans une autre ville.

Il se tourne vers mon fils, qui a quatorze ans.

– Ton père n'est pas le genre d'homme qu'on oublie.

Mon fils me regarde, l'œil rieur, fier et aimant. Il le regarde. Regards complices.

– On n'oublie pas mon père !

Ils me touchent ces deux-là.

Et Michel me fait plaisir de m'informer de son devenir.

Vingt ans plus tard…

Mais parfois, je ne revois pas des hommes, des femmes que j'ai côtoyés de près pendant des années. Que j'aimerais revoir. Savoir ce qu'ils sont devenus. Dans ce temps, c'est à moi de faire le travail de deuil et du détachement. De renoncer à satisfaire ma curiosité, probablement en partie alimentée par une insécurité intérieure qui a besoin de se faire rassurer, que, oui, ce chemin parcouru un temps était le bon.

Parfois l'impact d'une seule séance de respiration holotropique est spectaculaire et curatif.

Ainsi cette femme qui se plaint d'avoir vingt à trente selles liquides par jour. Une évaluation approfondie révèle que la seule raison pour laquelle elle a de la diarrhée, c'est que son petit intestin absorbe mal les sels biliaires, et les laisse filer dans le côlon, où ils empêchent la muqueuse de celui-ci d'absorber l'eau et les sels. Cette « entéropathie cholérique idiopathique » est une sorte d'intestin grêle irritable. Trouble digestif fonctionnel. De la famille de la colopathie fonctionnelle.

C'est plutôt embêtant vu son métier. Elle conduit un autobus scolaire ! Elle doit souvent s'arrêter. Son emploi est menacé.

Elle résume sa problématique existentielle de façon aussi lumineuse que simple. Elle avait de nombreux frères et sœurs. Mais, quand elle était petite, les seules photos d'enfants exposées dans la maison, c'étaient celles des enfants morts ! Elle en avait conclu que tous ces enfants, et elle aussi, n'étaient pas désirés. Qu'en l'occurrence, dans cette famille extrêmement catholique, il valait mieux être mort que vivant, qu'on faisait plus attention à vous, qu'on vous « aimait » plus après la mort…

Je lui explique la nature de son problème, le mécanisme de sa diarrhée. Elle parle de ses difficultés à respirer quand elle est angoissée. Je lui parle du lien avec l'angoisse. Je lui explique que cela a même été utilisé comme instrument thérapeutique. Mon récit sur la respiration holotropique semble la fasciner. Elle me demande où elle peut en faire.

Ces endroits sont rares. Je la réfère à une psychologue que je connais et sais fiable.

Elle part faire avec elle un atelier d'un week-end.

Quand elle revient, elle n'a plus de diarrhée ! Elle dit avoir vécu des torrents d'émotions qui tournaient autour de son hésitation à vivre ou mourir.

À de rares occasions, il m'arrive d'être à l'écoute, de façon un peu flottante, comme, me dit-on, le sont certains analystes. À un niveau, peut-être, transpersonnel, au-delà de mon ego ?

Anne nous décrit sa peinture avec un sourire radieux.

Encore une fois, nous sommes dans un couvent. Un autre. Proche de l'hôpital. Un autre pictodrame.

Anne est infirmière. Elle n'est pas malade. Elle est venue faire cet atelier de pictodrame pour apprendre qui elle est.

Sa peinture représente une scène de son enfance. Le thème est gai. La peinture est faite de couleurs claires et joyeuses.

Le corps de Anne est dénoué et harmonieux.

Mais moi, j'entends Anne… pleurer.

J'hallucine !

Je détaille Anne du regard, de la tête aux pieds. Je regarde minutieusement sa toile. Vraiment non ! Je ne vois rien de triste. Son corps n'est pas tendu, raide. Elle est souple, déliée, souriante.

« Anne ! Je ne vois rien de triste dans ta peinture. Je dois halluciner ! Je t'entends pleurer ! »

Anne, instantanément, se met à pleurer à chaudes larmes. Et de nous conter les souvenirs pénibles qui se terraient derrière son sourire enjoué.

Et puis, et puis, il y a aussi cet épisode… Unique dans ma vie… Et bouleversant !

Je me réveille en sursaut. La gorge serrée. Le front

en sueurs. Le cœur qui me débat. Je me suis assis d'un coup dans le lit. Il est quatre heures du matin.

« Qu'est-ce qui t'arrive ? Tu te débats dans le lit depuis le début de la nuit ! »

« Alice est morte ! »

Alice, je la connais depuis dix ans. D'abord pour une colopathie fonctionnelle. Elle était malheureuse en ménage. Ses belles-filles, qui l'aimaient bien, étaient prêtes à l'aider. Pour qu'elle puisse quitter leur père, s'installer en appartement, vivre seule. Mais elle n'avait rien pour maintenir son autonomie. Pas de métier. Pas d'argent. Trop âgée pour trouver le moindre emploi. Elle reste avec son mari qui ne l'aime pas. Pendant que j'ai quitté le pays pour aller étudier, elle fait un cancer du côlon.

Quand je reviens, elle a des métastases qui la condamnent, sauf miracle. Elle fait un atelier de picto-drame où il se passe peu de choses. Elle disparaît plusieurs mois. Quand elle revient au printemps, le cancer s'est répandu partout. Elle vient pour une douleur au coude. C'est une métastase. Une rareté pour un cancer du côlon. Il y en a partout. Le cerveau. Les poumons. Les os. Le foie. Le ventre.

Je la transfère dans une unité de soins palliatifs proche de l'endroit où elle vit. « Au revoir, Alice » lui dis-je en lui flattant le front. Je ne sais pas pourquoi, je ne lui ai pas dit « Adieu ». Elle s'agite intensément, malgré sa confusion.

Dix jours plus tard. Je rêve.

Je descends un escalier qui débouche sur un quai de métro totalement désert.

Je vois arriver une ombre de l'autre côté, au bout du quai. Il s'avance lentement vers moi. Un homme. Il approche. Je le reconnais.

« Jules ! Bonjour ! »

Jules est mort depuis quelques mois.

Ce n'est pas n'importe qui, Jules ! C'était un de mes supérieurs hiérarchiques. J'avais aidé un membre de sa famille. Nous avions eu une relation extrêmement conflictuelle, lui et moi. Un jour il m'avait même dit, avec agacement, qu'il n'arrivait pas à me casser... J'avais fini par opter avec lui pour la technique du roseau. Histoire d'avoir la paix dans mon milieu de travail. Ce qui l'avait écœuré. Puis un jour, il m'avait demandé de l'aide. Il partait en congé sabbatique à Paris, et n'arrivait pas à se trouver d'appartement. J'avais appelé un de mes amis. Jules avait eu son appartement tout de suite. Nous avions fait la paix. Moi, j'avais travaillé ma relation transférentielle face à cette figure paternelle autoritaire. À son retour, juste avant Noël, nous avions dîné ensemble. Tranquilles. Tous les deux. Nous avions vraiment fait la paix. Malheureusement, quelques semaines plus tard, il avait glissé d'une échelle en tentant de déneiger son toit. Il s'était fracassé le crâne. Il était mort.

– Jules, veux-tu t'occuper d'Alice ? Je ne suis plus capable de m'en occuper.

– Tu peux compter sur moi.

Nous attendons.

Un train arrive.

Un drôle de train.

Il n'y a qu'une voiture. Cette voiture a une fenêtre gigantesque éblouissante de lumière. Alice est couchée dans la lumière. En gisante moyenâgeuse. Morte.

Le train démarre. Nous le regardons partir. Il disparaît dans le tunnel.

Je me réveille en sursaut.

Au petit matin, je téléphone chez Alice.

– Comment va madame P ?

– Comment savez-vous ?

– Qu'est-ce que je suis censé savoir ?

– Elle est morte !

– À quelle heure ?

– À quatre heures du matin...

Mes yeux se remplissent de larmes. Jamais je

n'avais réalisé à quel point nous étions si proches, inconsciemment, elle et moi.

Expérience unique. Expérience inoubliable. Une seule m'a suffi. Je n'ai pas besoin d'autres démonstrations pour être devenu convaincu qu'il existe autre chose que le matériel. Que l'inconscient ne connaît ni le temps ni la distance. Qu'au-delà de la surface des apparences et du transfert, nous sommes reliés. Au sens religieux du terme.

Il est fort probable que le silence attentif favorise un niveau de communication extrêmement profond, au niveau transpersonnel, bien au-delà de l'ego. D'une certaine manière, quand un des deux interlocuteurs peut parler en toute liberté et sans restriction, tout l'espace lui est donné. Un peu dans un cadre de l'ordre de l'amour « unilatéral ».

Nous sommes au restaurant.

J'y ai invité Georgette que je connais depuis près de vingt ans. Elle est en visite au Québec. Elle va avoir quatre-vingt-dix ans.

« Soixante-dix ans de mal de ventre. Et cela fait dix-sept ans que je n'ai plus mal du tout ! Depuis que je t'ai dit que je faisais toujours comme si ! »

Je la remercie de me faire ce cadeau.

Je l'avais vue à Paris, à la demande d'un ami, médecin dans l'administration de l'État. Elle avait une colopathie fonctionnelle. Il n'arrivait pas à l'aider.

Elle était haut fonctionnaire et avait beaucoup voyagé à l'étranger. Brillante. Georgette est brillante. Elle a travaillé comme contractuelle au ministère des Affaires étrangères de France. À l'âge de soixante-quatre ans, elle a eu l'occasion de participer à un concours pour obtenir un poste permanent. Concours sans limite d'âge. Elle s'est classée première ! À soixante-cinq ans, elle a pris sa retraite. Avec une pension dont le montant était le même que si elle avait été permanente toute sa vie. Brillante. Dotée d'innombrables expériences. J'avais grand plaisir à l'écouter. Elle était tellement intéressante ! Et en plus, une intuition vis-à-vis des autres !

Mais sa vie était difficile.

Son mari venait de mourir d'un cancer de l'estomac. Il avait longtemps été alcoolique. Elle avait perdu un bébé peu avant sa naissance. Sa fille aînée s'était suicidée en se brûlant vive. Un fils était mort d'un accident en Afrique du Sud. Une fille souffrait beaucoup de troubles fonctionnels incapacitants, une autre était malade de façon chronique, et anorexique. Un fils allait bien.

Georgette m'inondait de ses histoires fascinantes et était très peu loquace sur sa vie. Je tentais sans grand succès de l'y ramener.

Elle avait quatre sœurs. Les parents regrettaient amèrement ne pas avoir eu un fils.

Puis, un jour…

« Docteur, c'est bizarre. Quand j'entre dans votre bureau, je n'ai plus mal au ventre. Il réapparaît ensuite dans le métro… »

J'observe la piste qu'elle me suggère. Les choses se répètent. Elle n'a plus jamais mal au ventre quand nous sommes ensemble. Se pourrait-il que, au-delà des mots, du mental, de l'intellect,… le transfert ?

Le phénomène se reproduit. Devient régulier.

Un jour, je prends mon courage à deux mains, et je décide de me taire. En face à face. Plus ! J'imite sa mimique, ses sourires, son faciès, son sérieux, sa posture. Comme un miroir. Je me tais. Je la regarde. Dans les yeux. Je ne dis plus un mot. Je la singe. Elle penche la tête. Je penche la tête. Elle sourit. Je souris. Mais… Je suis bien là.

Trente minutes de silence en vis-à-vis.

Le débit verbal de Georgette s'accélère. Elle raconte ses histoires fascinantes de plus en plus vite. Elle passe de l'une à l'autre. Elle tombe parfois une fraction de seconde dans le silence, et recommence son récit aussi vite. Elle commence à manquer de sujets de discours. Elle fait des coq-à-l'âne subits, en passant à des sujets moins intéressants mais plus personnels et émotifs. Quand elle tombe dans le vide du silence, elle se repend rapidement.

Puis, elle n'arrive plus à remplir ce profond silence...

Et puis, tout d'un coup...

Elle éclate en sanglot...

Je lui touche doucement le bras...

Elle pleure de plus en plus...

S'exclame : « Je le sais, que j'ai toujours fait comme si ! »

Je la félicite de son lâcher prise. Je lui dis que c'est une grande victoire pour elle d'accéder ainsi à ses émotions et à ses souffrances. Que c'est ce que manifestaient ses maux de ventre chroniques.

Le lendemain. Elle appelle.

Je m'inquiète. J'ai peur d'avoir agi avec la brutalité d'un chirurgien envers une vieille dame de soixante-quinze ans.

Une voix claire et ferme.

« Docteur, vous m'avez dit que c'était une victoire. »

Je lui répète ce que je lui ai dit. Que son mal de ventre était la somme de toutes les souffrances emmagasinées au long de sa vie, qu'elle n'avait pas pu exprimer.

« Docteur, je vous appelle pour savoir... Cette victoire, c'est une victoire pour qui ? »

Touché. Je bredouille. Je la savais forte. Mais à ce point... Je lui dis que, de fait, j'avais beaucoup souffert comme enfant du manque d'émotions manifesté par ma mère, qui s'y était laissée aller tard dans sa vie. Et que je gardais toujours un sentiment de bonheur quand quelqu'un se laissait aller à exprimer ses émotions. Surtout après un long silence... Mon bonheur à moi...

« Je m'en doutais. »

269

Nous avons, au fil de près de vingt ans, développé une relation parfois conflictuelle, mais plus jamais indifférente. Et de plus en plus vraie.

Et Georgette de me dire, dix-sept ans plus tard, qu'elle n'a plus mal...

La colère du Bouddha

Il est toujours agréable de recevoir des compliments. De se faire dire par un malade qu'on est le meilleur, le plus compétent, le plus dévoué, le plus consciencieux. Et même, le plus humain.

Et pourtant...

Souvent, quand, nous médecins, nous recevons ainsi des tonnes de compliments, qui se rajoutent aux critiques vis-à-vis des cinquante autres médecins que le malade a déjà vus, et qui n'écoutent pas les malades, et passent cinq minutes avec eux avant de passer à la caisse... Méfions-nous... Méfions-nous... Nous serons bientôt le cinquante et unième... Mais le ballon de l'ego ainsi gonflé risque de s'envoler, puis d'éclater !

Mais encore...

La colère est un outil essentiel de séparation et de détachement. Elle découpe le transfert. Elle met la réalité toute nue à vif. Elle vise à la vérité.

« Dinh ! C'est très important si tu te fais engueuler par un malade, de te laisser engueuler sans répondre. Je ne te dis pas d'absorber leur colère et la garder. Ce serait dommageable pour les artères coronaires de ton cœur ou pour ton côlon. Mais si tu es tranquille, si tu n'es pas défensif, si tu n'essaies pas de justifier ta compétence et tes efforts thérapeutiques, quel bien tu peux leur faire ! Leur colère ne peut que croître, puisque tu n'y réponds pas. Elle croît au paroxysme. Puis, ils s'écroulent en larmes. Et parlent des vrais problèmes ! »

Dinh est, à ce moment, interne en chirurgie. Depuis, il a quitté le programme. Il est devenu médecin de famille. Dinh est né au Viêt-nam. C'est un réfugié de la mer. Un « boat people » de la mer. Il y a acquis une grande sagesse.

Dinh se penche vers moi, tout raide, respectueux de mon autorité hiérarchique de professeur.

– Vous parlez comme Bouddha !

– … ?

– Bouddha dit que la colère est un cadeau !

Alors ça oui, même si je ne suis pas bouddhiste, même si je ne suis pas Vietnamien, même si je n'ai pas dû m'enfuir par la mer, je comprends profondément. Si vous lancez votre colère à quelqu'un, et qu'il ne joue pas au ping-pong de la colère en vous la retournant, vous vous en débarrassez… Comme j'avais accepté le « cadeau » de la colère de Lyne, dont j'ai raconté l'histoire plus haut.

Dans le système médical, la colère mène souvent, et malheureusement, au bris thérapeutique, par le biais du déplacement.

Quand je suis arrivé au Québec en 1969, ma prime d'assurance de responsabilité médicolégale était de cent cinquante dollars. Elle est montée depuis à quinze mille dollars par an. Et même si je payais ce montant, en partie, à cause des provinces les plus riches du Canada, où les montant des poursuites étaient de beaucoup plus élevées, et que, depuis, la prime a baissé, parce que la compagnie d'assurance s'est décentralisée, la prime reste aujourd'hui très élevée. Or, cinquante pour cent des poursuites sont non fondées sur le plan purement médical et scientifique. Elle sont purement motivées par la pauvreté de la communication entre le médecin et le malade.

Parfois la plainte ne vise pas à obtenir une compensation monétaire, mais à punir le médecin sur le plan de la discipline professionnelle. Je n'ai jamais été condamné en cour, mais j'ai reçu deux réprimandes.

L'une, justifiée en partie parce que j'avais manqué de temps pour établir une communication adéquate avec les parents d'un enfant, que j'avais opéré d'une appendicite, m'a amené à changer de comportement professionnel, pour que cela ne se reproduise plus. L'autre, au contraire, était totalement injuste puisque j'ai été blâmé de ne pas transférer à un psychiatre une patiente qui… refusait d'aller voir un psychiatre, comme je voulais qu'elle le fasse. J'avais décelé une histoire d'abus sexuel durant son enfance, qui conditionnait une vie malheureuse et des gros problèmes digestifs fonctionnels. Notre relation avait mal tourné à partir du moment où elle s'était mise, transfert aidant, à m'associer à son frère abuseur. Et elle n'avait pas toléré la rupture temporaire que lui avait imposé mon départ en congé d'études pour quelques mois. À mon retour, elle m'avait accusé d'incompétence et de conduite inappropriée. J'ai raconté cette histoire en détail au premier chapitre. J'ai trouvé l'expérience difficile, et surtout de passer d'un processus analytique à un processus judiciaire beaucoup plus superficiel et professionnel, méconnaissant totalement les arcanes de l'inconscient. À l'époque, en plus, la profession médicale ne connaissait pas encore les conséquences médicochirurgicales d'un abus sexuel d'un enfant. Mais j'avais quand même appris à me servir de ce stress intense. Un collègue psychiatre m'avait beaucoup appris sur la dynamique paranoïaque, souvent à l'œuvre dans les poursuites. J'avais découvert que le corps qui souffre peut protéger le sujet d'un comportement « borderline », où il peut basculer brutalement dans l'irraisonnable. Et depuis cette expérience désagréable, je suis mieux protégé. En effet, si je juge qu'un malade a besoin d'être évalué par un psychiatre, peu importe le bien-fondé de ma demande, et qu'il refuse, je suis obligé de cesser le suivi. Ce qui, dans les faits, veut dire que l'institution m'oblige à l'abandonner, et donc en porte l'odieux plutôt que moi. Enfin, sur le plan de mes limites, j'ai encore plus travaillé sur l'ego et l'omnipotence, et, face à un malade incapable d'« insight » et toujours dans les revendications et les récriminations, je ne fais plus d'« acharnement thérapeutique » et n'essaie plus de le « sauver » à tout prix. Tous les médecins sont appelés à travailler sur leur sentiment d'impuissance et l'accepter, en renonçant à leur obligation de « guérir ».

Le déplacement reste un sujet difficile, et je l'ai élaboré un peu plus dans la section que j'ai consacrée aux enragés de la guérison.

Parfois, je provoque la colère, mais c'est plutôt rare.

Marcel souffre d'une maladie de Crohn du côlon, du rectum et de l'anus. Il a des fistules purulentes partout dans les fesses et le périnée. Mais il n'est pas très malade, avec très peu de diarrhée. Rien ne justifie de lui ôter le côlon, le rectum et l'anus, et lui faire un anus artificiel avec son petit intestin.

Marcel est totalement inexpressif. Rien ne l'émeut. Trois ans durant, il n'exprime rien de ce qu'il ressent.

Un jour, j'en ai assez. Je décide de le provoquer. Il a rendez-vous à onze heures du matin. À chaque fois que son tour arrive, je remets son dossier sous la pile.

Il est dix-huit heures trente. Il n'y a plus d'autres malades à voir à voir que lui.

Marcel est tout aussi imperturbable. Pourtant, il a vu que je lui ai fait passer son tour. Pas de colère. Pas de tristesse.

« Marcel, je crois que je vais vérifier ton niveau d'hémoglobine. » Je sors du bureau, où je suis resté quarante-cinq secondes. Je m'en vais faire la prescription dans une salle avoisinante.

J'entends rouspéter dans le corridor.

Je me penche par la porte ouverte.

Marcel est fâché ! Rouge de colère !

Je reviens vers lui, l'invite à réintégrer le bureau. Nous passons une heure ensemble.

Marcel me dit que cet épisode a transformé sa vie. Que depuis, il ne se laisse plus faire par tout le monde, comme il l'avait fait toute sa vie.

Ce qui importe, c'est la libération intérieure de la colère, qui ronge le sujet par en dedans. Seulement faire des grandes crises d'« acting out » ne suffit pas.

Claudine habite dans le Grand Nord québécois.

Elle souffre d'incontinence anale massive et de diarrhée profuse. Elle porte des couches. Elle s'empêche de vivre. On l'a opérée sans succès de l'anus, déchiré à la suite d'un accouchement. On me l'a envoyée pour mise en colostomie, pour que je fasse sortir les selles par le ventre, dans un sac.

Nous sommes en salle d'endoscopie. Je m'apprête à lui examiner l'anus et le rectum. L'infirmière et moi, nous avons l'impression d'avoir en face de nous une bombe ambulante, prête à exploser. Je m'abstiens de faire l'examen. À la place, je demande au psychiatre de garde de venir voir la patiente. Celui-ci, n'obtenant aucune information, met une note au dossier qui parle de mes peurs irraisonnées. Il me fâche par les mots, un peu trop sarcastiques à mon goût, qu'il utilise.

Dans la semaine qui suit, j'apprends que Claudine a déjà fait deux tentatives de suicide. Puis j'apprends qu'elle a été une femme battue. J'apprends aussi qu'à l'âge de huit ans, elle a été violée par son oncle, qui était le « baby-sitter ». Il l'a violée dans le vagin et dans l'anus. Elle n'a rien dit à ses parents dont elle n'était pas proche, et qui, pensait-elle, ne l'aurait pas accueillie, ou, pire, lui aurait fait des reproches.

La diarrhée de Claudine est due, comme dans plusieurs histoires que j'ai racontées, à une malabsorption des sels biliaires. Ses structures anales sont normales. Elle se retient, elle a de l'anisme, comme la plupart des femmes abusées.

Claudine déménage de son village, perdu au Pôle Nord, à mille kilomètres de mon hôpital. Elle vient vivre tout près de moi. Elle parle de sa vie au fil des rencontres.

Son conjoint vient de temps à autre. À chaque visite, il la viole. Elle dit que dans ce temps-là, elle n'est plus là. Un jour, elle l'amène, et, à brûle-pourpoint, sans me prévenir, me demande : « Dis-y ! Dis-y pas qui ! » Je lui dis que petite fille, elle a été violée dans le vagin et le rectum. Impassible, il se tourne vers elle, et le regard froid et inexpressif, lui dit très calmement : « J'vous en veux pas. » Elle rompt la relation.

Un jour, à propos d'un épisode particulièrement pénible de son enfance, elle se met à s'agiter intensément. Sa tête se met en hyperextension. Son regard devient fixe. Elle ne me regarde plus. Elle sort du bureau. Tout droit. Elle claque la porte.

Une demi-heure plus tard, elle me rappelle.

Elle sanglote.

– Pardonne-moi ! Tu es bon avec moi ! Je n'aurais jamais dû te frapper !

Elle pleure encore plus fort.

– Mais Claudine, tu ne m'as pas frappé !

– Mais si ! Je t'ai battu partout ! J'étais hors de moi ! Hors de contrôle !

– Mais non ! Claudine, tu peux tout dire ! Mais tu ne peux pas tout faire ! Si tu m'avais frappé, j'aurais tenté de te contenir physiquement. Si je n'avais pas été capable de le faire, j'aurais appelé le service de sécurité de l'hôpital ! Je suis très tolérant et très respectueux. Je ne fais pas de morale et je ne juge personne. Mais je ne suis pas masochiste !

Elle revient me voir le même jour. Elle me fait la rassurer que non, elle ne m'a pas touché.

Elle cesse d'avoir de la diarrhée. Et elle cesse d'avoir de l'incontinence. Je lui dis qu'elle le voit bien, qu'elle n'a pas besoin de colostomie.

Claudine sent que sa vie prend un tournant vers le mieux.

Elle rencontre un homme. Il devient son amant.

Pour la première fois de sa vie, elle fait l'amour et pas seulement le sexe. Elle me dit que, cette fois, elle est là tout le temps. Elle ne dissocie plus. Elle fera un bon bout de chemin avec cet homme.

Guérie, elle retourne vivre dans son village du Grand Nord.

Claudine a vécu, sans censure, dans son imaginaire, toute la rage qui l'habitait depuis longtemps.

Les approches corporelles

La communauté médicale américaine, un jour, s'est réveillée avec stupeur, en apprenant que la population américaine dépensait autant d'argent, dix-huit milliards de dollars par an, en médecine « autre » que la médecine officielle scientifique. Sous la pression du public, et face à ces faits, un organisme gouvernemental de surveillance et de contrôle a été mis sur pied pour voir ce qui méritait une évaluation scientifique et des projets de recherche à financer. Trois sujets ont retenu l'attention : l'hypnose, la méditation et le biofeedback. Nous avons déjà longuement discuté de la nature de l'hypnose, et je n'ai eu, jusqu'ici, aucune expérience pratique de la méditation. Reste le biofeedback. Il s'agit, pour le malade, de voir l'enregistrement d'une activité corporelle sur une machine, ou d'entendre un son qui le reflète, puis, grâce à cette prise de conscience, d'apprendre à modifier l'activité corporelle. Le biofeedback a été abondamment utilisé pour tenter de corriger l'anisme.

La rééducation périnéale

L'anisme est presque certainement fonctionnel. En effet, la thérapie par rééducation périnéale permet souvent de corriger cette anomalie. Cela implique que ce n'est pas une maladie, au sens organique du mot. Lors de la poussée, le patient contracte le plancher pelvien au lieu de le relaxer. Cela explique qu'un des nombreux noms donnés à ce problème soit la « dyssynergie rectosphinctérienne ». On dirait qu'il y a dissociation du sujet en deux personnalités : lorsqu'on lui demande de pousser, l'une obéit et pousse, et l'autre, inconsciemment, refuse et contracte le plancher pelvien. Avec la thérapie de rééducation périnéale, à peu près un tiers des enfants souffrant de constipation sévère et d'anisme seront guéris de la constipation et de la dysfonction, et un tiers seront guéris de la dysfonction mais demeureront constipés. Ces résultats suggèrent qu'il existe une autre anomalie, comme, par exemple, un syndrome du côlon irritable sévère conduisant à un transit ralenti à travers l'intestin. Le dernier tiers des patients ne répondra à aucun type de traitement et demeurera constipé avec la dysfonction. Nous avons aussi appris qu'il y a une courbe d'apprentissage : plus grand est le nombre de sessions de rééducation, plus grand le taux de succès. Il y a donc un processus éducatif en cours. De nombreux éléments sont à l'œuvre durant une thérapie de rééducation. Ils n'ont pas tous trait à la technique seulement, mais aussi aux personnalités des thérapeutes et du patient. En conséquence, la question qui se pose est de savoir ce qui est associé à la relation avec le thérapeute. C'est ce qui a fait dire à une des pionnières de la rééducation pour dysfonction du plancher pelvien, Chantal Rossignol : « Ils parlent de leur corps lorsqu'on voudrait qu'ils expriment leurs émotions, mais ils nous racontent l'histoire de leur vie et libèrent leurs émotions lorsqu'on travaille sur leur corps. » Blessés physiquement, ces sujets sont plutôt portés à chercher une solution physique à leur problème. Ainsi, les femmes qui ont été abusées sexuellement acceptent toutes de subir une thérapie de rééducation mais ne veulent rien savoir, du moins initialement, d'une psychothérapie. Et pourtant, la thérapie par biofeedback implique une pénétration anale par la sonde de manométrie utilisée pour favoriser l'apprentissage. Comme, cette fois, il s'agit d'une activité non perverse, de rééducation, les sujets peuvent enfin exprimer les émotions refoulées lors de l'atteinte à leur intégrité.

Nous disposons malheureusement de peu de données au sujet des facteurs psycho-affectifs chez les patients souffrant d'anisme. Il est bien connu que les patients qui ont des désordres moteurs fonctionnels du tractus gastro-intestinal consultent aussi pour des dysfonctions dans d'autres systèmes, comme la migraine, les céphalées, les douleurs dorsales basses, l'impuissance sexuelle, la dysfonction du tractus urinaire, les troubles du rythme cardiaque. Si la dissociation associée à la rééducation périnéale est reliée à l'hypnose, il faut se souvenir que dans l'hypnose, le danger d'un déplacement de symptôme est très réel. Donc, dans les études futures sur le traitement avec la rééducation périnéale, il devrait y avoir une recherche précise sur la possibilité de déplacement de symptôme. Finalement, il est possible de combiner la thérapie par rééducation périnéale et la psychothérapie, et combiner une approche avec un thérapeute masculin et une thérapeute féminine ; des données récentes ont démontré que cette technique était associée à une amélioration de la dysfonction intestinale.

Et la chirurgie ?

J'ai dit, tout au début de ce livre, que je ne centrerais pas mes propos sur les règles, bien codées et bien établies, de la médecine scientifique, mais que je tenterais de cerner l'individu à qui elle s'applique, le sujet malade, et ce qu'il vit. Il va s'en dire que ceci s'applique encore plus à l'acte chirurgical, spectaculairement agressif s'il en est, mais avec un potentiel de guérison à court terme tout aussi spectaculaire.

LA PARTIE TECHNIQUE

Je suis professeur de chirurgie depuis plus de trente ans. En dehors des actes chirurgicaux posés pendant mes tours de garde, j'ai procédé à quatre ou cinq interventions chaque semaine. J'ai aussi pratiqué plus de trente mille endoscopies basses au cours de ma carrière. C'est dire que j'ai une certaine expérience technique. Nous avons, nous, chirurgiens, un côté très obsessionnel, qui nous conduit à être minutieux, méticuleux, attentifs à tous les détails. Je préfère, et de loin, prévenir les complications que les traiter, et devoir alors improviser la meilleure approche, la plus appropriée, à ce qui survient au décours de l'intervention. Au fil des ans, certains de mes gestes ont changé. Les fils synthétiques résorbables ont pris la place de la soie et du catgut. Les anastomoses intestinales faites à l'appareil automatique, qui implante des agrafes pour relier les segments d'intestin, ont remplacé celles faites avec du fil. Elles ont permis de sauver l'anus de nombreux malades. Elles ont aussi permis de sauver du temps, à fort coût, lorsque les interventions chirurgicales dans le ventre sont très longues. Malgré ces changements, ces progrès constants, au bout d'un certain temps d'apprentissage, tout devient codifié, prévisible, systématiquement reproductible. L'antipode de l'approche individuelle que je raconte dans ce livre. Et cette approche rigoureusement répétitive sauve des vies. Et sauve de complications douloureuses, dangereuses, coûteuses.

Parfois, l'apprentissage est long. Ainsi par exemple le développement de la graciloplastie dynamique, que je vais décrire pour illustrer un processus d'apprentissage technique.

279

Depuis longtemps, les sujets dont le périnée était lâche, dénervé par ce qu'on appelle la neuropathie honteuse, souffraient souvent d'incontinence anale sans qu'on puisse leur offrir autre chose que l'alternative de « la couche » ou « le sac ». Un chirurgien hollandais a alors imaginé une modification d'une vieille technique de transplantation musculaire, inventée par un Américain, monsieur Pickerel. Cor Baeten, de Maastricht, désinsère du tibia le tendon d'un petit muscle, le gracilis, ou droit interne, qui part du haut de la cuisse. En temps normal, la fonction du muscle est décrite de façon amusante par son nom latin, *Custos virginitas*. Gardien de la « vertu », son rôle consiste en une adduction des cuisses, et un rapprochement des genoux... Bien entendu, les hommes ont, eux aussi, un tel muscle, malgré son nom... Les vaisseaux et les nerfs de ce muscle y entrent très haut, et circulent vers le bas dans le corps musculaire, de sorte qu'on peut désinsérer le tendon de la jambe sans provoquer la mort des tissus. L'originalité de Baeten a consisté à implanter des électrodes dans le muscle, et les relier à un neurostimulateur. Le muscle est déplacé autour de l'anus. Quand les tissus sont soumis à une impulsion électrique, ils restent en contracture. L'anus est fermé. L'immense majorité des sujets opérés deviennent continents. Quand ils ont envie de déféquer, ils désactivent le neurostimulateur avec un aimant, le temps que l'intestin se vide. Ils le réactivent après quand ils se sentent vidés. Cet instrument coûte la bagatelle de dix mille dollars et ne doit donc pas être installé chez n'importe qui pour n'importe quoi. Les gestes chirurgicaux sont multiples, complexes, précis. Avant de faire la première intervention dans mon institution, je m'y suis préparé pendant plus de deux ans. Je suis allé deux fois à Maastricht travailler avec le maître. J'ai aussi assisté un de mes amis dans son université, à Liège. Cor Baeten est venu m'aider chez moi. Il a fallu convaincre les autorités, puis trouver les budgets. Puis, il a fallu sélectionner les candidats, parmi les nombreux sujets incontinents, de toutes sortes de causes, pour en trouver quelques-uns où les espoirs de guérison étaient raisonnables. Au maximum, dix pour cent des sujets. J'ai opéré la première malade en décembre 2000. Elle vivait seule. Travaillait la nuit. Portait des couches. Depuis vingt-cinq ans. Depuis son premier accouchement. De jumelles. À l'âge de vingt-cinq ans ! Après avoir subi, sans succès, trois réparations de son sphincter anal. Deux mois plus tard, elle était parfaitement continente. Mais il se passera encore un certain temps avant que tous les gestes de cette chirurgie délicate ne deviennent aussi routiniers que ceux nécessaires pour procéder à la résection d'un segment de côlon.

L'ALLIANCE THÉRAPEUTIQUE

Il ne suffit pas, pourtant, de bien connaître son métier, sa technique. Il ne suffit pas de bien opérer. Il ne suffit pas d'avoir beaucoup d'expérience.

Il faut aussi qu'il y ait une alliance thérapeutique.

– Bonjour, docteur Devroede.

Je suis en train de nager dans un lac.

C'est la fête. Nous fêtons les internes qui viennent de terminer leur formation, et qui s'en vont pratiquer à leur compte.

– Je viens m'excuser !

Je reconnais une de nos anciennes élèves. Brillante. Une des femmes les plus intelligentes au Canada. Sortant du lot de sa promotion, toutes écoles confondues.

– De quoi ?

– Vous savez… Le jour où vous m'aviez dit : n'opère jamais quelqu'un qui te dit de ne pas l'opérer, car ce serait la mort… J'avais cru que c'était une autre de vos drôles d'idées un peu folles… Eh bien, j'ai opéré une dame d'un âge moyen, d'une maladie de Crohn obstructive. Elle m'avait dit : « Lysiane, ne m'opère pas sinon je vais en mourir. » C'était idiot. Elle n'avait aucun facteur de risque. Elle était jeune. En dehors de l'obstruction intestinale causée par la maladie de Crohn, elle était en bonne santé. Ses reins. Son cœur. Ses poumons. Tout était parfait. Je lui ai dit qu'elle ne devait pas avoir peur. Que c'était idiot d'avoir peur. Que tout allait bien. Que son système était en ordre impeccable, qu'il n'y avait aucun risque. Que tout irait bien.

» Je l'ai opérée. Elle est morte sur la table… C'est pour cela que je m'excuse. On ne m'y reprendra pas deux fois… »

Je la remercie de confirmer mes observations. Elle s'en va, en pagayant, en direction opposée, vers l'autre extrémité du lac. Dans son sillage, je me souviens de tout ce qui touche la réalisation automatique des prédictions.

C'est Anne Ancelin Schützenberger qui a porté à mon attention le terme de « réalisation automatique des prédictions ». Elle entend par-là d'une part que les scientifiques confondent souvent la moyenne d'un groupe avec l'individu qui se présente, et d'autre part que le pouvoir du médecin sur le malade est colossal, surtout s'il est ignorant des mécanismes du transfert. Lui, il sait. Lui, il a la science. Lui, il va guérir le malade. Ainsi, il a été dit, et je partage entièrement cette opinion, que si un chirurgien prédit à un malade qu'il vient d'opérer, qu'il en a pour six mois, avec l'état du cancer avancé qui vient d'être diagnostiqué, et que ce malade meurt six mois plus tard, il s'agit d'un meurtre par hypnose.

« Votre interne m'a dit que j'en avais pour deux ans. »

Mon sang fait un bouillon de colère.

J'ai opéré Hélène il y a deux ans, d'un cancer du caecum. Un très bon cancer. Ganglions négatifs, libres de métastases. Une tumeur bien différentiée, dont les tissus ressemblent aux tissus normaux. Dans deux ans, j'aurais dû pouvoir lui dire qu'elle était guérie, comme c'est le cas huit fois sur dix.

Et elle est là, en face de moi, avec une récidive locale, proche du site original de la tumeur, et des métastases dans son foie.

« Alain, descends me rejoindre ! »

Je suis furieux.

« Je ne suis pas libre pour le moment. »

« Tout de suite ! »

Il arrive.

Je confronte Hélène et Alain.

Mais je sais que c'est foutu. Que le jeu que Alain a joué en faisant la tireuse de cartes, le médium qui regarde dans la boule de cristal, la voyante, a été comme une semence.

Hélène était orpheline. Elle a été recueillie petite par une vieille tante, qui est, maintenant, extrêmement dépendante, et très exigeante à son égard. Hélène est passée d'une vie sexuelle très active à une relation avec un homme doux, très gentil, qui l'aime profondément, mais où la sexualité est virtuellement absente. Hélène se sent coincée depuis qu'elle me parle de sa vie. Elle n'arrive pas à s'estriquer de cette situation qui la frustre, qu'elle trouve profondément insatisfaisante, avec ce couple quasi parental. Hélène en a marre de vivre ainsi. Elle n'arrive pas à se mettre au monde. Les paroles de mort que Alain lui a jetées innocemment sont tombées en terre fertile.

Hélène meurt. D'une mort prématurée.

Un cas particulièrement spectaculaire de ce type de devenir a été rapporté aux États-Unis dans les annales de l'Université Johns Hopkins, à Baltimore, au Maryland. Le texte est surmonté du titre éloquent de « Voodoo's Death ».

Deux femmes se disputent à Haïti. L'une d'elle est une grande prêtresse Vaudou. Elle maudit l'autre.

« Tes trois filles mourront avant leurs vingt et un ans. »

Des années passent.

La famille émigre aux États-Unis.

L'aînée des filles meurt à quinze ans. Panique de la famille, imprégnée de culture vaudou, qui se rappelle la malédiction. Les deux autres filles sont surprotégées, entourées. La seconde atteint ses vingt un ans.

Victoire !

La grande prêtresse est vaincue.

La famille décide de fêter cette grande victoire au restaurant. En chemin, la fille est tuée d'une balle perdue…

Les parents et la troisième fille vivent, dès lors, dans l'angoisse permanente.

Le jour de ses vingt un ans, la troisième fille tombe raide morte. Une autopsie est faite. Aucune cause de décès plausible n'est trouvée. Le sujet de l'article porte sur la conférence clinico-pathologique qui relate ce récit.

Une des raisons qui m'a poussé à m'intéresser à l'hypnose, et surtout, à l'hypnose ericksonienne est une triste histoire, qui m'a bouleversé et beaucoup culpabilisé.

Je connais Doris depuis quatre ans.

Doris est sur la table de colonoscopie. Le cancer du rectum qu'elle a prend une expansion telle qu'elle va bientôt entrer en obstruction intestinale.

Doris est inopérable. Depuis le début. Anesthésistes, cardiologues, pneumologues ont conclu que pour des raisons cardiaques et pulmonaires, elle est incapable de supporter une anesthésie. Le cancer était tout petit au début. J'aurais pu tenter une exérèse locale. Même cela lui était interdit. Même une mise en colostomie avec un anus contre nature, est impensable. Doris va bientôt mourir.

Doris pleure. Ou plutôt, elle ne pleure pas. Une larme coule d'un seul œil.

« Vous pleurez ? » En quatre ans, où je n'ai fait que brûler la tumeur par la voie naturelle, je ne l'ai jamais vue pleurer.

« Vous savez bien que je ne pleure jamais ! »

Je sors et vais faire rapport à la famille pendant qu'elle se rhabille. La famille, c'est son frère et sa femme. Doris est mariée. Son mari a vingt ans de plus qu'elle. Il a quatre-vingt-quinze ans. Je ne l'ai jamais vu. La famille est inquiète : ils vivent seuls dans une maison isolée. Elle s'occupe de lui, et lui tellement peu d'elle qu'ils pensent que si elle mourrait à la maison, il ne s'en rendrait même pas compte…

Je fais donc un rapport. Je dis que nous serons impuissants quand le rectum sera obstrué.

Doris entre. Les deux yeux lui coulent.

– Vous parlez de moi ?

– Ça, ce sont des vieilles larmes !

– Vous avez raison, doc, elle était seule fille avec huit petits frères.

C'est le frère qui vient de parler.

L'horreur de toute une vie ! Fille aînée, elle aide sa mère à élever ses huit petits frères. Devenus grands, ceux-ci s'en vont. Restent les vieux parents, dont elle s'occupe jusqu'à la mort. Elle se retrouve seule, vieille fille, sans avoir jamais abordé un homme de sa vie, à quarante ans. Un veuf qui a soixante-cinq ans et a besoin d'une « femme de maison » jette son dévolu sur elle. Qui continue à s'occuper des autres, lui en l'occurrence…

Je me sens impuissant à l'aider, sentiment désagréable. Je cherche chez elle une raison de vivre.

– Qu'est-ce que vous aimez faire ?

– De l'artisanat ?

Une ouverture… !

– Voulez-vous me faire quelque chose ?

– Je suis trop fatiguée !

Mon découragement devient total.

– Vous savez, on tourne en rond !

J'ai, hélas, ce jour là, dit « on »…

« Vous êtes manifestement très déprimée. La dépression déprime votre système immunitaire, vos défenses contre le cancer. Le cancer en profite. Il y a des morceaux de tumeur qui tombent. Ça saigne. Ça vous rend anémique. L'anémie augmente la fatigue. La fatigue augmente votre dépression. Vous tournez en rond. À quelque part, vous levez les pattes… »

L'horreur ! J'ai dit : « À quelque part, vous levez les pattes… ! »

Je sors, pour aller écrire mon rapport de colonoscopie et de traitement du cancer.

Trente secondes plus tard. Trente !

L'infirmière…. Criant….

« Vite ! Venez vite ! »

Je me précipite.

Doris est sur la civière. Morte ! Morte !

Nous commençons le massage cardiaque. Lançons l'alarme. L'équipe d'urgence qui s'occupe des sujets en arrêt cardiaque accourt.

Mais, en cours de processus, et après discussion avec les collègues, nous décidons de la laisser mourir. Elle allait bientôt mourir de toute façon de son cancer, en train d'obstruer son intestin. Elle est seulement partie subitement, plutôt qu'à petit feu par le cancer, avec plus de souffrance.

Le brouhaha s'apaise.

La famille et moi discutons de ce qui vient d'arriver.

– C'est incroyable, docteur !

C'est le frère de Doris qui parle.

– Vous êtes sorti de la pièce, après lui avoir parlé. La porte s'est refermée derrière vous. J'entends encore le déclic. Elle s'est tournée vers moi. Elle m'a dit : puisqu'il le faut ! Elle a levé les pattes. Puis, elle s'est assise. Et elle est retombée morte !

Je me sens très mal. Je ne connaissais pas le sens profond de la réalisation automatique des prédictions, à l'époque. Je n'avais pas suivi mon cours de cinq cents heures sur la communication non verbale et sur l'hypnose ericksonienne. Je ne m'insurgeais pas contre les nombreux médecins qui prédisent la durée de vie du malade qu'ils traitent, en confondant la moyenne d'un groupe et l'espérance de vie d'un sujet. Mais je ne pouvais pas échapper au fait que Doris avait « levé les pattes », au moment de son infarctus et qu'elle avait bien compris mon message de mort, quand je lui avais dit que, à quelque part, elle levait les pattes. Verbatim ! Elle m'avait pris au mot verbatim ! En mettant en scène avec son corps ce que je lui avais dit en mots ! Et en traduisant clairement le sens de mes paroles, à savoir que je pensais qu'elle allait mourir !

Après le départ de la famille, je me suis mis à pleurer. Je me sentais coupable. J'avais un peu l'impression de l'avoir achevée, de l'avoir tuée. J'avais beau savoir que chacun est responsable de sa vie, que personne n'a le pouvoir de tuer quelqu'un même si les paroles du style « Il me fait mourir » sont si populaires. J'avais beau me raisonner que Doris allait mourir d'une mort plus atroce que celle, si rapide, de sa crise cardiaque... Je me sentais coupable. Et coupable d'avoir sorti ces paroles parce que je ne voyais plus rien pour l'aider à sortir de sa dépression. Du contre-transfert de chirurgien rendu impuissant, quoi... !

Les infirmières qui m'entouraient tentaient de leur mieux de me consoler. Elles connaissaient, elle aussi, Doris, depuis longtemps.

« Elle a préféré mourir entourée des gens qu'elle aimait. Son frère favori. Sa femme. Les seuls qui lui étaient restés fidèles. Toi. Elle nous a dit si souvent qu'elle t'aimait. Qu'elle sentait que tu t'occupais vraiment d'elle, que tu prenais soin d'elle, que tu l'aimais. Et nous, avec qui elle parlait souvent de sa vie... »

Je comprenais ce qu'elles disaient. Cela faisait sens. Mais je me sentais tout de même coupable. J'ai souvent raconté l'histoire en groupe de type Balint, où les soignants parlent de relations difficiles. J'ai parlé de l'histoire à plusieurs analystes et thérapeutes en qui j'avais confiance. Je voulais comprendre. Je ne voulais plus jamais recommencer.

J'ai fini par entreprendre de longues études sur la communication non verbale et la psychologie transpersonnelle.

Avant d'opérer quelqu'un, il me paraît essentiel de former une alliance thérapeutique. Je suis sorti définitivement du schéma de mon enfance, où le professeur nous disait : « Demain, je fais cet estomac, cette rate et ce côlon », en pointant du doigt trois malades de la salle commune. Et je n'ai jamais pratiqué cet autre exemple, qui m'a été rapporté, d'un gastro-entérologue américain célèbre, qui fait toujours la tournée de ses malades... dans son bureau. On lui apporte dossiers et radiographies. Il ne voit pas les malades...

J'ai, avec le temps, développé une formulation un peu métaphorique de l'alliance thérapeutique qui consiste à permettre au malade la passivité durant la chirurgie, tout en lui demandant de se prendre en main après.

« Vendredi, donc, je vous opère. »

Le malade a déjà suivi le processus de l'évaluation, du diagnostic. Il a fourni un consentement très éclairé, puisqu'à chaque étape, parfois à plusieurs reprises, je lui ai expliqué ce qui avait été trouvé, et ce qu'il fallait faire. J'ai vérifié que le malade a bien compris le jargon technique médical. Il y a là tant de possibilités d'incompréhension !

« Vendredi, donc, vous dormez, et nous, nous travaillons. Mais après, c'est nous qui "dormons", tout en vous surveillant, et vous qui travaillez ! Nous ne pouvons pas respirer et tousser à votre place, et c'est cela qui vous évitera de faire des atélectasies, où les poumons ne prennent pas d'expansion, ce qui peut conduire à des pneumonies. Nous ne pouvons pas bouger à votre place, ni nous asseoir au bord ou à côté de votre lit, et c'est ce qu'il y a de mieux pour prévenir les phlébites, des caillots de sang qui se forment dans les veines, et des embolies de ces caillots qui sont parfois mortelles. Nous ne pouvons pas manger à votre place et vous avez besoin de matériaux pour réparer les tissus. Nous ne pouvons pas vouloir guérir, ni voulons vivre à votre place !

– Docteur, vous pouvez compter sur moi ! »

Je lui tends la main. Il me tend la sienne. Nous avons scellé une alliance, où le malade n'est pas une chose passive, mais où il participe à sa guérison.

Parfois, la situation en est une de crise. C'est souvent le cas en urgence. Si le malade a été accidenté et arrive en coma, il n'y a plus que l'algorithme rationnel le plus élaboré possible pour sauver la mise. Le jugement clinique a une importance diminuée, même si aucun algorithme au monde ne peut tout prévoir. Quant à la communication, elle est absente. Souvent, nous n'avons que des fragments de détails sur les circonstances de l'accident. Souvent, nous ne connaissons rien de l'entourage du blessé. C'est un corps blessé, à réparer, qui nous est amené. L'alliance thérapeutique ne pourra que se construire au fil du temps, après que la vie aura été sauvée.

Il est semi-comateux. Il nous est envoyé d'un autre hôpital. Une cinquantaine d'années. Il est en choc septique. Des bactéries circulent en grand nombre dans son sang. Je sais seulement qu'il a été opéré d'un cancer du côlon. Sa femme est au pied du lit. Son fils est contre le mur. Une dizaine d'années. Seul. Il pleure en silence.

Je m'approche de lui. Je le prends par l'épaule. Je lui dis que je ferai tout mon possible pour sauver la vie de son papa. Son père me dit qu'aujourd'hui, je suis devenu son dieu.

Le malade a une colostomie qui est noire. Gangré- neuse. Il faut l'opérer.

Une partie de son petit intestin est morte, ainsi que le restant du gros jusqu'à la colostomie. Il y a des selles et du pus partout dans le ventre. J'opte pour des lavages réguliers de son ventre, après avoir fait une iléostomie en tissu sain, abouchant l'intestin grêle à la peau. Nous l'emmènerons au bloc opératoire près de trente fois, tous les deux jours, pour lui laver le ventre à grande eau. Il passera à travers toutes les complications. Il restera trois mois aux soins intensifs, six mois à l'hôpital. Au bout d'un an, il est sur pied, de retour au travail, l'iléostomie fermée.

Nos échanges seront lents au début. Intubé de partout, il ne peut pas parler. Au début, il y a le regard, le contact de nos mains. Je parle. Il me répond avec son corps.

Des informations m'arrivent. Deux ans auparavant, son fils aîné a été retrouvé mort. À côté du cadavre de deux de ses amis. Brûlés vifs. Suicide collectif ou meurtre, la police n'a jamais pu conclure. Isidore et sa femme soignent leur dépression en se mettant à boire. Ils ont un médecin de famille très humain qui les accompagne du mieux qu'il peut, mais manifestement s'en occupe avec cœur. Il m'appelle souvent pour suivre l'évolution. Je ne l'ai jamais vu, mais je devine quelle sorte d'homme il est. Isidore fait un cancer du côlon deux ans plus tard. Il est opéré. Fuite au niveau de l'anastomose. Réintervention. Colostomie. Il nous est transféré quand celle-ci se nécrose. Il est en choc septique. Il est en angine coronarienne instable, au bord de l'infarctus du myocarde, de la crise cardiaque. Son sang est en passe de devenir incoagulable. Il est en insuffisance respiratoire aiguë. Mortalité prévisible de l'ordre de soixante-dix à quatre-vingt pour cent !

Cela prendra plusieurs mois pour que nous puissions parler. Le temps que cela prendra pour fermer la trachéostomie, qui a été faite dans son cou pour faire respirer ses poumons. Il me parle de ce qui est arrivé à son fils aîné. De sa peine.

Il s'en sort.

Il revient me voir en clinique externe.

Il ose enfin me raconter une histoire bizarre. Je reconnais tout de suite des bribes de ce que les auteurs américains appellent NDE (Near Death Experience) et les français EMI (Expérience de mort imminente). Il dit être sorti de son corps, aux soins intensifs. Il a volé jusqu'au sommet du mont où le cadavre de son fils a été retrouvé. Il veut savoir. Savoir si son fils s'est enlevé la vie ou s'il a été assassiné. Il retrouve son fils, qui l'emmène dans une ville voisine et lui montre la porte de la maison où habite son assassin. Je l'écoute en silence.

Isidore dégage une paix perceptible. Il dit avoir beaucoup changé. Il se sent beaucoup plus proche d'une dimension humaine de la vie. Il parle de l'importance d'un être immatériel. Il dit que c'est important de s'occuper des autres.

Isidore confirme ce qui a été observé chez les sujets qui ont failli mourir. Ils sont plus proches de leur véritable être, de leur véritable soi. Ils sont plus aimants.

Parfois, même en crise, il est possible de créer une alliance thérapeutique immédiate.

« Monsieur Hébert, est-ce que vous voulez vivre ? »

Il est couché dans un lit de soins intensifs, intubé de partout, incapable de parler.

Il fait des yeux tout ronds, essaie de s'asseoir d'un coup, me fait des grands oui de la tête. Oui, il veut vivre. Oui !

Monsieur Hébert vient d'être opéré dans le thorax d'une maladie très sévère de l'aorte, la grosse artère où se déverse tout le sang du cœur. Dix jours plus tard, il a une hémorragie massive de l'estomac, qui ne peut se tarir. Il a déjà reçu dix transfusions. Il continue à saigner. Je l'opère. Il survit.

Une semaine plus tard, il fait un anévrisme

disséquant de l'aorte abdominale. Le salaud... ! Il m'avait pourtant dit qu'il voulait vivre ! Il est inopérable. Il est à la merci de la moindre poussée d'hypertension. Il n'en fait pas. Il rentre à la maison.

Il y a dix ans de cela. Depuis, il m'a demandé de soigner sa femme. Chaque fois qu'il entre dans mon bureau et me serre la main, ses yeux se remplissent de larmes. Nous n'avons jamais échangé un mot sur son histoire de vie.

Et parfois, l'alliance thérapeutique est lente à décoller.

Suzanne a un gros cancer du rectum. Il faut que je lui enlève le rectum, l'anus, et lui mette le gros intestin à la peau.

Je lui dis que j'opère depuis quinze ans. Que je n'ai jamais perdu un seul malade, quand la chirurgie est élective, et non faite en urgence, quand nous avons le temps de nous préparer à l'acte chirurgical.

Suzanne éclate de rire.

– Peut-être que je vais être la première !

Je me tourne vers l'interne.

– Annule la chirurgie !

– Vous n'êtes pas sérieux ?

– Annule, te dis-je !

Deux jours plus tard, Suzanne est en pleurs dans son lit.

– Foutez-moi la paix ! Je veux mourir ! Mon mari prend un coup. Il tombe tout le temps. Ce n'est plus une vie. J'en ai assez !

La dépression masquée est démasquée. En plus, Suzanne fume comme une locomotive, refuse de cesser de fumer, a les poumons très mal en point. L'anesthésiste pense qu'elle a une chance sur deux de ne pas réussir à traverser la chirurgie.

– Tu vois ? dis-je à mon interne, si je t'avais écouté, elle serait aux soins intensifs, encore plus déprimée à cause de la douleur, sans volonté de vivre. Penses-tu

qu'elle serait passée à travers l'épreuve que représente une intervention chirurgicale majeure ?

Mes collègues suggèrent une radiothérapie. Le
cancer fond comme neige au soleil. Ne restent que
quelques minuscules composantes tumorales que je
brûle par endoscopie. Un rituel se met en place.
Suzanne fait sortir tout le monde quand l'examen est
terminé, sauf moi. Elle sort son portefeuille. Me fait un
cadeau. Me donne cinq dollars quand il y a du cancer
résiduel. Cinquante quand il n'y en a plus. Ou était-ce
l'inverse ? C'était il y a si longtemps, et nous n'avons
jamais parlé de ce que cela représentait pour elle.

Cinq ans passent. Suzanne n'a aucune métastase.
Elle ne veut toujours pas d'opération, que je lui ai
offerte à plusieurs reprises. Son mari tombe, une fois
de plus, dans un escalier. Cette fois, il en meurt. En
quelques mois, la tumeur prend une ampleur impressionnante, et incontrôlable par traitement local. Je le
dis à Suzanne.

– On dirait, Suzanne, que l'alcoolisme de ton mari
t'était utile !

– Cette fois-ci, je suis prête. Vous pouvez m'opérer.

Elle a soixante-dix ans. Elle passe une semaine à
l'hôpital. Elle en sort sans complication. Il n'y a
aucune métastase, pas même dans les ganglions
lymphatiques qui drainent le rectum. La tumeur est
entourée d'un nuage de cellules lymphocytaires,
visibles à l'œil nu. Ces cellules l'ont protégée de tout
envahissement. Nous savons qu'une réaction inflam-
matoire importante autour d'un cancer protège et est
d'excellent pronostic. C'est ainsi que j'explique le fait
qu'elle n'ait développé aucune métastase en cinq ans.

Suzanne entre en foyer pour personnes âgées.
Prenant la relève de son mari, elle se met à boire.
Devenant une vieille dame « indigne », elle drague les
petits vieux du foyer, et on la déménage d'étage. Elle
garde son instinct vital bien accroché.

Elle vivra encore dix ans.

Des études du rythme cardiaque des chirurgiens durant les interventions chirurgicales ont montré qu'il s'accélérait dès qu'ils se lavaient les mains, et montaient à des paroxysmes quand il y a des moments de crises, causées par les difficultés de l'intervention.

Ces études sont vieilles. Je connais assez les liens psychosomatiques aujourd'hui pour être convaincu que ces changements de rythme doivent être dus à de la somatisation. Sous leur apparence calme, les chirurgiens sont souvent bien plus fragiles qu'il n'en paraît. Les moins déprimés parmi les étudiants en médecine, ils sont probablement les plus contrôlés, et ceux qui ont les plus puissants mécanismes de défense. Ce qui ne veut pas dire qu'ils sont libres de problèmes. Nous connaissons tous de ces chirurgiens qui faisaient des crises de nerf quand ils n'avaient pas ce qu'ils voulaient, en cours d'intervention. J'ai ai connu un qui avait jeté le plateau d'instruments par terre. D'autres ont la voix qui se met à trembler, quand les choses deviennent difficiles. J'ai même assisté un jour, il y a longtemps, à une réunion d'urgence convoquée parce qu'il manquait de lits chirurgicaux dans l'hôpital. L'un de nous arrive en retard. Le président de la séance, maintenant à la retraite, lui jette en public : « En voilà un qui contribue à nos problèmes ! » Le chirurgien en question est compétent, dévoué, travaille beaucoup, a une charge hospitalière importante. L'attaque est frontale, directe, méchante, inappropriée. Le chirurgien l'accuse du corps, bredouille quelques paroles de défense. Évidemment, opérer tient occupé. Et, si d'opérer permet de se défouler, ne pas pouvoir opérer quand on en a envie ne peut que provoquer une crise de nerfs…

Nous côtoyons souvent la mort.

Le bébé est sur la table. Son ventre est gonflé. Il a deux ans.

Au volant de sa voiture, en faisant marche arrière, sa mère a roulé sur son ventre par inadvertance.

Je sais que son ventre est plein de sang. Que l'incision risque de provoquer la mort. Nous n'avons pas le choix. L'anesthésiste et moi, nous nous sommes préparés au pire, et nous avons ouvert plusieurs voies veineuses.

J'ouvre l'abdomen. La pression crache. Les aspirateurs ont peine à aspirer le sang. Je ne vois rien. La rate est intacte. Le foie est réduit en bouillie. Des morceaux flottent dans le ventre. L'enfant meurt.

Sous mes mains.

Je me prépare à rencontrer les parents.

Du regard, le père a compris. Il se lève, se dirige vers moi, se prépare à me frapper du poing. J'ai appris à me protéger du regard, en faisant les yeux doux. Je suis aussi malheureux que lui. Écrasé par sa mère ! Elle devait être agitée au moment de l'accident ! Je continue à regarder le père dans les yeux.

Il se détourne, s'en va frapper le fauteuil de cuir, en hurlant comme une bête.

Quand je suis arrivé chez moi, il paraît que j'étais livide.

Et encore...

Un autre bébé. Il n'a pas un an.

Il est en obstruction intestinale.

J'ouvre son ventre.

Son intestin est tordu, en entier. Noir. Mort. Il n'a aucune chance de s'en sortir. À l'époque, on n'avait pas encore tenté de faire grandir des enfants en les nourrissant par les veines. J'appelle un collègue en consultation. Il râle. Me suggère de refermer l'abdomen.

Aux soins intensifs de pédiatrie, une infirmière berce avec amour le bébé dans la mort. Sa petite tête est penchée de côté. Une petite chaussette est mise de travers dessus.

Le résident de pédiatrie est agité. Les gestes sont

frénétiques. Il sait qu'il ne soigne plus. Cela lui prend un temps fou avant de cesser les injections. Le maudit cœur continue à battre. Il débranche l'instrument qui l'enregistre.

Les parents sont partis, défaits, laissant leur enfant seul dans cette traversée.

Je retournerai plusieurs fois ce soir-là. Il prendra des heures à mourir.

Cette nuit, je ferai un cauchemar.

Je ne pleurerai qu'au matin.

Il m'est même arrivé de prier dans un ventre, les mains dans les tripes, en face d'une situation difficile. Oh, ce n'est pas que je sois un croyant ! Un vieux cousin curé, monsignore à Rome, m'avait même dit un jour que j'étais devenu un handicapé de la foi !

Éloise a trente ans.

« Ne me laisse pas mourir ! »

Elle est blanche. Ses yeux plongent dans les miens avec une intensité inouïe.

Son foie a explosé à la suite d'une biopsie faite plus tôt dans la journée.

Je connais bien Éloise. Elle a une maladie de Crohn. Je l'ai opérée plusieurs fois. Entre deux opérations, elle s'est confiée à moi sur une tentative de viol perpétrée par un oncle maternel. Elle a revécu la scène, en transe profonde, en régression d'âge. Elle y a découvert que sa mère ne l'avait pas protégée. Le violeur était le frère de sa mère.

Il y a beaucoup de sang. Je me surprends à prier. « Éloise, ne lâche pas. Reste ici. Reste avec nous. Vis. Tu es aimée. » Je ne prie pas Dieu. Je ne demande rien pour elle. Je lui demande à elle de ne pas se laisser mourir. L'intervention continue, au-delà de ces quelques secondes de dissociation silencieuse. Nous faisons une hépatectomie partielle. Contrôlons l'hémorragie.

Son mari la quitte alors qu'elle n'est pas encore sortie de l'hôpital.

Un an plus tard, Éloise revient rayonnante, pour me montrer son nouveau conjoint. Elle va bien.

Plusieurs années se passent.

Elle revient. Elle est à nouveau en crise. Et de couple, et de Crohn. Elle trouve son nouveau mari enfantin et dépendant. Elle n'a pas encore trouvé à quel point elle, elle a le goût du pouvoir.

Une nouvelle intervention se profile à l'horizon. Catastrophique, car elle fait une réaction allergique monumentale au latex, pour la première fois, qui force à avorter la procédure et la reprendre plusieurs mois plus tard.

Elle sort de l'hôpital. Divorce à nouveau. Elle découvre que sa mère a été violée durant son enfance. Elle lui pardonne de ne pas l'avoir protégée de son frère. Les deux femmes se rapprochent.

Je ne l'ai pas revue depuis longtemps. Aux dernières nouvelles, elle allait bien et n'avait pas récidivé. Elle vivait seule. Elle avait embelli. Son regard était heureux.

Les médecines dites « douces »

Les médecines « douces » sont souvent beaucoup plus « douces » que la médecine « dure », la médecine officielle scientifique.

Ce qui, par contre, rebute chez elles, c'est leur rejet dogmatique, sectaire et sans rémission, de tout ce qui est scientifique. Et ce qui devient inacceptable, c'est leur prétention à la science, proposée à l'occasion, avec des conclusions toutes faites, basées sur des *a priori*, et sans l'humilité d'être prêt à exposer les théories au test des observations reproductibles. On entre là dans le domaine des croyances, à l'opposé du respect de la réalité du corps.

Je préfère donc pratiquer la médecine dure avec douceur.

Ce qui ne veut pas dire que tout ce qui se fait en « médecine douce » soit à bannir. En général, ce qui s'y passe de l'ordre du toucher et de la parole me paraît nettement plus juste que toute action basée sur une théorie quelconque, souvent plus le fruit d'une idée que d'une preuve scientifique.

Les chemins de l'inconscient

Il y a deux sortes d'humains. Du moins à la surface. Ceux et celles qui connaissent l'existence de l'inconscient. Et les autres qui pensent qu'ils sont comme ils sont. L'Amérique du Nord, de ce point de vue, est résolument plus du second genre. La « psychanalyse » y est souvent mal vue. Freud est « dépassé », et la « psychanalyse » est confondue avec les théories freudiennes. Ce faisant, le comportement est privilégié par rapport à l'introspection, la production par rapport à la réflexion et l'attitude, le court terme par rapport au long terme, la richesse à la sagesse.

Serge Bonfils et Jean-Claude Hachette, deux gastro-entérologues parisiens, avaient baptisés leurs malades, divisés en deux groupes : les « psychofonctionnels » et les « psychosomatiques ».

« Je suis de nouveau constipée », me dit cette malade que j'ai vue il y a plus d'un an, et qui était, à ce moment guérie de sa constipation. « Mais je sais pourquoi, mon chum m'a laissée. »

Cette femme « psychofonctionnelle » aura tendance à se souvenir plus facilement de ses rêves, à réaliser aisément les liens tissés entre ce qu'elle vit, et ce que son corps exprime sous forme de douleurs, de symptômes digestifs, ou d'autres symptômes. Elle passera plus facilement à une relation transférentielle, puis, au-delà, à travers l'analyse du transfert, à plus d'autonomie et une guérison plus facile.

Elle se souviendra plus facilement de ses rêves, voie

royale de l'inconscient que Freud a couverte de lettres de noblesse. Il est donc possible de demander à ce genre de malades d'écrire leurs rêves. Certains rêves sont opératoires, style vidéo, et relatent fidèlement la réalité. D'autres sont purement physiques. D'autres sont plus imaginaires, et parfois cauchemardesques. J'en ai parlé plus haut.

En termes de personnalité, cette femme est plus « hystérique ». Son test de personnalité pourra démontrer que ses symptômes la protègent d'une dépression. Elle somatise.

« Vous ne comprenez rien, docteur. Si je n'avais pas si mal au ventre depuis aussi longtemps, tout irait bien dans ma tête, et dans ma vie. »

Voilà la réponse inverse donnée par une personne qui a une personnalité « psychosomatique ».

Elle ne se souvient pas de ses rêves, ou elle fait des rêves blancs : elle sait qu'elle a rêvé, mais elle ne sait pas de quoi. Elle dégage une impression de froideur, est perdue dans les mots et les idées, ne manifeste aucune émotion. Sa capacité à faire un transfert est minimale. Son test de personnalité, plutôt deux fois qu'une, dira qu'elle a tendance à donner des réponses acceptées par la société. Elle est conformiste. Elle vit sans passion.

J'ai souvent beaucoup de difficultés à aider ce genre de malades, surtout quand les examens n'ont pas permis de déceler une maladie organique à opérer ou médicamenter.

Une approche utile a été mise au point par le docteur Herbert Benson, de l'Université Harvard, à Boston. Il est communément accepté que la vie moderne est « stressante », encore que je suis loin d'être convaincu qu'elle l'est plus qu'à l'époque où violence, pauvreté, et maladies étaient omniprésentes, et où l'espérance de vie était beaucoup plus courte qu'aujourd'hui. En plus, les gens, malades autant que médecins, confondent le stress et l'agent stresseur. Je leur fais souvent, à ce sujet, une métaphore.

« Vous êtes habités de bâtons de dynamite. Il s'agit de toutes les blessures infligées par les nombreux traumatismes quasi inévitables de la vie. Ce que vous appelez "stress", c'est l'allumette que vous rencontrez aujourd'hui, et qui renvoie à un traumatisme semblable, survenu il y a longtemps, et emmagasiné dans le bâton de dynamite. Désamorcez la dynamite, et la brûlure de l'allumette deviendra négligeable. Facile à gérer au jour le jour. »

Les sujets « psychofonctionnels » ont une pensée « opératoire », cartésienne, linéaire et rationnelle. Ils sont alexithymiques, dit un Américain d'origine grecque. Ils ont une personnalité de type D. Je ne vois guère de différences entre toutes ces appellations qui décrivent des sujets coupés de leur inconscient, leur imaginaire et leur créativité.

Je leur demande donc de faire un « devoir ». Tous les soirs, ils doivent noter ce qui les a le plus stressé. Sur la même ligne, ils écrivent ce qu'ils ont pensé du phénomène. Ils notent ce qui s'est réveillé en termes d'émotions, et si leur corps a émis des messages corporels. L'exercice, quotidien, peut durer des mois, jusqu'à ce que le sujet, spontanément, fasse des observations reliant ces différents éléments. Parfois je leur demande de rajouter si une image, un souvenir, une anecdote leur est venue à l'esprit quand ils ont été stressés. On peut aussi leur demander d'être créatifs, et imaginer une autre pensée, une autre émotion, une autre sensation, qui auraient pu être déclenchées par l'événement stressant. Benson appelle l'exercice la structuration cognitive du stress. Il faut broder sur ce schéma et ne pas avoir peur de ne pas suivre une recette quelconque.

Certains sujets sont fermés même à ce genre de pratique. Ils ont souvent besoin de leurs symptômes ou leur maladie pour se maintenir à flot et rester fonctionnels dans la vie quotidienne. Il devient alors excessivement dangereux de les guérir. Là où cela devient ardu, c'est quand ils combinent fermeture et exigence. En général, au bout d'un certain laps de temps, cela débouche sur une grande crise, du style : « Mais qu'est-ce que vous faites ! Vous ne faites rien pour moi ! J'en ai assez ! Il faut que cela cesse ! » L'important, à ce moment, c'est de ne pas être obsessionnel et désireux de perfection, de ne pas se rendre responsable – et coupable – du mal-être de l'autre en face. Il ne faut surtout pas tenter de se justifier. Par le nombre d'examens passés. Par les connaissances médicales de l'heure. Par les diplômes acquis. L'important, c'est la colère du malade, poussé à bout dans une dynamique vouée à l'échec. D'où l'importance d'être réceptif à cette colère, sans se sentir impliqué par elle. Difficile. Très difficile. Pas toujours simple à gérer. Parfois ingérable, avec rupture de la relation thérapeutique. Rupture à accepter avec humilité. Nous avons tous et toutes des limites, et nous avons fait notre temps avec cette personne.

Lise se traîne en consultation depuis dix-huit mois. Elle a non seulement une colopathie fonctionnelle, mais elle se plaint constamment de la panoplie des symptômes fonctionnels qui y sont souvent associés. Maux de tête. Vertiges. La nuque raide. Le souffle court. Le cœur qui débat. Les maux de dos. Les mictions fréquentes.

Lise est totalement opératoire, alexithymique.

Elle est la servante de la famille.

Elle assume toutes les tâches.

Elle a épuisé la pharmacopée.

Je la vois tous les mois depuis deux ans ou presque.

Je suis fatigué. J'explose.

« J'en ai assez de votre sempiternelle litanie de symptômes. » Je la singe et énumère tous les symptômes fonctionnels, de la tête aux pieds, que je l'ai entendue, à d'innombrables fois, me décrire.

« Je ne veux plus vous voir pendant un an ! Je ne veux plus entendre cette liste de plaintes. Je la connais par cœur. Venez me dire ce qui a changé dans votre vie ! Et si rien n'a changé, je ne vous verrai plus jamais ! »

Elle sort en claquant la porte.

Et, surprise, surprise ! Elle revient un an plus tard.

Elle a changé.

Elle a pris sa place. Elle s'affirme à la maison. Elle se réserve des plages de temps pour elle. Elle n'a quasi plus de symptômes ! Son mari a pris la relève avec une colopathie fonctionnelle.

Je la félicite.

Je m'excuse de ma colère impatiente.

« Oui, mais si vous m'aviez dit cela tout au début que je venais vous voir, je ne serais plus jamais revenue. J'aurais dit : il est bête, ce docteur ! Mais quand vous m'avez parlé ainsi, je venais vous voir depuis presque deux ans. Et j'avais confiance en vous. »

D'autres sujets, n'ont pas besoin de pareille confrontation. Ils finissent par devenir plus souples, à sortir d'un discours exclusivement axé sur le corps et ses « bobos », aussi douloureux soient-ils.

C'est peut-être le temps d'élargir les horizons.

Tout le monde peut dessiner, ne serait-ce que des petits bonhommes en style fil de fer. Le but des dessins n'est pas de faire une exposition dans un musée. J'ai longuement décrit plus haut tout ce que cet outil peut approcher comme ouverture vers l'inconscient.

La sexualité est un autre mode d'approche de l'inconscient. Peu de médecins connaissent l'existence de la sexo-analyse. Et encore moins de malades ou de bien portants. Un auteur américain, médecin réputé, Howard Spiro, avait dit que jadis, trois sujets étaient évités et évincés de la rencontre entre le malade et le médecin : la politique, la religion, et la sexualité. Et pourtant, que voilà donc des sources d'ouverture possibles, que j'ai un peu esquissées plus haut dans ce chapitre.

Et enfin, il y a l'inconscient du médecin.

Tous les enfants aiment leurs parents, et tous les malades amènent cet élément dans la relation avec leur médecin, dit très justement Harold Searles, dans son livre *Le contre-transfert*. Longtemps, je ne me suis pas autorisé à dire ce qui émerge de mon inconscient dans une rencontre duelle. Aujourd'hui, je n'hésite plus à recommander la lecture d'un livre qui me monte à l'esprit, ou à raconter une anecdote vécue dans ma vie professionnelle, ou, même, à l'occasion dans une très brève tranche de ma vie à moi. Bien sûr, ces projections font partie de mon contre-transfert, et ne me servent que d'étincelle pour déclencher une réaction, à laquelle je m'ajuste avec tous mes sens, pour coller non pas à ma projection, mais à la réalité de l'autre en face de moi.

Le psychodrame familial

Il faut cesser de voir la maladie comme un événement qui affecte le malade sans affecter son entourage. Les Amérindiens savent cela, eux qui se réunissent en groupe pour se soigner quand l'un d'entre eux, malade, est considéré comme le porte-parole d'un malaise ambiant le dépassant très largement.

Je laisse donc le malade entrer dans mon bureau avec qui il veut. Plus activement, je demande aux parents d'accompagner leur enfant malade et je ne limite pas le questionnement au problème de l'enfant.

Paris. Dans les années 1980.

Un ami me l'a envoyée pour une colopathie fonctionnelle sévère, qui lui cause des douleurs abdominales intenses.

Elle vit en ménage avec son mari, diplomate. Ils n'ont pas eu de relations sexuelles depuis plus de vingt ans. Quand il est nommé ambassadeur à l'étranger, elle y prend un amant. Quand il est au Quai d'Orsay, elle n'en a pas. Elle boit. Quand elle est ivre morte, il la fait hospitaliser en psychiatrie. Quand elle dégrise, elle se fait dire qu'elle n'est pas folle et reçoit son congé.

Un jour elle vient me voir avec son mari.

– Est-ce que mon mari peut entrer ?

– Madame, c'est votre choix. Il peut entrer, en ce qui me concerne. Est-ce que vous, vous voulez qu'il entre ?

– Non !

La réponse est coupante.

– Je suis désolé, monsieur l'ambassadeur.

Elle entre seule.

– Vous auriez peut-être pu bénéficier d'une dynamique à trois. Qu'en pensez-vous ?

Elle se ravise. Je vais chercher son mari. Il entre et vient s'asseoir à côté de moi. Sur la chaise habituellement occupée par les malades.

En moins de temps qu'il ne le faut pour le dire, il s'effondre en larmes. Se tasse sur sa chaise. Démuni de sa raideur diplomatique, il fait pitié.

Elle, elle se transforme en rapace. Une haine inoubliable monte sur son visage.

Elle reviendra, seule, à la visite suivante.

– J'ai tout compris. Je sais ce que je dois faire. Je ne suis pas capable de le faire. Je ne reviendrai plus vous voir. Mais je vous remercie de m'avoir ouvert les yeux. Veuillez accepter ce cadeau pour vous dire ma reconnaissance.

Et de m'offrir une superbe améthyste.

Les étudiants font partie de la dynamique. Je leur demande toujours de me présenter le malade qu'ils ont vu, non pas en aparté, mais devant lui. Ainsi, ils découvrent qu'un discours à trois est beaucoup moins fusionnel que celui qu'ils viennent de vivre à deux, et donc devient différent et amène des éléments nouveaux.

Les ateliers de génosociogramme permettent de montrer comment la famille s'insère dans la société et l'histoire, et d'encore élargir les horizons. Nous ne sommes que poussière et maillon dans l'évolution et l'histoire de l'humanité. Tous les groupes d'entraide, d'ailleurs, jouent un rôle essentiel dans le processus de guérison.

Empathie, compassion et Amour

Si j'ai intitulé avec un peu d'ironie une section de ce chapitre « Trucs et astuces », comme le manuel du parfait bricoleur psychologique, c'est un peu par esprit de rébellion, fermé à toute attitude dogmatique et autoritaire. En appliquant au comportement une approche scientifique, basée sur des observations, qui génèrent des hypothèses, prises non pour des dogmes mais des possibilités à vérifier sur le terrain. Karl Popper a longuement interrogé ce processus.

Mais c'est aussi par profonde conviction que seul ce que nous sommes vraiment, au-delà de toute pensée sur qui nous sommes, a pouvoir de guérison. Une de mes collègues, radiologiste de son état, a dit cela très succinctement en déclarant qu'il y avait « Le savoir », « Le savoir-faire » et « Le savoir-être ». On peut instruire un étudiant, dans une école de médecine. Ce n'est pas encore éduquer un étudiant, dans une faculté de médecine.

Nous tenons tous et toutes, professeurs et étudiants, à nous détacher de la sympathie avec les malades, pour les aborder avec empathie et compassion. Et ce n'est pas facile pour personne. Le Dalaï Lama m'a marqué à vie à ce sujet, quand il a dit qu'il n'y avait pas de compassion possible sans détachement.

CONCLUSION

Profiter de la maladie
comme mémoire du passé ?

Je n'ai jamais revu le grand énarque dont j'ai parlé au début de ce livre. Trop, trop fort, trop vite. Mais j'ai souvent revu Sacha. Nous nous parlons régulièrement au téléphone. Chaque fois que je vais à Liège, je lui rends visite, parfois pour prendre l'apéritif, parfois pour partager un repas avec lui et ses parents. La dynamique du couple a beaucoup changé. Alors qu'ils menaient leur vie dans une sorte d'union libre, où elle avait des amants et lui des maîtresses, il a réagi intensément, avec une douleur intense, à une des aventures qu'elle a eues. Il s'est senti précipité dans un vide affectif qu'il ignorait. Ils ont beaucoup cheminé à travers l'expérience, fait le deuil l'un de l'autre, et se sont rapprochés. Sacha a commencé à perdre sa peur du train, et à le prendre. Longtemps, il est resté asymptomatique, prenant les doses minimes de cortisone prescrites par son pédiatre. Puis il a rechuté. La détresse de la famille était reliée au fait qu'aucun des trois ne savait trouver un sens à cette rechute, même si Sacha s'est révolté en disant à son père qu'il n'était pas une fille. Par contre, sa mère a commencé à réaliser que son enfant faisant une rechute chaque année, à peu près à la même période, anniversaire de la mort à la naissance de son petit frère, à cause d'un facteur rhésus. Quant à son père, la période rappelle un souvenir d'hospitalisation pénible durant son enfance, à la même date.

La vérité ne peut pas être découverte en se fiant à « la » vérité, l'autorité, la tradition, le passé. C'est une expérience radicale, existentielle, immédiate, une réalisation individuelle. À chacun de la découvrir. Elle transcende pourtant les individus : il n'y a pas de vérité qui ne soit réelle et qu'au-delà de l'idée qu'on peut s'en faire. Les connaissances, les informations et la science sont relativement faciles d'accès et trans-missibles. C'est ce que j'ai tenté de faire, dans la mesure de mes moyens. Il n'en va pas de même pour la vérité existentielle. Elle est très difficile à trouver. Personne ne peut garantir quoi que ce soit à qui que ce soit. Mais une chose me paraît certaine. La quête de la vérité, en soi, fait grandir. Pour l'avoir beaucoup cherchée et pour continuer de le faire à chaque instant, pour avoir eu le privilège d'accompagner beaucoup d'êtres humains souffrants et désireux de ne plus souffrir, pour avoir eu le bonheur de partager avec d'autres, aussi en chemin, je peux témoigner que la quête de la vérité, en soi, amène à plus de maturité, plus d'autonomie, plus de compassion, plus de généro-sité. Plus d'amour.

Ce livre n'est donc pas un livre de médecine. C'est un livre qui raconte des fragments de vie de sujets malades.

C'est un livre qui parle du décor dans lequel se jouent toutes les péripéties de la maladie. Il parle de la plainte de sujets souffrants, et de la réponse que leur apporte la science médicale. Dissociés, depuis bien avant Descartes, entre l'esprit et le corps, les hommes ont attribué les tâches de leurs aidants de façon morcelée. La surspécialisation, causée par l'avalanche des connaissances médicales, a encore plus contribué à réduire l'être souffrant à des frag-ments d'organisme malade. Les médecins du corps ne tendent plus à aborder les problèmes de la psyché, même si les cris du public exigent plus d'humanité en médecine et les amènent lentement à pratiquer une médecine dure avec plus de douceur. Et la laïcisation de la société nous a fait basculer d'une culture de la faute, où les hommes « tombaient » malades pour avoir péché contre Dieu, à une autre culture, tout aussi imprégnée de projections, celle du préjudice, où, si le soigné ne va pas bien, c'est la faute du soignant. Quant aux psychiatres, ils recourent de plus en plus à un emplâtre chimique pour colmater les brèches par où surgit la souffrance, en visant le fonctionnel plutôt que l'existentiel, et le court terme plutôt qu'un processus de guérison à long terme. Chaque groupe a codifié ses règles, ses lois, ses balises, ses territoires, respectant les domaines de l'autre, sans jamais explorer le no man's land qui les sépare.

Ce livre n'est pas non plus un traité de médecine psychosomatique. Je ne crois pas à l'existence de maladies psychosomatiques, comme s'il s'agissait d'une catégorie de maladies à part, ni psychiques, ni organiques. Ce livre est une tentative impossible d'appréhender la totalité d'un être humain qui souffre et crie au secours.

Quand un chirurgien, comme je le suis, explore le continent noir de la psyché, et écoute ceux et celles qui en ont fait le thème de leur vie professionnelle, il subit un véritable choc culturel. Ces praticiens de la psyché, trop souvent, font partie d'innombrables chapelles, qui n'ont pas l'avantage de pouvoir bénéficier de la mesure scientifique. L'hypothèse de travail scientifique, en effet, permet de vérifier les idées. Rester colleté au corps, qui ne ment jamais et crie à l'évidence les erreurs de pensée et de jugement est donc un puissant garde-fou contre la rationalisation. « Tu n'as pas de double » m'a dit un jour cette amie psychanalyste, rajoutant, en parlant d'elle autant que de moi : « On ne sait pas où on va, mais, en tout cas, on y va. » J'avais beaucoup apprécié le compliment. En effet, enfant rebelle, et « brillant sujet », pour reprendre le terme consacré, que la vie et les autres ont confirmé, j'ai toujours été incapable d'être l'élève de qui que ce soit. Mais, j'ai aussi été éponge, buvard, envahi dans mes limites, puis, plus tard, réceptif, souple, ouvert à d'innombrables maîtres. De plus en plus disposé à accueillir tout ce que nous apporte la vie le long de notre court chemin. Le but, dit la maxime bouddhiste, c'est le chemin. Inversement, je n'avais pas non plus envie de produire des clones, des élèves, des doubles. J'étais beaucoup plus intéressé à éduquer qu'à instruire, à montrer comment apprendre à apprendre, et suivre son chemin, cette voie unique à tous les individus, et pour qui il n'y a pas de voie. Je n'ai pas de recette à partager avec vous.

Nous avons tous et toutes quelques croyances. Je ne fais pas exception.

Il est impossible de saisir l'essence d'une œuvre, de quelque nature qu'elle soit, sans savoir qui est son auteur, comment il a vécu, ce qu'il a fait d'autre dans la vie. L'œuvre implique la personne qui l'a produite, même à son insu, dans son inconscient. Les œuvres littéraires dépassent les frontières, dépassent les langues grâce aux traductions, dépassent les usages sociaux et les relations humaines particulières formées par l'histoire et le lieu. L'humain qu'elles révèlent en profondeur est universellement communicable à l'humanité entière. C'est à ce niveau de profondeur que parle le corps, et seulement à ce niveau. Ce livre reflète donc plus que seulement ma pratique, et ce qui m'a été enseigné au cours de longues études médicales d'abord, chirurgicales ensuite. Fort vite, j'ai compris que le monde se divisait en croyants et incroyants. Mon vieux cousin curé, que j'aimais beaucoup, m'avait même dit que j'étais devenu un handicapé de la foi. Traumatisé, et par la remise en question lors du concile de Vatican II de ce qu'on m'avait dit être intangible, et par le contraste insoutenable entre mon vécu d'adulte et ce qu'on m'avait dit qu'il serait, j'avais tout remis en question, en laissant temporairement Dieu sur les tablettes. Que ne fut alors ma stupéfaction choquée de voir des grands scientifiques se comporter comme des croyants aveugles et sourds aux données de la Vie que leur apportaient leurs sens. Heureusement, j'avais non seulement écouté mais bien entendu la parole d'un de mes professeurs, Charles Code. Il avait fracassé ma foi en la science, elle qui avait remplacé la foi religieuse de mon enfance, en me disant que la durée de demi-vie des connaissances médicales était... de sept ans ! Fin de la Vérité absolue, place au relatif... Il m'avait fallu longtemps, et beaucoup d'insécurité avant de lire Bergson, et découvrir que la méthode scientifique est une façon d'apprendre à penser ce qu'on voit plutôt que voir ce qu'on pense. Et de commencer à troquer la science – un contenu à équations variables – pour la méthode scientifique – un apprentissage perpétuel. Quant aux psys... Ce fut encore pire ! Là aussi, il me fallut du temps pour remplacer la « psychanalyse » de Freud, Reich, Jung, Groddeck, ou Lacan, par la méthode, avec laquelle chacun de ces hommes remarquables a trouvé quelques éléments du tableau d'ensemble. Eh bien... Malgré ce rejet de la « foi », telle qu'elle m'avait été programmée à force apprentissage durant une enfance visant à la mémorisation, un jeune étudiant, un jour, au cours d'un dîner en groupe dans un restaurant, m'a dit à brûle-pourpoint : « Vous avez vraiment la foi ! » C'était pourtant le plus sceptique au départ du groupe. « Qu'est-ce que tu veux dire ? » « Vous remettez constamment tout en question, y compris vous-même ! » Je l'ai remercié de son cadeau. Il me guérissait de la critique de mon cousin monsignore. Avait-il raison de me dire que cette remise en question perpétuelle, sans garantie, était de la foi ? Ce n'était en tout cas pas celle de mon enfance !

Dimanche 2 septembre 2001.

Avec mon amie, Martine Derzelle. Elle est psychanalyste. Celle qui m'a dit que je n'avais pas de double. Elle travaille avec des malades qui souffrent de douleurs chroniques réfractaires. Et d'autres qui souffrent de cancer.

Nous nous connaissons depuis près de vingt ans. Nous sommes de vrais amis, sans avoir jamais été des amants, ou avoir eu envie de l'être. Chose rare, pour peu qu'on prenne la peine de questionner autour de soi.

Nous prenons le petit déjeuner. Ma femme est encore dans la chambre.

Très rapidement, dans ce lobby d'hôtel, la conversation tourne autour du sens de « soigner ».

Nous avons des points de vision communs.

Et d'autres de désaccord.

« Il y a beaucoup de soignants qui veulent beaucoup trop guérir les autres, et c'est suspect. »

Je suis bien d'accord.

« Il faut absolument apprendre, au-delà de faire et de l'acte technique, à se laisser utiliser sans y perdre son âme ».

C'est moi qui réponds.

Finalement, nous tombons d'accord que : « Soigner, c'est vouloir absolument y être pour quelque chose à ce qui arrive à l'autre, alors que tous les soignants devraient se contenter d'habiter une auberge espagnole où le soigné trouve ce qu'il y amène. »

Je vais donc me taire et passer la parole à deux femmes qui ont réussi à s'extraire de leur misère, et construire à partir des décombres de leurs maladies.

Napiskan m'a dit un jour qu'on ne pouvait pas être heureux sans avoir pardonné. Elle m'a aussi enseigné que la joie est comme le printemps, la fontaine de Jouvence du corps et de l'âme, un talisman contre la maladie, le meilleur antidote de la peur.

Et pourtant, elle avait subi de quoi avoir à pardonner !

Son plus vieux souvenir remonte à l'âge de quatre ans.

Il faut toujours demander aux malades quel est leur plus vieux souvenir de leur vie, car il en indique souvent la problématique la plus fondamentale.

Napiskan n'est pas son vrai prénom. C'est le prénom qu'elle a reçu lors d'une cérémonie indienne, à l'âge de trente ans. Une vieille Indienne lui a demandé de porter ce nom plutôt que son prénom de baptême, Désirée.

Elle a quatre ans. Elle est couchée nue sur une table de cuisine. Sa mère s'approche d'elle avec son grand-père, vêtu de vêtements bizarres et d'un masque. Puis, elle sombre dans un trou noir.

Napiskan vit avec Nestor quand elle vient me voir pour la première fois. Elle est obèse. Elle souffre de diarrhée massive. Elle perd ses selles. Elle porte des couches. Elle a vu plusieurs gastro-entérologues. Elle les accuse d'incompétence. Je regarde son dossier, impeccable et complet. Ne manque qu'une évaluation du métabolisme des sels biliaires, qui, comme dans d'autres histoires que j'ai racontées, indique qu'elle ne réabsorbe pas les sels biliaires dans son intestin grêle, ce qui provoque sa diarrhée.

Napiskan n'est pas très contente de mes soins. Elle s'en va.

Mais elle revient. Et d'emblée, sans que nous n'en ayions jamais dit un mot, elle me dit vouloir faire une « psychanalyse » avec moi.

Elle a subi d'innombrables abus sexuels quand elle était petite. Son père. Son grand-père. Sa mère. Elle a fui sa famille en se mariant très jeune. Son mari la viole. Il la force à avoir des relations sexuelles avec ses amis. Ils ont trois enfants. Deux garçons. Une fille. Leur père a des relations sexuelles avec les trois. Les garçons deviendront schizophrènes et se suicideront plus tard. Elle finit par faire une tentative de suicide. Elle est hospitalisée en psychiatrie, quelque part aux Etats-Unis, où elle a fui. Au sortir de l'hôpital, elle divorce.

Elle retourne vivre chez sa mère, qui a divorcé, et vit avec un autre homme. Sa mère la force à avoir des relations sexuelles avec son conjoint, pour le lui reprocher le lendemain matin avec violence.

Elle quitte sa mère. Elle entreprend une relation homosexuelle avec une indienne, de nature calme et paisible, qui durera dix ans.

Quand je la vois pour la première fois, elle vit maritalement avec un homme, qui est son oncle. Mais ils sont persuadés qu'ils sont frère et sœur… Son amant est alcoolique. Nestor tente de s'en sortir à travers des rencontres avec les groupes d'alcooliques anonymes. Il lui fait découvrir l'analyse transactionnelle, où les partenaires démêlent les jeux de rôle et de transfert. C'est, et de loin, la plus belle relation qu'elle ait eue de sa vie.

Plus elle s'ouvre et parle de sa vie, plus elle prend du poids. Elle devient obèse morbide. Elle entre avec difficulté dans la baignoire. Nestor lui dit qu'elle va en mourir si elle continue. Je m'inquiète aussi. Je l'envoie en consultation voir un chirurgien spécialiste de l'obésité morbide, et qui pratique avec succès des chirurgies digestives mutilantes mais efficaces. Il lui dit qu'il va l'opérer.

« Si ce docteur pense qu'il va me toucher ! »

Napiskan touche à sa colère. Que dis-je ! À sa rage ! Elle commence à perdre du poids. Elle en perd, et ce sont ses mots, cent livres de colère.

Sa diarrhée devient intermittente. L'incontinence fécale aussi, automatiquement.

Elle commence à se poser de sérieuses questions sur sa relation. Elle décide de se séparer de son oncle-frère-amant. Elle va encore faire l'amour avec lui, de temps à autre. Elle mange avant pour calmer ses angoisses. Elle mange après pour calmer sa frustration de ne plus arriver à l'orgasme.

Son amante réapparaît dans le tableau. Elle refuse de reprendre la relation avec elle, lui disant qu'elle n'est plus homosexuelle. L'indienne devient la maîtresse de Nestor, par intermittence. Nestor fait deux tentatives de suicide. Napiskan l'accompagne avec beaucoup d'amour.

Un jour, elle décide de se porter bénévole dans une unité de soins palliatifs. Elle est assez lucide pour me dire qu'elle sait que l'accompagnement des mourants va réveiller la mort psychique qu'elle a vécu à travers ses innombrables abus.

De temps à autre, elle a des débâcles diarrhéiques épouvantables. L'une d'elle l'humilie profondément. Elle survient dans un restaurant, le jour où elle est allée chercher sa fille à l'aéroport. Sa fille vit maintenant très loin, en Californie, où elle s'est mariée et vit à distance des lieux de son enfance. Sa fille lui dit que je suis un incompétent. Napiskan, sans m'en parler, va voir un autre médecin spécialiste à Montréal. Celui-ci pose le même diagnostic que moi, fait les mêmes recommandations que moi, et ce, sans m'en parler. Napiskan revient me voir et se dit rassurée sur ma compétence. Elle fait des progrès évidents à tous les points de vue.

Elle accompagne une femme, qui est en train de mourir d'un cancer du sein, jusqu'à la mort.

Après la mort de cette femme, elle devient amoureuse du veuf. Ils commencent à vivre ensemble. Elle dit qu'elle n'a jamais été aussi heureuse de sa vie. Elle est multi-orgasmique. Elle prend un peu de poids, mais le reperd en surveillant son alimentation et en faisant beaucoup de marche.

Elle cesse de venir me voir, me disant que tout va bien dans sa vie et dans son corps.

Un peu plus tard, elle m'invite avec ma femme à leur mariage. Ma mère, et la grand-mère de ma femme, en vacances chez nous, sont invitées, elles aussi. Nestor est son garçon d'honneur. Il est un peu affecté par son mariage, mais, heureux aussi de son bonheur. Il accepte sa demande de l'accompagner se marier. Il y a foule à leur mariage. Le groupe d'entr'aide des malades, dont elle a été la meneuse incontestée, est venu assister aux noces. L'atmosphère est à la joie.

Depuis, de temps à autre, elle me fait signe.

26 septembre 2000.

Chers Ghislain et Ève,

Je prends un moment pour vous donner de nos nouvelles. J'espère que vous allez bien tous les deux, ainsi que Matthieu et les autres membres de la famille. Les occasions de se voir sont rares, mais je ne vous oublie pas. C'est la raison pourquoi, aujourd'hui, j'ai pensé venir partager avec vous deux une très belle expérience, qui vient juste de m'arriver.

Ma fille Cinthia et son mari sont venus nous voir la semaine dernière. Ils ont passé quatre jours avec nous. Quelle grande joie après quatre ans... ! C'était à l'occasion du mariage de la fille du mari de ma fille. Il y a longtemps que j'espérais ce grand jour, surtout après tout ce qui était arrivé ! Tu te rappelles, Ghislain, en juillet 94, c'est dans la « merde » par-dessus la tête que j'étais venue te voir dans un état des plus lamentable ! J'étais allée chercher Cinthia à l'aéroport à Montréal avec mon beau-père et avec Nestor... Je suis certaine que tu te rappelles le reste... Cette visite avec Cinthia fût un échec, mais qui m'a fait grandir beaucoup.

En décembre 95, elle est revenue. Je demeurais seule et faisais mon bénévolat aux soins palliatifs. Nous avions eu une très belle visite, j'étais pleine d'espoir que la relation entre elle et moi était revenue à la normale. Mais, en novembre 96, je suis allée en

Californie. Cinthia m'avait offert dix-huit jours de vacances. Au bout de onze jours, n'en pouvant plus de ses insultes, j'ai décidé de revenir avant la fin du voyage. Ce fût un long silence entre nous, qui dura deux ans. Elle n'acceptait pas que je ne déménage pas en Californie ni que j'aie choisi mon mari ici, plutôt que quelqu'un en Californie. J'ai essayé de garder contact par la suite, ce fût en vain. Je me suis rappelé ce que tu m'avais déjà dit : « Laisse la aller, elle reviendra. » C'est ce que j'ai fait.

Le 8 janvier 98, j'ai appris qu'elle était ici, chez son grand-père. Je lui ai téléphoné et l'ai invitée, mais elle a refusé et est retournée chez elle après deux semaines sans me voir. Cela m'a fait beaucoup de peine, mais, je l'ai laissée aller à sa vie et j'ai choisi de vivre la mienne.

Le 24 décembre 98, nous recevions un colis de Cinthia avec des cadeaux de Noël et une lettre, me spécifiant très clairement (très froidement) qu'elle était prête à me parler et à renouer la relation entre nous à ses conditions, qu'elle ne voulait plus jamais reparler de quoi que ce soit du passé, ses frères, son père, moi et tout le reste… J'ai accepté et lui ai téléphoné le 1er janvier 99. Depuis, nous nous parlons au téléphone occasionnellement.

À notre mariage, elle avait dit qu'elle viendrait, mais elle a changé d'idée. Finalement, depuis le début de cette année, je savais qu'elle viendrait en septembre. Je ne te cacherai pas que cette visite fort anticipée m'a amené un certain stress… Mais tout s'est très bien passé. Elle a bien aimé Herbert et vice versa. Nous avons eu le temps de faire de petites choses ensemble et de rire et de se serrer dans les bras l'une et l'autre. Le premier soir ici, elle a demandé à regarder un film à la télé. Nous avons regardé le film en question tous les quatre. Il était violent. Je n'ai rien dit. C'est son cheminement à elle, et je respecte cela. Il n'a pas été question de son grand-père du tout. (Il est décédé du cancer le 21 décembre dernier.) Elle m'a dit que son père ne voulait plus la voir du tout. C'est plutôt ironique qu'au moment où cela arrive, Herbert, ici, lui ouvre les bras…

Elle a adoré où l'on demeure, elle a même dit qu'elle donnerait un million pour une propriété comme cela en Californie. Son mari a vieilli. Les vingt ans entre eux commencent à paraître. Je crois que si c'était juste de lui, ils reviendraient tous les deux par ici. Les grosses chaleurs là-bas le fatiguent beaucoup.

Bien qu'on ne soit pas rentré dans aucun sujet en particulier, on a eu une très belle visite ensemble, et je suis bien heureuse. Cinthia a pris beaucoup de poids. Elle pèse cent kilos. Elle travaille dans une banque comme agente des prêts. Ils ont décidé qu'ils ne s'achèteraient aucune propriété là-bas, c'est trop dispendieux.

Herbert et moi planifions d'aller les voir pour Noël 2001 si tout va bien.

Et voilà ce que je voulais te dire Ghislain pour Cinthia ! Elle est revenue et cette fois, je suis certaine que c'est pour de bon ! Que de larmes et un bien long cheminement, mais enfin, je suis une maman comblée.

À part cela, nous sommes toujours en lune de miel, nous avons fêté notre premier anniversaire de mariage en août. Voilà déjà quatre ans que nous sommes ensemble !

Nous avons eu des moments pénibles comme toutes les familles. Depuis que je vis ici, Herbert a perdu dans l'ordre : sa petite-fille, un emploi qu'il aimait beaucoup, son petit-fils, un autre petit-fils, son père, son fidèle chien Jake qu'il avait depuis douze ans, et en juillet, sa mère. Moi, j'ai perdu mon beau-père et mon petit chat Peanut. Le deuil nous a apporté beaucoup de tristesse, mais, ensemble, nous apprécions la vie de chaque jour et profitons des bons moments. Nous faisons plein de choses ensemble et nous sommes très unis et très heureux.

Pour ce qui en est de Nestor, il demeure maintenant à Trois-Rivières depuis presqu'un an. À partir du moment où lui et moi avons pris chacun notre route, il a déménagé vingt et une fois. Depuis un an, il est stable. Il a failli mourir en prenant trop de boisson et des pilules aux fêtes l'an dernier, mais il est sobre depuis et est suivi par un médecin qui lui donne comme prescription du Paxil. Il a fait un grand progrès, demeure dans une belle place, dans un beau district. Il est venu passer cinq jours ici en août et nous sommes allés le voir deux fois à Trois-Rivières. Il m'écrit de longues lettres sur son cheminement et je lui réponds toujours. Il va bien et nous dit qu'il est heureux là-bas. Nous sommes contents de son progrès car pendant trois ans, il nous en a fait voir de toutes les couleurs. La dépression, le manque d'argent et aussi de nourriture, nous a souvent mis dans des situations difficiles. Herbert lui a parlé et lui a fait comprendre que cela était la fin, qu'on ne pouvait pas toujours s'occuper de lui, qu'il fallait qu'il se prenne en main. C'est là, qu'il a décidé de partir vivre à Trois-Rivières.

J'en ai une bonne à te conter Ghislain. L'an dernier, en avril, ma tante Georgette (elle a 86 ans) de l'Abitibi (où Nestor et moi, nous avons été élevés), au téléphone, me demande si je suis toujours en contact avec Nestor. Je lui réponds que oui. Elle dit : « C'est bien, tu sais, car il est ton frère. » Je lui demande si elle est certaine de cela… Elle dit que oui, qu'elle peut même aller aux archives de la paroisse. Elle se souvient que ma mère (elles étaient belles-sœurs) était partie de l'Abitibi pendant un certain temps, pour revenir avec Nestor, qu'elle avait « donné » à ses parents (mes grands-parents), qui ont toujours dit qu'il était leur fils. Ce qui explique le lien entre Nestor et moi. Nous aurions la même mère et possiblement le même père !

Alors, ici, je continue d'apprendre sur ma vie. Et quelle vie par bouts ! Je serai toujours proche de

Nestor c'est certain, aussi longtemps qu'il respecte ma vie avec Herbert. Il semble sur la bonne route.

Ma santé est très bonne. Je ne prends plus de pilules pour le reflux gastrique depuis presque deux ans. Je « digère » bien ma vie maintenant. Je garde contact avec quelques-unes des filles du groupe. Celle qui m'appelle le plus souvent, c'est Marthe, parfois, jusqu'à trois fois par semaine !

Je n'oublie pas mes années à l'hôpital, la « maison mère » que je m'étais créée je crois. J'y ai appris tant de belles choses, souvent dans la grande souffrance. C'est ce qui me permet aujourd'hui d'écouter les autres dans leur détresse.

Je nourris un projet, celui de retourner aux soins palliatifs, près des mourants, un jour, mais à vrai dire, j'ai fait de l'accompagnement avec mes proches ! Depuis que je vis ici, j'accompagne Herbert et sa famille dans les pertes multiples et difficiles. Surtout sa mère, qui a choisi de décéder à la maison. Ce fût plusieurs semaines intenses où, nous allions, chaque jour, chez le frère de Herbert, qui la gardait et, ce, jusqu'à la fin. Ce fût une grande expérience où tout ce que j'avais appris m'a bien aidée.

Herbert va bien. Il travaille de longues journées sur la route comme camionneur. C'est un homme que j'admire beaucoup et surtout que j'aime, et il me le rend bien. Nous étions faits l'un pour l'autre. Le temps passe trop vite, c'est ce que l'on dit souvent !

Je lisais récemment dans un petit livre de recueil que je savoure chaque matin, un bel article sur les cadeaux de la vie. Je t'en fais part dans mes propres mots :

« Ma vie a souvent ressemblé à un terrain de poubelles. Il ne tenait qu'à moi de faire le ménage de ce terrain. J'ai tourné la terre et j'ai planté des fleurs. J'ai découvert que moi seule pouvais changer ma façon de vivre. J'ai réussi avec beaucoup d'aide, mais il fallait que je veuille tourner la terre et faire beaucoup de travail sur mon terrain.

Même si j'ai été battue, molestée, maltraitée, violée, jugée et que j'ai vécu dans l'inceste, j'ai décidé de me servir de mes poubelles pour découvrir en moi de belles qualités. Je peux vivre épanouie et sereine aujourd'hui, le passé n'étant plus qu'un souvenir. Je m'en sers pour aider les gens dans la détresse, ceux et celles qui souffrent encore.

Il m'a fallu beaucoup de temps, des années même, pour réaliser que ma famille n'était pas la seule à être dysfonctionnelle dans la société. J'ai choisi de sortir de cet environnement "non normal" et de me servir de ces expériences pour me bâtir un avenir plus serein et de là, simplement aller de l'avant. De plus, j'ai cessé de blâmer les autres, de les détester et surtout de nier ce lourd passé. Je me suis étouffée souvent dans mes poubelles, j'étais humaine quoi ! Mais à force d'essayer, de culbuter, j'ai fini par trouver un beau terrain rempli de fleurs. Je suis comblée. »

Voilà en quelques mots mon histoire de poubelles. Ces temps-ci, je m'occupe à téléphoner ou écrire à des personnes atteintes de cancer, ou des personnes âgées de mon entourage. Je trouve mes journées trop courtes, il y a tant de choses que je veux faire… J'ai un grand ami, un amant, un mari extraordinaire qui chemine avec moi, main dans la main, chaque jour. Nous sommes très à l'écoute l'un de l'autre, dans la joie ou la peine. Nous partageons ce que l'on ressent si facilement, c'est le secret de notre bonheur.

Toutes les histoires que j'ai racontées dans ce livre pour illustrer les idées que j'ai proposées sont vraies. Bien entendu, j'ai fait de savants efforts pour préserver la confidentialité de ce qui m'a été confié. J'ai donc changé les prénoms des sujets dont j'ai parlé. J'ai déplacé leurs histoires en d'autres temps, en d'autres lieux et dans d'autres villes ou villages que le leur. Et en d'autres temps, parfois, j'ai omis de citer des détails trop précis qui auraient pu permettre de retracer la personne dont je parle. J'ai même, à l'occasion, changé de pays. Mais je n'ai rien changé au contenu de ce qui a été dit.

Le prénom, en lui-même, est porteur de message, dans ce qu'il veut dire, historiquement, au-delà des familles, dans la référence à des personnages connus, dans ce que le mot lui-même veut dire sur le plan linguistique, et enfin, dans ce que la famille veut par ce sigle transmettre à l'enfant qui vient de naître, sur le plan de ses attentes. L'enfant de remplacement, comme l'était Salvador Dali, non seulement a le mandat de compenser pour un deuil, et sert de support à un deuil que les parents sont incapables de faire, mais s'il porte en plus le même prénom que le mort, il se voit privé d'identité. L'étude de la famille en termes des prénoms est fascinante. Qui l'a choisi montre le rapport de forces entre les parents. Si on ne sait pas qui l'a choisi, on peut l'apprendre en étudiant de quel côté de l'arbre généalogique on le retrouve.

Parfois l'analyse des prénoms est caricaturale. Tous les prénoms des enfants proviennent du côté de la mère. Ou du père. Il devient vite évident qui menait le couple – ou le ménage. Parfois, les difficultés d'identité se retrouvent à travers ces observations. Ainsi cette Française, qui avait appelé ses enfants Robert et Roberte. Les prénoms facilitent eux aussi la communication en favorisant le transfert sous forme de phonétique d'une syllabe. Ghislain se prononce au Québec « Jyslain ». Bien entendu, cela a une connotation familière pour quelqu'un qui s'appellerait Jocelyne. Ou, à un degré moins fort, en écho, Lyne. Alain rime aussi avec Ghislain, que ce soit un prénom ou un nom de famille. Et, dans les relations de transfert qui imprègnent les structures administratives, ou les compagnies, il n'est pas rare de voir des gens se choisir des partenaires qui portent le même prénom. Le mot importe peu. Ce qui importe, c'est le sens qui lui a été donné. C'est pourquoi, tout ignare que j'étais quand ils sont nés, j'ai donné à mes enfants des prénoms introuvables dans les deux familles, et je n'ai pas imité les Américains qui adorent faire des « junior », sans réaliser le fardeau qu'ils auront à porter pour gagner maturité et indépendance.

J'ai donc, hélas, ôté beaucoup de sens à mes histoires en changeant les prénoms de ceux et celles qui les ont vécues, mais je n'avais pas le choix, car il était essentiel de préserver leur intimité. En racontant les histoires, dépouillées du côté anecdotique que représentent les individus, je crois, par ailleurs, avoir contribué à une certaine communion, une communauté humaine, comme cela m'arrive de le constater tous les jours.

Parfois, il m'a été demandé de ne pas trahir un prénom assumé et intégré.

Je termine donc mon texte par l'allocution qu'Odette Coulombe a faite au Colloque annuel de la Fondation Québécoise du Cancer, que j'ai organisé en 2001 avec ma collègue, Patricia Bourgault, infirmière. Le thème du colloque portait sur les aspects psychosociaux du cancer. Nous avions choisi comme titre : « L'être masqué de maux : vivre avec un cancer. »

J'ai raconté plus haut l'histoire d'Odette qui avait, il y a huit ans, un cancer anorectal, tellement proche de l'anus, qu'elle aurait dû, normalement, subir une amputation de son rectum et de son anus, et avoir une colostomie permanente. Elle avait refusé trois fois la chirurgie. Son troisième refus m'était adressé. Elle avait accepté, par contre, une radiothérapie. Je l'avais accompagnée, malgré son refus du traitement indiqué, dans la crainte permanente d'une récidive, crainte décuplée par le fait qu'une autre malade, aussi jeune qu'elle, porteuse comme elle d'un cancer du rectum, avait, elle aussi, refusé l'amputation abdominopérinéale de son rectum et de son anus, et en était morte. Odette a accepté que je publie son texte, tellement porteur de sens, qu'elle a présenté publiquement au Colloque de la Fondation Québécoise du Cancer. Cette Fondation vise à assumer non seulement le traitement du cancer, mais à protéger la qualité de vie des malades et de leur entourage, et ce dans une optique à la fois scientifique et humaniste. Nous avions donc pensé introduire la journée avec deux présentations « côté malade » avant de lancer les débats sur les modalités thérapeutiques.

Le texte d'Odette n'a besoin d'aucun commentaire. Il illustre avec acuité une conscience extraordinaire, et une remise en question totale que sa consœur en maladie n'avait pas, au-delà de son refus volontariste de se laisser opérer.

« Quoi donner, quoi livrer, quoi dire à une assemblée de professionnels de la santé qui côtoient jour après jour des personnes atteintes de cancer, des gens qui s'en sortent et d'autres qui amènent avec eux la profondeur de leur souffrance ?

J'aimerais vous parler de mon histoire, sûrement semblable à celle de plusieurs autres, mais différente dans la façon de la vivre et de l'aborder. J'aimerais vous parler des personnes qui ont été significatives dans ma démarche, des outils que j'ai choisi d'utiliser, de mes choix. Je ferai un survol de mon histoire personnelle qui me mena à une impasse, à une forme de dépression subtile.

Je suis la deuxième d'une famille de douze enfants dont sept filles de suite, puis cinq garçons. Vous comprendrez qu'enfant, à chacune des naissances, je pouvais lire la déception de mes parents. Encore une fille ! Au huitième, ce fut la fête ! Un garçon était né ! J'aurais tout fait pour être un garçon. J'ai tout fait. Lever des poids plus lourds que moi, apprendre tout ce qui regardait le travail masculin. J'étais toute petite. L'école me servait d'échappatoire. J'aimais l'école. Je réussissais bien. Les valeurs familiales favorisaient l'instruction. Il ne me serait jamais passé par la tête l'idée d'arrêter avant l'obtention d'un diplôme. Je ne pouvais déplaire à mon père. Pour lui, c'était tellement important.

Enfant, le premier grand conflit intérieur se produisit au décès de mon grand-père. Il est mort d'un cancer du sein. Ce qui était rare à cette époque. J'aimais mon grand-père. Je crois que le peu d'affection que je recevais venait de lui. Il nous berçait, nous racontait des histoires, se promenait avec nous, en nous tenant par la main. Il venait nous chercher à l'école. Personne d'autre dans cette maison n'avait le temps de se rendre compte que l'on existait. Trop occupés. Trop frustrés par cette vie non réellement choisie. Trop blessés pour pouvoir donner un peu d'amour et d'affection.

Personne, sauf les enfants, n'aimait cet homme autoritaire et entêté. À son décès, j'ai choisi de faire semblant de ne pas avoir de peine, pour être à côté des adultes, de la majorité. Cela m'a valu une appendicectomie à onze ans et trente ans de sinusite répétitive.

À dix-huit ans, le grand drame familial. En l'espace de six mois, la perte de trois membres importants de la famille et la naissance du petit dernier. La grand-mère paternelle d'un accident cérébro-vasculaire, ma sœur aînée âgée, alors, de vingt ans d'un accident d'auto, et mon père d'un cancer de la prostate.

C'en était trop. Ces deuils, je ne les ai point vécus. Je venais de devenir, d'un seul coup, l'aînée, le père de remplacement, le conjoint de cette femme atterrée par la souffrance et gelée par les valiums. La vie devait continuer. Un silence de mort. Une maison vide, malgré les douze personnes qui l'habitaient. On n'en parlerait pas. Jamais plus. Jamais. J'étais en colère envers ce Dieu qui sans raison, sans avertissement, sans préparation venait de faucher les personnes qui assuraient notre sécurité. Plus de rire permis au cas où cela mériterait une punition. Le monde était devenu dangereux. À n'importe quel moment, dans un détour quelconque, la catastrophe pouvait se produire. Un sentiment de désespoir et d'impuissance se glissait insinueusement en moi. Comment pourrais-je protéger les miens contre ce Dieu tout-puissant et sans cœur ?

Mais tout de même, j'essaierais. Je serais correcte. Je ferais tout, tout, tout, pour m'attirer ses grâces et ainsi négocier le bien-être de chacun. Peu importe ce que cela coûterait.

En même temps, je faisais tout pour plaire. Tout pour être aimée. Ce besoin d'être reconnue et d'être aimée était si grand que rien ne pouvait l'apaiser ; même les réussites, les manifestations d'amour et de reconnaissances des confrères, des étudiants, des directions, des comités auxquels je participais et de la famille. Oui, on m'aimait pour ce que je donnais, ce que j'apportais. Mais moi ! Qui se préoccupait de moi ? Personne, même pas moi ! La naissance de deux enfants, un mari que je ne voulais pas voir, alcoolique, et qui me fournissait toutes les tuiles dont j'avais besoin pour payer la protection divine.

Il y eut les études en médecine énergétique en plus et, parallèlement à l'enseignement, les enfants, le couple qui n'allait d'ailleurs pas très bien. Là, j'interprétai que la garantie à la santé, le bonheur, la réalisation se résumaient à bien se nourrir, se reposer, contrôler ses émotions, être positive, évoluer spirituellement, se discipliner et avoir une bonne maîtrise de son mental. Encore là, j'ai tout fait. Tout. J'avais toujours ce vide, de moins en moins de joie, de moins en moins de désirs, de moins en moins d'espoir de bonheur. Plus rien ne pouvait combler le vide intérieur. Plus rien à désirer. Plus rien qui puisse me faire vibrer à part le travail, toujours le travail, rien que le travail. J'en étais devenue prisonnière. Impasse qui me mena inconsciemment vers ce désir profond de mourir. Ce fut la conscience de ce même désir de mourir qui me sauva la vie.

C'est ainsi que la plus grande et la plus belle aventure de ma vie venait de commencer. Aventure qui m'amenait dans ce long processus d'incarnation, de descente ou d'entrée à l'intérieur de moi-même. Tôt, très tôt, je commençai à me sentir vivre, renaître, sentir l'excitation, l'angoisse, la joie, la peine, la fébrilité, la dualité, les conflits intérieurs, les peurs, l'espoir, la confiance, le désespoir. Tout cela s'entremêlait, se juxtaposait, se faisant suite l'un à l'autre.

Je continuais de côtoyer la mort.

Je ne savais pas où cette aventure allait me mener. Cela n'était pas important. Ce qui importait, c'était le chemin, la route, l'expérience.

Je me voyais m'être identifiée à mon père lors de son décès, avoir pris sa place, glissée dans ses culottes, m'être moulée à son rôle, être devenue l'homme, le père, le pourvoyeur. J'avais, comme lui, un cancer de la prostate. Oui, j'étais une femme physiquement, mais j'avais tout d'un homme. Ce cancer du rectum était situé dans la même région.

Pourtant, ce cancer me projeta d'un seul coup dans ma féminité. Belle prise de conscience me direz-vous ? Mais avant que je puisse goûter dans sa manifestation physique, concrète, à ce nouveau concept, il me fallut six ans de travail. Et encore, je commence seulement... ! La graine avait, à cette époque, été mise en terre. Par un travail assidu, elle commence aujourd'hui à devenir visible, à bourgeonner. Le problème de fond avait été touché. Cela demandait seulement d'en garder le contact, de continuer le grand travail de nettoyage, de continuer à m'approcher de plus en plus de moi-même, de quitter cette habitude de m'occuper des autres sous toutes ses formes.

Au tout début, l'annonce d'un cancer fut pour moi tout un choc. De passer du côté d'aidante à celui d'aidée, de malade, était très confrontant. Cela représentait un échec, beaucoup de mes croyances s'évanouissaient. La thérapeute, qui avait tout fait, était prise avec un cancer. Qu'est-ce que j'avais bien pu faire de pas correct ? D'où me venait cette punition ?

Je venais de vivre le décès d'une très bonne amie qui s'était battue avec un lymphome durant quatorze ans. J'avais vécu beaucoup d'impuissance. Je me pensais trop évoluée pour me permettre de sentir cette colère non réglée des deuils passés.

J'avais aidé des cancéreux que je trouvais bien courageux de se battre, pour finalement finir souvent de la même façon. Je m'étais dit : « Si un jour j'ai un cancer, donnez-moi trois jours et tout sera fini. Je ne me battrai pas, je glisserai rapidement vers cette mort qui m'attend. » Mais lorsque la nouvelle arriva, ce n'est pas du tout de cette façon que mon corps décida de réagir. Comment pourrais-je me défiler à ce moment, alors que toute ma vie, j'ai relevé les manches et suis passée à l'action ? Ce mécanisme était le plus fort, bien ancré dans mes tripes. J'ai pleuré. J'ai chialé, j'ai rechigné, mais oui, j'ai relevé les manches et je suis passée à l'action.

D'abord, la recherche du meilleur médecin.

J'ai refusé l'opération trois fois. Les deux premiers ne pouvaient pas m'offrir autre chose. Le troisième était plus qu'un chirurgien, plus qu'un médecin. Il ne traitait pas que le corps. L'être était considéré dans son ensemble, accepté *a priori*. Il m'offrait un travail d'équipe dans la réalisation d'un grand projet commun, celui de la guérison de l'être dans tous ses aspects. Mes manches étaient relevées. Le travail commençait. La confiance mutuelle était la base sur laquelle ce grand projet prenait forme. Que de rencontres, de devoirs, de pleurs, d'éclats de rire, de pas, de chutes ! La grande aventure avait commencé.

Ce médecin faisait partie d'une équipe et je sentais

ce travail d'équipe. Oncologue, spécialiste, chacun connaissait mon dossier, avait entendu parler de moi, travaillait dans la même direction, me permettait d'être, respectant mes choix, tout en me guidant.

Ma grande famille était là, présente au bon moment dans une juste distance. Leur amour se manifestait par de douces attentions. Des petits cadeaux, des fêtes, des mots d'encouragement. Je les sentais là, tout près, sans envahissement, sans ingérence, tout simplement là.

En même temps, je les sentais protéger quelque chose que je ne devais pas toucher. Une souffrance bien enveloppée, bien conservée, bien cachée. Oh là ! N'approche pas. Occupe toi de toi, on est là mais ne touche pas à cela.

Je ne pouvais passer à côté. J'y suis entrée, j'ai touché, seule sur ce chemin. Aucun ne pouvait m'accompagner. Ce n'était pas nécessaire. Mon médecin m'encourageait à visiter ce royaume bien gardé de l'enfance, de l'adolescence, des générations passées.

Ensuite, ou en même temps, il y eut le groupe, le fameux groupe du jeudi, formé des patients de mon médecin et supervisé par lui. Au tout début ce fut un choc. Chacun parlait de ses problèmes, de ses misères, des gros problèmes, des grosses embûches. Ce que j'entendais était tellement éloigné de ma réalité subjective que je me demandais ce que je pouvais bien faire là. Moi, je n'avais pas de problème. Tout allait bien dans ma vie, sauf ce maudit cancer qui était là comme une roche qui frappe votre beau pare-brise. Je n'avais pas de problème financier, pas de problème d'amour. J'avais un beau conjoint tout jeune, une relation toute neuve. J'avais vécu une belle séparation terminant vingt-quatre ans de mariage où j'avais pardonné, tout réglé. Tout était O.K. Deux beaux enfants intelligents, débrouillards. Je n'avais jamais été battue, violée, incestuée. Je faisais partie d'une belle grande famille de douze enfants, onze vivants, en santé, diplômés, avec du travail. De quoi pourrais-je me plaindre à côté d'eux ? Dans les premières rencontres, j'écoutais leurs grosses difficultés, leurs grosses misères. Une journée, je réalisai que ma vie était en danger alors que très peu d'entre eux étaient dans cette situation. Je décidai donc de raconter mes petits drames, mes petites misères tranquillement. J'étais écoutée, prise au sérieux. Je pris plaisir à ces rencontres. J'établis des relations vraies, réelles. J'en garde de précieux souvenirs et de belles amitiés. À l'annonce de ce cancer, j'étais convaincue que ma nouvelle relation prendrait fin. Il n'avait rien à voir avec mon histoire. Il n'avait pas à vivre cela. Je me débrouillerais seule et, au fond, c'était mieux ainsi. C'est cela que je lui annonçai. Son refus fut catégorique. Il n'était pas question pour lui de terminer cette relation. Il voulait faire partie de ce voyage, m'accompagner et cela autant pour lui que pour moi. On irait jusqu'où il serait possible d'aller.

Cette relation était sans compromis, sans détour. Je pouvais tout lui dire sans restriction. De toute façon, j'avais accepté profondément qu'il ne soit pas là. Il voulait rester là. Bien. Il aurait toujours le droit d'y mettre fin si cela ne lui convenait pas. Tout m'était permis, le désespoir, l'espoir, la rage, la colère, les caprices, les projets.

Nous fîmes, cette même année, un voyage de trois mois en Wanebago, au Mexique. Prendre des risques. Rien ne pouvait être pire que la mort. Et la mort, ce n'était pas si terrible au fond. Je l'avais côtoyée. Elle m'avait permis de faire le bilan de ma vie. Beaucoup de choses étaient terminées selon moi : éducation des enfants, devoirs envers la famille, travail comme thérapeute. D'ailleurs, le lendemain de l'annonce du cancer, j'ai mis fin à mes activités professionnelles. J'ai laissé à d'autres la continuité. J'avais terminé. Fini.

Cependant à l'intérieur de moi, je sentais que le travail n'était pas terminé. La mission non accomplie.

Premièrement, je n'avais pas appris à m'aimer et cela s'imposait avec force.

Deuxièmement, je n'avais pas eu le temps de transmettre certaines connaissances énergétiques que je jugeais importantes. Je ne voulais pas voir mourir ce bagage reçu.

Parallèlement au désir de mourir, il y avait la peur de partir sans cet accomplissement. Les autres malades atteints d'un cancer que je côtoyais dans les salles d'attente de l'hôpital m'affirmaient ne pas avoir de doute sur leur future guérison. Ils en avaient même la certitude. Pourtant, j'ai vu plusieurs d'entre eux partir. Comment cela se pouvait-il ?

Pendant ce temps, je rencontrais régulièrement mon médecin. Discussions, devoirs d'écriture ou de dessin. Il y eu aussi les ateliers d'art-thérapie, de transformation radicale, de guérison de l'âme, etc. Il n'y avait pas de prix, pas de distance, je mettrais tout de mon côté.

Je me souviens d'un atelier en France, où après une longue méditation en forêt je m'étais posé la question :

« Me suis-je suffisamment transformée pour que la maladie ne revienne pas ? »

J'en déduis que répondre à cette question, c'était se cacher derrière la performance, ou la théorie de la carotte. Il suffisait de faire ceci ou cela pour que la santé soit garantie. Je refusai.

« Me suis-je suffisamment transformée pour accepter la vie telle qu'elle se présente et en tirer profit ? »

Ceci est bien beau, mais à mon avis c'est encore une erreur.

La question n'est pas de se transformer mais de se retrouver intacte à l'intérieur de soi.

La méditation me sembla profitable et c'est dans cette démarche que je m'inscrivis.

J'avais assez aidé de gens pour savoir que personne ne peut guérir personne sauf soi-même. Il n'y a que soi qui puisse sortir de l'impasse dans laquelle on s'est mis. L'opération, la chimio, la radio, ou tout autre traitement peuvent soulager, donner du temps. S'il n'y a pas une collaboration profonde de l'être intérieur, l'impasse demeure.

Cette collaboration, je la sentis d'abord dans mes rêves. Ces rêves furent des guides. Il y en a encore plusieurs, qui, même après six ans, restent toujours clairs dans ma mémoire, et continuent de me guider.

C'est cette aventure, celle de l'entrée à l'intérieur de soi. Vivre ce long processus d'incarnation permettant doucement de se manifester. Rien ne peut apporter plus de joie profonde et de satisfaction. Ni voyage, ni amoureux, ni argent, ni pouvoir, rien. Seulement « être ». Émerger des profondeurs de la matière. Pouvoir partager avec d'autres humains par des relations plus vraies et plus réelles. Et si cette aventure, permettant à la vie de circuler librement peu importe où elle doit aller, menait à la mort, alors cette mort ne serait pas un échec, mais une façon différente de faire circuler la vie.

Je vous laisse sur une parole de Henry David Thoreau : « Ce qu'il y a devant nous et ce que nous laissons derrière, cela est peu de chose comparativement à ce qui est en nous. Et lorsque nous amenons dans le monde ce qui dormait en nous, des miracles se produisent. »

RÉFÉRENCES

Introduction

DEVROEDE G., « Front and rear. The pelvic floor is an integrated functional structure », *Medical Hypotheses*, 52 (2), 1999, p. 147-153.

Chapitre premier

BARTROP R. W., LUCKHURST E., LAZARUS L., KILOH L. G., PENNY R., « Depressed lymphocyte function after bereavement », *Lancet*, I (8016), 1977, p. 834-836.

CAMILLERI M., « Management of the irritable bowel syndrome », *Gastroenterology*, 120 (3), 2001, p. 652-668.

DRISSMAN D. A., McKEE D. C., SANDLER R. S., *et al.*, « Psychosocial factors in the irritable bowel syndrome. A multivariate study of patients and nonpatients with irritable bowel syndrome », *Gastroenterology*, 95 (3), 1988, p. 701-708.

DEVROEDE G., « Constipation : a sign of a disease to be treated surgically, or a symptom to be deciphered as nonverbal communication ? », *J. Clin. Gastroenterol.*, 15 (3), 1992, p. 189-191.

GUTHRIE E., CREED F., DAWSON D., TOMENSON B., « A controlled trial of psychological treatment for the irritable bowel syndrome », *Gastroenterology*, 100, 1991, p. 450-457.

HIRSHBERG C., « Spontaneous remission. The spectrum of self-repair », in *Healing. Beyond Suffering or Death*, MNH Beauport (Québec), Canada, 1994, p. 429-434.

HORROCKS J. C., McADAM W. A. F., DEVROEDE G., GUNN A. A., ZOLTIE N., « Some practical problems in transferring computer-aided diagnosis systems from one geographical area to another », *in* F. T. De Dombal, F. Gremy (dir.), *Decision Making and Medical Care*, North-Holland Publishers, 1976, p. 159-164.

HORROCKS J. C., DEVROEDE G., DE DOMBAL F. T., « Computer-aided diagnosis of gastroenterological diseases in Sherbrooke. A preliminary report », *Canadian Journal of Surgery*, 19, 1976, p. 160-164.

IRWIN M., DANIELS M., WEINER H., « Immune and neuroendocrine changes during bereavement », *Psychiatric clinics of North America*, 10 (3), 1987, p. 449-465.

KLEIN K. B., « Controlled treatment trials in the irritable bowel syndrome : a critique, *Gastroenterology*, 95 (1), 1988, p. 232-241.

MARTIKAINEN P., VALKONEN T., « Mortality after the death of a spouse : rates and causes of death in a large Finnish cohort », *American Journal of Public Health*, 86, 1996, p. 1087-1093.

METZ H., MORGAN V., TANNER G., PICKENS D., PRICE R., SHYR Y., KESSLER R., « Regional cerebral activation in irritable bowel syndrome and control subjects with painful and non painful rectal distension », *Gastroenterology*, 118 (5), 2000, p. 842-848.

PAPAC R. J., « Idiopathic regression of cancer », in *Healing. Beyond Suffering or Death*, MNH Beauport (Québec), Canada, 1994, p. 442-448.

PRIGERSON H. G., BIERHALS A. J., KASL S. V., REYNOLDS C. F., SHEAR M. K., DAY N., BEERY L. C., NEWSOM J. T., JACOB S., « Traumatic grief as a risk factor for mental and physical morbidity », *American Journal of Psychiatry*, 154 (5), 1997, p. 616-623.

REX D. K., LAPPAS J. C., GOULET R. C., MADURA J. A., « Selection of constipated patients as subtotal colectomy candidate », *J. Clin. Gastroenterol.*, 15, 1992, p. 212-217.

ROBINSON L. A., NUAMAH I. F., LEV E., MCCORKLE R., « A prospective longitudinal investigation of spousal bereavement examining "Parkes and Weiss' Bereavement Risk Index" », *Journal of Palliative Care*, 11 (4), 1995, p. 5-13.

ROUD P. C., « Idiopathic remission of cancer : what went well ? » in *Healing. Beyond Suffering or Death*, MNH Beauport (Québec), Canada, 1994, p. 435-441.

SCHILDER J. N., « Long-term surviving cancer patients and the ultimate : spontaneous regression of cancer. A study of psychosocial factors involved », in *Healing. Beyond Suffering or Death*, MNH Beauport (Québec), Canada, 1994, p. 449-459.

SCHLEIFER S. J., KELLER S. E., CAMERINO M., THOMTON J. C., STEIN M., « Suppression of lymphocyte stimulation following bereavement », *JAMA*, 250 (3), 1983, p. 374-377.

SVEDLUND J., SJODIN I., OTTOSSON J. O., DOTEVALL G., « Controlled study of psychotherapy in irritable bowel syndrome », Lancet, II, 1983, p. 589-592.

VOBECKY J., DEVROEDE G., LACAILLE J., WATIER A., « An

occupational group with a high risk of large bowel cancer »,
Gastroenterology, 75, 1978, p. 221-223.

VOBECKY J., CARO J., DEVROEDE G., « A case control study of
risk factors for large bowel carcinoma », *Cancer*, 51, 1983,
p. 1958-1963.

WELGAN P., MESHKINPOUR H., BEELER M., « Effect of anger on
colon motor and myoelectric activity in irritable bowel syndrome »,
Gastroenterology, 94, 1988, p. 1150-1156.

WELGAN P., MESHKINPOUR H., MA L., « Role of anger in antral
motor activity in irritable bowel syndrome », *Digestive Diseases and
Sciences*, 45 (2), 2000, p. 248-251.

WHITE A. M., STEVENS W. H., UPTON A. R., O'BYRNE P. M.,
COLLINS J. M., « Airway responsiveness to inhaled metacholine in
patients with irritable bowel syndrome », *Gastroenterology*, 100 (1),
1991, p. 68-74.

ZISOOK S., SCHUCHTER S. R., IRWIN M., DARKO D. F., SLEDGE P.,
RESOVSKY K., « Bearevement, depression and immune function »,
Psychiatry Research, 52 (1), 1994, p. 1-10.

Chapitre III

DEVROEDE G., « La pensée cloacale », *Sexologies*, 6 (24), 1997,
p. 19-23 (1re partie) et 6 (25), 1997, p. 16-23 (2e partie).

Chapitre IV

ARNOLD R. P., ROGERS D., COOK D. A. G., « Medical problems
of adults who were sexually abused in childhood », *BMJ*, 300, 1990,
p. 705-708.

BÉRUBÉ J., FELDMAN P., DEVROEDE G., LACOMBE G., « Le
toucher, agent thérapeutique », *Sexologies*, 3 (13), 1994, p. 43-48
(1re partie) et 3 (14), 1994, p. 28-36 (2e partie).

BRIGGS F., LEHMANN K., « Significance of children's drawings in
cases of sexual abuse », *Early Ch. Dev. Care*, 47, 1989, p. 131-147.

BURGESS A. W., MCCAUSLAND M. P., WOLVERT W. A., « Children's drawings as indicators of sexual trauma », *Perspect. Psychiatric Care*, 19, 1982, p. 50-58.

CARPENTER M., KENNEDY M., ARMSTRONG A. L., MOORE E.,
« Indicators of abuse or neglect in preschool children's drawings »,
J. Psychosoc. Nurs., 35, 1997, p. 10-17.

COHEN F. W., PHELPS R. E., « Incest markers in children's
artwork », *Arts Psychother.*, 12, 1985, p. 265-283.

DELVAUX M., DENIS P., ALLEMAND H., « Sexual abuse is more
frequently reported by IBS patients than by patients with organic

335

digestive diseases or controls. Results of a multicenter inquiry », *Eur. J. Gastroent. Hepat.*, 9, 1997, p. 345-352.

DEVROEDE G., « Early life abuses in the past history of patients with gastrointestinal tract and pelvic floor dysfunction », *in* E. A. Mayer, C. B. Saper (dir.), *The Biological Basis for Mind-Body Interactions*, Elsevier, p. 131-155, 2000.

DEVROEDE G., « Constipation and sexuality », *Medical Aspects of Human Sexuality*, février 1990, p. 40-46.

DEVROEDE G., « Love, sex and incest », *Humane Med.*, 11, 1995, p. 6-7.

DEVROEDE G., BOUCHOUCHA M., GIRARD D., « Constipation, anxiety and personality. What comes first ? », *in* L. Bueno, S. Collins, J. L. Junior (dir.), *Stress and Digestive Motility*, Londres, Paris, John Libbey Eurotext, 1989, p. 55-60.

DROSSMAN D. A., LESERMAN J., NACHMAN G., LI Z. M., GLUCK H., TOOMEY T. C., MITCHELL C. M., « Sexual and physical abuse in women with functional or organic gastrointestinal disorders », *Ann. Int. Med.*, 113, 1990, p. 828-833.

DROSSMAN D. A., TALLEY N. J., LESERMAN J., OLDEN K. W., BARREIRO M. A., « Sexual and physical abuse and gastrointestinal illness. Review and recommendations », *Ann. Int. Med.*, 123, 1995, p. 782-794.

ELLSWORTH P. I., MERGUERIAN P. A., COPENING P. E., « Sexual abuse. Another causative factor in dysfunctional voiding », *J. Urol.*, 153, 1995, p. 773-776.

FARLEY M., KEANEY J. C., « Physical symptoms, somatization and dissociation in women survivors of childhood sexual assault », *Women Health*, 25, 1997, p. 33-45.

FELDMAN P. C., VILLANUEVA S., LANNE V., DEVROEDE G., « Use of play with clay to treat children with intractable encopresis », *J. Pediat.*, 122, 1993, p. 483-487.

FENSTER H., PATTERSON B., « Urinary retention in sexually abused women », *Can. J. Urol.*, 2, 1995, p. 185-188.

FERGUSSON D. M., HORWOOD J. L., LYNSKEY M. T., « Childhood sexual abuse, adolescent sexual behavior, and sexual revictimization », *Child Abuse Neg.*, 21, 1997, p. 789-803.

FLEMING J. M., « Prevalence of childhood sexual abuse in a community sample of Australian women », *Med. J. Australia*, 166, 1997, p. 65-68.

GLOD C. A., TEICHER M. H., HARTMAN C. R., HARAKAL T., « Increased nocturnal activity and impaired sleep maintenance in abused children », *J. Am. Acad. Child Adol. Psychiatry*, 36, 1997, p. 1236-1243.

GOLDING J. M., COOPER M. L., GEORGE L. K., « Sexual assault history and health perceptions. Seven general population studies », *Health Psychol.*, 16, 1997, p. 417-425.

GOODWIN J., « Use of drawings in evaluating children who may be incest victims », *Child. Youth Serv. Rev.*, 4, 1982, p. 269-278.

GUTHRIE E., CREED F. H., WHORWELL P. J., « Severe sexual dysfunction in women with the irritable bowel syndrome. Comparison with inflammatory bowel disease and duodenal ulceration », *BMJ*, 295, 1987, p. 577-578.

HAGOOD M. M., « Diagnosis or dilemma. Drawings of sexually abused children », *Br. J. Proj. Psychol.*, 37, 1992, p. 22-23.

HIBBARD R. A., HARTMAN G. I., « Emotional indicators in human figure drawings of sexually victimized and nonabused children », *J. Clin. Psychol.*, 46, 1990, p. 211-219.

KIRKENGEN A. L., SCHEI B., STEINE S., « Indicators of childhood sexual abuse in gynaecological patients in a general practice », *Scand. J. Prim. Health Care*, 11, 1993, p. 276-280.

LALONDE M. O., « Breaking the silence. Recovery from incest », *Humane Med.*, 11, 1995, p. 29-33.

LECHNER M. E., VOGEL M. E., GARCIA-SHELTON L. M., LEICHTER J. L., STEIBEL K. R., « Self-reported medical problems of adult female survivors of childhood sexual abuse », *J. Fam. Pract.*, 36, 1993, p. 633-638.

LEROI A. M., BERNIER C., WATIER A., HÉMOND M., GOUPIL G., BLACK R., DENIS P., DEVROEDE G., « Prevalence of sexual abuse among patients with functional disorders of the lower gastrointestinal tract », *Int. J. Colorect. Dis.*, 10, 1995, p. 200-206.

LEROI A. M., BERKELMANS I., DENIS P., HÉMOND M., DEVROEDE G., « Anismus, as a marker of sexual abuse. Consequences of sexual abuse on anorectal motility », *Dig. Dis. Sci.*, 40, 1995, p. 1411-1416.

LEROI A. M., DUVAL V., ROUSSIGNOL C., BERKELMANS I., PENINQUE P., DENIS P., « Biofeedback for anismus in 15 sexually abused women », *Int. J. Colorect. Dis.*, 11, 1996, p. 187-190.

LESERMAN J., LI Z., DROSSMAN D., TOOMEY T. C., NACHMAN G., GLOGAU L., « Impact of sexual and physical abuse dimensions on health status. Development of an abuse severity measure », *Psychosomat. Med.*, 59, 1997, p. 152-160.

LONGSTRETH G. F., WOLDE-TSADIK G., « Irritable bowel-type symptoms in HMO examinees. Prevalence, demographics and clinical correlates », *Dig. Dis. Sci.*, 38, 1993, p. 1581-1589.

LUSTER T., SMALL S. A., « Sexual abuse history and number of sex partners among female adolescents », *Fam. Plan. Perspect.*, 29, 1997, p. 204-211.

MACMILLAN H. L., FLEMING J. E., TROEME E., BOYLE M. H., WONG M., RACINEY A., BEARDSLEE W. R., OFFORD D. R., « Prevalence of child physical and sexual abuse in the community. Results from the Ontario Health Supplement », *JAMA*, 278, 1997, p. 131-135.

MAK A. J. W., TYROLER P. M., JEFFERY A. J., WRIGHT C. J.,

DEVROEDE G., « Sexual abuse and "false memories" », *Humane Med.*, 11, 1995, p. 125-128.

MANNING T. M., « Aggressions depicted in abused children's drawings », *Art Psychother.*, 14, 1987, p. 15-25.

MCCARTHY T., ROBERTS L. W., HENDRICKSON K., « Urologic sequellae of childhood genitourinary trauma and abuse in men. Principles of recognition with fifteen case illustrations », *Urolory*, 47, 1996, p. 617-621.

RIMSZA M. E., BERG R. A., LOCKE C., « Sexual abuse : Somatic and emotional reactions », *Ch. Abuse Negl.*, 12, 1988, p. 201-208.

RIORDAN R. J., VERDEL A. C., « Evidence of sexual abuse in children's art products », *School Counsellor*, 39, 1991, p. 116-121.

ROBIN R. W., CHESTER B., RASMUSSEN J. K., JARANSON J. M., GOLDMAN D., « Prevalence, characteristics and impact of childhood sexual abuse in a Southwestern American Indian tribe », *Ch. Abuse Negl.*, 21, 1997, p. 769-787.

SADOWSKI P. M., LOESCH L. C., « Using children's drawings to detectpotential child sexual abuse », *Elem. School Guid. Counsel.*, 28, 1993, p. 115-123.

STOCK J. L., BELL M. A., BOYER D. K., CONNELL F. A., « Adolescent pregnancy and sexual risk-taking among sexually abused girls », *Fam. Plann. Perspect.*, 29, 1997, p. 200-203.

SWANSTON H. Y., TEBBUTTS J. S., O'TOOLE B. I., OATES R. K., « Sexually abused children five years after presentation. A case-control study », *Pediatrics*, 100, 1997, p. 600-608.

TALLEY N. J., FETT S. L., ZINSMEISTER A. R., MELTON L. J., « Gastrointestinal tract symptoms and self-reported abuse. A population-based study », *Gastroenterology*, 107, 1994, p. 1040-1049.

TEBBUTT J., SWANSTON H., OATES R. K., O'TOOLE B. I., « Five years after child sexual abuse. Persisting dysfunction and problems of prediction », *Adol. Psychiatry*, 36, 1997, p. 330-339.

TRENT B., « Art therapy can shine a light into the dark history of a child's sexual abuse », *Can. Med. Assoc. J.*, 146, 1992, p. 1412-1422.

WALKER E. A., KATON W., HARROP-GRIFFITHS J., HOLIN L., RUSSO J., HICKOK L. R., « Relationship of chronic pelvic pain to psychiatric diagnosis and childhood sexual abuse », *Am. J. Psychiatry*, 145, 1988, p. 75-79.

WALKER E. A., GELFAND A. N., GELFAND M. D., GREEN C., KATON W. J., « Chronic pelvic pain and gynaecological symptoms in women with irritable bowel syndrome », *J. Psychosom. Obstet. Gynaecol.*, 17, 1996, p. 39-46.

WALLING M. K., REITER R. C., O'HARA M., MILBURN A. K., LILLY G., VINCENT S. D., « Abuse history and chronic pain in women. I. Prevalence of sexual abuse and physical abuse », *Obstet. Gynecol.*, 84, 1994, p. 193-199.

WALLING M. K., O'HARA M. W., REITER R. C., MILBURN A. K., LILLY G., VINCENT S. D., « Abuse history and chronic pain in women. II. A multivariate analysis of abuse and psychological morbidity », *Obstet. Gynecol.*, 84, 1994, p. 200-206.

YATES A., BEUTLER L., CRAGO M., « Drawings by child victims of incest », *Ch. Abuse Negl.*, 9, 1985, p. 183-189.

Chapitre v

BARTON M., DEVROEDE G., « Face to face. A dialogue between a patient and a surgeon. A surgeon's reply », *Humane Medicine*, 7 (1), 1991, p. 54-58.

BÉRUBÉ J., FELDMAN P., DEVROEDE G., LACOMBE G., « Le toucher, agent thérapeutique », *Sexologies*, III (13), 1994, p. 43-48 (1re partie) et III (14), 1994, p. 28-36 (2e partie).

BOGREN L. Y., « The couvade syndrome : background variables, *Acta Psychiatrica Scandinavica*, 70 (4), 1984, p. 316-320.

BOUCHOUCHA M., ODINOT J. M., DEVROEDE G., LANDI B., CUGNENC P. H., BARBIER J. P., « Simple clinical assessment of colonic response to food », *Int. J. Colorect. Dis.*, 13, 1998, p. 217-222.

BOHM B., ROTHING N., SCHWENK W., GREBE S., MANNSMAN U., « A prospective randomized trial on heart rate variability of the surgical team during laparoscopic and conventional sigmoid resection » *Archives of Surgery*, 136 (3), 2001, p. 305-310.

COELHO J. C., PRECOMA D., CAMPOS A. C., MARCHESINI J. B., PEREIRA J. C., « Twenty-four hours ambulatory electrocardiographic monitoring of surgeons », *International Surgery*, 80 (1), 1995, p. 89-91.

DENOLLET J., « Type D personality. A potential risk factor refined », *Journal of Psychosomatic Research*, 49, 2000, p. 255-266.

DENOLLET J., VAES J., DIRK C., BRUTSSAERT L., « Inadequate response to treatment in coronary heart disease. Adverse effects of type D personality and younger age or 5-year prognosis and quality of life », *Circulation*, 102 (6), 2000, p. 630-635.

DEVROEDE G., « Pathophysiological considerations in subjects with chronic idiopathic constipation », *in* S. D. Wexner, D. C. C. Bartolo (dir.), *Constipation. Etiology, Evaluation and Management*, Butterworth, Heineman, 1995, p. 103-134.

DEVROEDE G., « Surgery. Fashion or Science ? », *Can. J. Surgery*, 13, 1970, p. 2176-217.

DEVROEDE G., « Geographical differences in diagnosis or in clinical courses of ulcerative colitis », *Gastroenterology*, 71, 1976, p. 177-181.

DEVROEDE G., « Constipation », *in* M. H. Sleisenger, J. S.

Fordtran (dir.), *Gastrointestinal Disease. Pathophysiology, Diagnosis, Management*, 5ᵉ éd., W. B. Saunders Company, 1993, p. 837-887.

DEVROEDE G., « Gastroentérologie, science et humanisme », *Gastroentérologie Clinique et Biologique*, 7, 1983, p. 989-991.

DEVROEDE G., « La constipation : du symptôme vers la personne », *Gastroentérologie Clinique et Biologique*, 9, 1985, p. 3-6.

DEVROEDE G., « La constipation : du symptôme à la personne », *Psychologie Médicale*, 17 (10), 1985, p. 1515-1524.

DEVROEDE G., « Is there an effective way to help people with the irritable bowel syndrome ? », *in* M. O. Christen, T. Godfraind, R. W. McCallum (dir.), *Calcium Antagonism in Gastrointestinal Motility*, Proceedings of the International Symposium Paris, Elsevier, 10 février 1989.

DEVROEDE G., « Constipation : a sign of a disease to be treated surgically, or a symptom to be deciphered as non verbal communication ? », *J. Clin. Gastroenterology*, 15 (3), 1992, p. 189-191.

DEVROEDE G., « Psychophysiological assessment of patients with pelvic floor dysfunction », *in* E. A. Mayer, H. Raybould (dir.), *Basic and Clinical Aspects of Chronic Abdominal Pain*, Elsevier, 1993, p. 257-270.

DEVROEDE G., « A clinical perspective of psychological factors in constipation », *in* M. A. Kamm, J. E. Lennard-Jones (dir.), *Constipation and Related Disorders*, Wrightson Biomedical Publishing, 1993, p. 101-116.

DEVROEDE G., « Les limites de la médecine et la vie sans limites », *L'Union médicale du Canada*, 122 (4), 1993, p. 256-257.

DEVROEDE G., « Le corps qui crie ses maux. I : Souffrance et investissement affectif dans la maladie », *in* Luc Bessette (dir.), *Comptes rendus du congrès international « Le processus de guérison : par delà la souffrance ou la mort »*, Les Ateliers de Montréal pour une conscience nouvelle, MNH, Beauport (Québec, Canada), 1993, p. 13-22.

DEVROEDE G., « Constipation », *in* Devinder Kumar, David L. Wingate (dir.), *An Illustrated Guide to Gastrointestinal Motility*, 2ᵉ éd., Churchill Livingstone, 1994, p. 595-654.

DEVROEDE G., « Love, sex and incest », *Humane Medicine*, 11 (1), 1995, p. 6-7.

DEVROEDE G., « Au-delà du géniteur, le père », *ADIRE, revue d'analyse psycho-organique*, « L'Homme, Paternité, Masculinité », 14, mai 1998, p. 67-82.

DEVROEDE G., « Sexuality, the patient and the doctor », *Humane Health Care International*, 13 (3), 1997, p. 59-60.

DEVROEDE G., « On a practitioner's "being" as the true healing agent. Observations : Increasing the humanity of medicine », *Advances in Mind-Body Medicine*, 15, 1999, p. 134-136.

DEVROEDE G., « Cancer du côlon, personnalité et immunité péritumorale : réflexion, observations, hypothèses », *in* Luc Bessette (dir.), *Le Deuil comme processus de guérison*, MNH Beauport (Québec), Canada, 1995, p. 137-156.

DEVROEDE G., DOCKERTY M. B., SAUER W. G., JACKMAN R., STICKLER G., « Cancer risk and life expentancy in children with ulcerative colitis », *New England J. of Medicine*, 285, 1971, p. 17-21.

DEVROEDE G., DOCKERTY M. B., SAUER W. G., JACKMAN R., STICKLER G., « Cancer of the colon in patients with ulcerative colitis since childhood » *The Can. J. Surg.*, 15, 1972, p. 369-374.

DEVROEDE G., TAYLOR W. F., GREENSTEIN A., JANOWITZ, « Comment calculer l'histoire naturelle d'une maladie », *Gastroentérologie Clinique et Biologique*, 3, 1979, p. 259-266.

DEVROEDE G., TAYLOR W. F., SAUER W. G., JACKMAN R. J., STICKLER G. B., « Ulcerative colitis and colonic cancer », *Gastroenterology*, 62, 1972, p. 1097-1099.

DEVROEDE G., TAYLOR W.F. « On calculating cancer risk and survival of patients with the life table melthod ». *Gastroenterology (Clinical Trends and Topics Section)*, 71, 1976, p. 505-509.

DEVROEDE G., ARHAN P., SCHANG J. C., HEPPELL J., « Orderly and disorderly fecal continence », *in* Ira J. Kodner, Robert D. Fry, John P. Roe (dir.), *Colon, Rectal and Anal Surgery. Current Techniques and Controversies*, Saint Louis, Toronto, Pinceton, CV Mosby Company, 1985, p. 40-62.

DEVROEDE G., BOUCHOUCHA M., GIRARD G., « Constipation, anxiety and personality. What comes first ? » *in* L. Bueno, S. Collins, J. L. Junior (dir.), *Stress and Digestive Motility*, Londres, Paris, John Libbey Eurotext, 1989, p. 55-60.

DEVROEDE G., ROY T., BOUCHOUCHA M., PINARD G., CAMERLAIN M., GIRARD G., BLACK R., SCHANG J. C., ARHAN P., « Idiopathic constipation by colonic dysfunction. Relationship with personality and anxiety », *Dig. Dis. Sci.*, 34 (9), 1989, p. 1428-1433.

DEVROEDE G., POISSON J., SCHANG J. C., « Obstipation. What is the appropriate therapeutic approach ? », *in* J. S. Barkin, A. I. Rogers (dir.), *Difficult Decisions in Digestive Diseases*, Year Book Medical Publishers, 1989, p. 458-484.

ELSENBRUCK S., HARMISH M. J., ORR W. C., « Subjective and objective sleep quality in irritable bowel syndrome », *American Journal of Gastroenterology*, 94 (9), 1999, p. 2447-2452.

FELDMAN P. C., VILLANUEVA S., LANNE V., DEVROEDE G., « Use of play with clay to treat children with intractable encopresis », *Journal of Pediatrics*, 122 (3), 1993, p. 483-487.

FOSTER G. E., EVANS D. F., HARDCASTLE J. D., « Heart-rates of surgeons during operations and other clinical activities and their modifications by oxpenolol », *Lancet*, I (8078), 1978, p. 1323-1325.

FROELI S. H., « Cours sur le toucher », *Guide du moniteur.*

Habiletés cliniques, II : Étape 2, Communication et humanisme, Faculté de médecine, Université de Sherbrooke, août 2001, p. 15.

GUTHRIE E., CREED F. H., WHORWELL P. J., « Severe sexual dysfunction in women with the irritable bowel syndrome : comparison with inflammatory bowel diseases and duodenal ulceration », *Br. Med. J. Clin. Res.*, 295 (6598), 1987, p. 577-578.

HÉMOND M., BÉDARD G., BOUCHARD H., ARRHAN P., WATIER A., DEVROEDE G., « Step-by-step anorectal manometry : small balloon tube », *in* Lee E. Smith (dir.), *Practical Guide to Anorectal Testing*, 2ᵉ éd., New York, Tokyo, Igaku-Shoin, 1995, p. 101-141.

JOHANSON J. F., SONNENBERG A., KOCK T. R., « Clinical epidemiology of chronic constipation », *J. Clin. Gastroenterol.*, 11 (5), 1989, p. 525-536.

KLEIN H., « Couvade syndrome : male counterpart to pregnancy », *International Journal of Psychiatry in Medicine*, 21 (1), 1991, p. 57-69.

KUMAR D., THOMPSON P. D., WINGATE D. L., VESSELINOVA-JENKINS C. K., LIBBY G., « Abnormal REM sleep in the irritable bowel syndrome », *Gastroenterology*, 103, 1992, p. 12-17.

LIKONGO Y., DEVROEDE G., SCHANG J. C., ARHAN P., VOBECKY S., NAVERT H., CARMEL M., LAMOUREUX G., STROM B., DUGUAY C., « Hindgut dysgenesis and a cause of constipation with delayed colonic transit », *Dig. Dis. Sci.*, 31 (9), 1986, p. 993-1003.

LIPKIN M. Jr, LAMB G. S., « The couvade syndrome : an epidemiological study », *Annals of Internal Medicine*, 96 (4), 1982, p. 509-511.

MAK A. J. W., TYROLER P. M., JEFFERY A. J., WRIGHT C. J., DEVROEDE G., « Sexual abuse and "false memory" », *Humane Medicine*, 11 (3), 1995, p. 125-128.

MARTELLI H., DEVROEDE G., ARHAN P., DUGUAY C., DORNIC C., FAVERDIN C., « Some parameters of large bowel motility in normal man », *Gastroenterology*, 75, 1978, p. 612-618.

MARTELLI H., DEVROEDE G., ARHAN P., DUGUAY C., « Mechanisms of idiopathic constipation : outlet obstruction », *Gastroenterology*, 75, 1978, p. 623-631.

MARTELLI H., FAVERDIN C., DEVROEDE G., GOULET O., JAIS J. P., HAMBOURG M., BESANÇON-LECOIONTE I., ARHAN P., « Can functional constipation begin at birth ? », *Gastroenterology International*, 11 (1), 1998, p. 1-11.

MONDAY J., MONTPLAISIR J., MALO J. L., « Dream process in asthmatic subjects with nocturnal attacks », *American Journal of Psychiatry*, 144 (5), 1987, p. 638-640.

NOOTENS J., DEVROEDE G., « Fréquence de l'entérite régionale dans les Cantons de l'Est », *L'Union Médicale du Canada*, 101, 1972, p. 1138-1140.

ORR W. C., CROWELL M. D., LIN B., HARNISH M. J., CHEN J. D.,

« Sleep and gastric function in irritable bowel syndrome. Derailing the brain-gut axis », *GUT*, 41 (3), 1997, p. 390-393.

ORR W. C., « Sleep and functional bowel disorders : can bad bowels cause bad dreams ? », *American Journal of Gastroenterology*, 95 (5), 2000, p. 1118-1121.

ROSENFELD A., SIEGEL-GORELICK B., HARAVIK D. *et al.*, « Parental perceptions of children's modesty : a cross-sectional survey of ages two to ten years », *Psychiatry*, 47, 1984, p. 351-365.

SCHANG J. C., DEVROEDE G., HÉBERT M., HÉMOND M., PILOTE M., DEVROEDE L., « Effects of rest, stress and food on myoelectric spiking activity of the left and sigmoid colon in man », *Dig. Dis. & Sci.*, 33 (5), 1988, p. 614-618.

TUCKER D. M., SANDSTEAD H. H., LOGAN G. M. *et al.*, « Dietary fiber and personality factors as determinants of stool output », *Gastroenterology*, 81, 1981, p. 879.

VERDURON A., DEVROEDE G., BOUCHOUCHA M., ARHAN P., SCHANG J. C., POISSON J., HÉMOND M., HÉBERT M., « Megarectum », *Dig. Dis. & Sci.*, 33 (9), 1988, p. 1164-1174.

WALD A., HINDS J. P., CAMANA B. J., « Psychological and physiological characteristics of patients with ssevere idiopathic constipation », *Gastroenterology*, 97, 1989, p. 932-937, 1989.

WALD A., « Colonic transit and anorectal manometry in chronic idiopathic constipation », *Arch. Int. Med.*, 146, 1986, p. 1713-1716.

WATIER A., DEVROEDE G., DURANCEAU A., ABDEL-RAHMAN M., DUGUAY C., FORAND M. D., TÉTREAULT L., ARHAN P., LAMARCHE J., ELHILALI M., « Constipation with colonic inertia : a manifestation of systemic disease », *Digestive Diseases and Sciences*, 28 (1), 1983, p. 1025-1033.

WATIER A., FELDMAN P., MARTELLI H., ARHAN P., DEVROEDE G., « Hirschsprung's dissease », *in* W. B. Haurbrich, F. Schaffner (dir.), *Bockus Gastroenterology*, 5e éd., J. E. Berk, consulting editor, W. J. Snape editor, 1995, p. 1602-1618.

YAMAMOTO A., HARA T., KIKUCHI K., FUJIWARA T., « Intraoperative stress experienced by surgeons and assistants », *Ophtalmic Surgery and Lassers*, 30 (1), 1999, p. 27-30.

REPÈRES BIBLIOGRAPHIQUES

ANCELIN SCHÜTZENBERGER Anne, *Aïe, mes aïeux !*, Paris, Desclée De Brouwer/La Méridienne, 14ᵉ éd., 2001.

ANZIEU Didier, *Le Moi-peau*, Paris, Dunod, 1985.

BADINTER Élisabeth, *L'Amour en plus. Histoire de l'amour maternel, XVIIᵉ-XXᵉ siècle*, Paris, Flammarion, 1980.

BALMARY Marie, *Le Sacrifice interdit. Freud et la Bible*, Paris, Grasset, 1986.

BALMARY Marie, *La Divine Origine. Dieu n'a pas créé l'homme*, Paris, Grasset, 1993.

BARRAL Willy (dir.), *Françoise Dolto, c'est la parole qui fait vivre. Une théorie corporelle de langage*, Paris, Gallimard, 1999.

BAR ON Dan, *L'Héritage infernal. Des filles et des fils nazis racontent*, Paris, Eshel, 1991.

BELLET Maurice, *La Voie*, Paris, Seuil, 1982.

BERNADAC Marie-Laure, MARCADÉ Bernard, *Féminimasculin. Le sexe de l'art*, Paris, Gallimard/ Centre Georges-Pompidou, 1995.

BOURKE John Gregory, *Les Rites scatologiques*, Paris, PUF, 1981.

BRIL Jacques, *Lilith, ou la mère obscure*, Paris, Payot, 1981.

BYDLOWSKI Monique, *La Dette de vie. Itinéraire psychanalytique de la maternité*, Paris, PUF, 1998.

CARDINAL Marie, *Les Mots pour le dire*, Paris, Grasset, 1975.

CYRULNIK Boris, *Les vilains petits canards*, Paris, Odile Jacob, 2001.

DEBRAY Rosine, *Bébés/Mères en révolte. Traitements psychanalytiques conjoints des déséquilibres psychosomatiques précoces*, Paris, Le Centurion, 1987.

DUMAS Didier, *L'Ange et le Fantôme. Introduction à la clinique de l'impensé généalogique*, Paris, Minuit, 1985.

ÉLIAS Norbert, *La Civilisation des mœurs*, Paris, Calmann-Lévy, 1973.

FENICHEL Otto, *La Théorie psychanalytique des névroses*, Paris, PUF, 1979.

FERENCZI Sandor, *Journal clinique, janvier-octobre 1932*, Paris, Payot, 1985.

FERRY Luc, *L'Homme-Dieu, ou le sens de la vie*, Paris, Grasset, 1996.

FOUCAULT Michel, *Histoire de la sexualité*, Paris, Gallimard, 1976.

FREXINOS Jacques (dir.), *Voyage sans transit. Géographie mondiale de la constipation*, Paris, Médigone/Beaufour, 1997.

GIBRAN Khalil, *Le Prophète et le jardin du prophète*, Paris, Casterman, 1992.

GRODDECK Georg, *Conférences psychanalytiques à l'usage des malades*, Paris, Éditions Champ libre, 1978.

GRODDECK Georg, *La Maladie, l'art et le symbole*, Paris, Gallimard, 1969.

GROF Stanislav, *Psychologie transpersonnelle*, Monaco, Éditions du Rocher, 1990.

GUERRAND Roger-Henri, *Les Lieux. Histoire des commodités*, Paris, La Découverte, 1985.

GUY-GILLET Geneviève, *La Blessure de Narcisse*, Paris, Albin Michel, 1994.

HARRUS-RÉVIDI Gisèle, *Psychanalyse des sens*, Paris, Payot, 2000.

HARRUS-RÉVIDI Gisèle, *Parents immatures et enfants-adultes*, Paris, Payot, 2001.

HAYNAL André, *Un psychanalyste pas comme un autre. La renaissance de Sandor Ferenczi*, Lausanne, Delachaux et Niestlé, 2001.

HERBINET E., BURNEL M.-C. (dir.), *L'Aube des sens*, Paris, Stock, 1995.

HERFRAY Charlotte, *La Vieillessse*, Paris, EPI/Desclée De Brouwer, 1988.

ISRAEL Lucien, *L'Hystérique, le sexe et le médecin*, Paris, Masson, 1976.

JANOV Arthur, *L'Amour et l'Enfant*, Paris, Flammarion, 1977.

JOUVET Michel, *Le Sommeil et le Rêve*, Paris, Odile Jacob, 1992.

JOUVET Michel, *Le Château des songes*, Paris, Odile Jacob, 1992.

JUNG Carl Gustav, *L'Homme et ses symboles*, Paris, Laffont, 1964.

LABORDE-NOTTALE Élisabeth, *La Voyance et l'inconscient*, Paris, Seuil, 1990.

LEMAIRE Jean-G., *Le Couple : sa vie, sa mort. La structuration du couple humain*, Paris, Payot, 1984.

LÉVINAS Emmanuel, *Altérité et transcendance*, Fata Morgana, 1995.

McDOUGALL Joyce, *Plaidoyer pour une certaine anormalité*, Paris, Gallimard, 1978.

McDOUGALL Joyce, *Éros aux mille et un visages*, Paris, Gallimard, 1996.

MILLER Alice, *Le Drame de l'enfant doué. À la recherche du vrai soi*, Paris, PUF, 1983.

MILLER Alice, *L'Enfant sous terreur. L'ignorance de l'adulte et son prix*, Paris, Aubier-Montaigne, 1986.

MONTRELAY Michèle, *L'Ombre et le Nom. Sur la féminité*, Paris, Minuit, 1977.

MOODY Raymond, *La Vie après la vie*, Paris, Robert Laffont, 1977.

MORIN Edgard, *Pour sortir du vingtième siècle*, Paris, Nathan, 1981.

MORRIS Desmond, *La Clé des gestes*, Paris, Grasset, 1978.

NASBEDNIKOV Mitsou (Ma Anand Margo), *Le Chemin de l'extase. Tantra : vers une nouvelle sexualité*, Paris, Albin Michel, 1981.

OLIVIER Christiane, *Les Enfants de Jocaste. L'empreinte de la mère*, Paris, Denoël/Gauthier, 1980.

PELLETIER Kenneth R., *Mind as healer, mind as slayer. A holistic approach to preventing stress disorders*, New York, Delta, Dell Publishing, 1977.

POPPER Karl R., *La Logique de la découverte scientifique*, Paris, Payot, 1978.

PRAYEZ Pascal, *La Ferveur thérapeutique, ou la passion de guérir*, Paris, Retz, 1986.

RING Kenneth, *Heading towards Omega. In search of the meaning of the near-death experience*, New York, Quill William Morrow, 1984.

RINPOCHÉ Sogyal, *Le Livre tibétain de la vie et de la mort*, Paris, Éditions de La Table Ronde, 1993.

ROTH Geneen, *Lorsque manger remplace aimer*, Montréal, Stanké, 1991.

ROUSTANG François, *Influence*, Paris, Minuit, 1990.

SABOM Michael B., *Recollections of Death. A Medical Investigation*, New York, Harper & Row, 1982.

SALOMON Paule, *La Sainte Folie du couple*, Paris, Albin Michel, 1994.

SAMI-ALI, *Corps réel, corps imaginaire. Pour une épistémologie psychanalytique*, Paris, Dunod, 1977.

SEARLES Harold, *Le Contre-transfert*, Paris, Gallimard, 1981.

SI AHMED Djohar, *Parapsychologie et psychanalyse*, Paris, Dunod, 1990.

SIEGEL Bernard, *L'Amour, la médecine et les miracles*, Paris, Laffont, 1989.

THIS Bernard, *Le Père : acte de naissance*, Paris, Seuil, 1980.

THOMAS Eva, *Le Viol du silence*, Paris, Aubier-Montaigne, 1986.

THOMAS Eva, *Le Sang des mots*, Paris, Mentha, 1992.

VAN EERSEL Patrice, *La Source noire. Révélations aux portes de la mort*, Paris, Grasset, 1986.

TABLE

Petite Bibliothèque Payot

Petite Bibliothèque Payot / Voyageurs